Coco

Cristina Sánchez-Andrade

Coco

Z hiszpańskiego przełożyła
Aleksandra Krakowska

Świat Książki

Tytuł oryginału
COCO

Redaktor prowadzący
Elżbieta Kobusińska

Redakcja merytoryczna
Maria Radzimińska

Redakcja techniczna
Lidia Lamparska

Korekta
Marianna Filipkowska
Irena Kulczycka

Świat Książki
Warszawa 2008
Bertelsmann Media sp. z o.o.
ul. Rosoła 10, 02-786 Warszawa

Skład i łamanie
Akces, Warszawa

Druk i oprawa
GGP Media GmbH, Pössneck

ISBN 978-83-247-0926-7
Nr 6217

Danielowi

*To bowiem, czym każdy jest dla siebie,
co towarzyszy mu w chwilach samotności
i czego nikt nie może mu ani dać, ani zabrać,
jest oczywiście dla niego ważniejsze niż wszystko,
co mógłby posiadać lub czym mógłby być w oczach innych.*

Arthur Schopenhauer
(przełożył Jan Garewicz)

1

Stara kobieta śpi w apartamencie paryskiego hotelu Ritz. Ma maleńką, jakby zabalsamowaną twarzyczkę. Jest krucha jak wyschły liść. Nazywa się Coco. O wpół do siódmej czuje w okolicach ucha zimną pieszczotę kuli. Otwiera nagle oczy, a w jej mózgu wybucha myśl: dziś umrę.

Bywa, że nachodzi nas niejasne przeczucie. Niespodziewanie, któregoś pięknego dnia. Od tej pory towarzyszy nam jak cień. Nie zna głodu, chłodu ani zmęczenia. Czujne jak leopard i zawzięte jak byk. Nie jest inteligentne, jest sprytne. Zdolne siłować się z rozumem do skutku. W tym przypadku chętnie obudziłoby prezydenta, ponieważ boi się tak samo jak Coco. Ale Coco ma inne plany. Aby poczuć się bezpieczniej, od lat zajmuje w najlepszym paryskim hotelu królewski apartament z łóżkiem *king size*. Ma przy sobie to, co najważniejsze: pakiet listów z historią swego życia oraz osobistą pokojówkę, która jeszcze nie wie, że jest tam po to, by zadzwonić na recepcję, kiedy znajdzie swoją chlebodawczynię na podeście schodów, zabitą strzałem w głowę.

Bywa, że nosimy w sobie coś, co nas ostrzega, a żywi się drobiazgami: kwaśnym zapachem cytryn albo środków odkażających; niteczką śliny, która wsiąka w pościel z monogramem H.R. Paris; paleniem w trzewiach albo zimną pieszczotą muskającej ucho kuli. Wszystkim. W ciągu paru minut słaby embrion przeczucia pęcznieje. Rośnie jak śnieżna kula, nabiera gorzkiej wyrazistości, aż w końcu zmienia się w panikę.

Coco, naga i wspaniała, siada na łóżku. Mimo wieku, z włosami jak końska grzywa, wciąż jest efektowną kobietą – taki byczek z Camargue: czarne dzikie oczy, rozedrgane nozdrza, odęte wargi, wybitna inteligencja. Próbuje się uspokoić. Po ciemku szarpie za zwisającą obok taśmę i Céline, pokojówka, zjawia się w następnej sekundzie.

– Czemu tak długo? – beszta ją.

Podczas gdy jej stopy badają podłogę w poszukiwaniu kapci, palce rąk zsuwają się na nocny stolik, aby sprawdzić, czy listy leżą na swoim miejscu. Z pomocą Céline wkłada satynową koszulę, szeroką i luźną. Ciało wydziela jeszcze niemiły nocny zapaszek.

– Otwórz sejf i wyjmij naszyjnik. Dziś jest szczególny dzień – mówi Coco.

I to nie tylko z powodu Nowego Roku, jak sądzi pokojówka. Ostatecznie ktoś, kto skończył siedemdziesiąt pięć lat, miał go już okazję witać ładnych parę razy. Céline bierze ją pod rękę i wlecze jej kościste ciało do łazienki. Nieliczne meble, a właściwie ich brak, stosunek kształtu do pustki, dekoracyjna, otwarcie prowokacyjna nagość, wolna od wybrzuszeń i wypustek, gołe ściany, białe jak w mniszej celi – wszystko to mówi o pogardzie dla uczuć i światowych potrzeb. Gdyby nie sedes z kararyjskiego marmuru, na którym przysiada teraz stara bogaczka (malutka, oszołomiona, uśmiechająca się w zamyśleniu do kwiatków na wykładzinie), nikt by nie pomyślał, że to królewski apartament w Ritzu.

Jest sama. Sama i zagubiona, z zapowiedzią czegoś nieodwracalnego zapisaną w dygocącym ciele. Chcąc uciec przed samotnością i potwornym strachem, chętnie zadzwoniłaby do dzieci i obsypała kosztownymi upominkami wnuki. Gdyby je miała. Ale nie ma ani dzieci, ani wnuków, ani męża, ani kochanków, ani prawdziwych przyjaciół, którzy dotrzymaliby jej towarzystwa. Sama, z tymi wstrętnymi kwiatkami na wykładzinie – myśli. Sama wypije szampana, otworzy prezenty, pośmieje się, zje dobry obiad i podziękuje za niego Panu, sama powita nadchodzący rok, sama uściśnie nikogo i sama umrze. Gryzie paznokcie, pielęgnowane co dzień przez manikiurzystkę, i znów układa wargi do uśmiechu. Mechanicznie otwiera usta.

– Céliiiine! – krzyczy. – Nie zamierzam zdechnąć na tym przeklętym sedesie!

Céline, która zajęła się tymczasem myciem okna, rzuca wszystko i pędzi do łazienki.

– Czego pani sobie życzy, *mademoiselle*? – pyta, zaglądając do środka.

– Czego sobie życzę... – mówi z namysłem Coco. – Zrozumieć, czego sobie naprawdę życzymy, nie jest wcale tak łatwo, jak się niektórym wydaje... – I posyłając pokojówce posępne spojrzenie, wybucha: – Wiesz, czego sobie życzę, idiotko? Mieć jakieś życzenia! Tego sobie życzę!

Za uchylonym oknem stado wróbli skupionych wokół latarni. Bezbarwna, zimna mgła pełznie po ścianach otaczających hotelowy dziedziniec. Na ulicy Cambon jest cicho. W królewskim apartamencie – jeszcze ciszej. Na zewnątrz szeleszczą przynajmniej poruszane wiatrem magnolie. Coco bierze listy ze stolika i siada przed toaletką. Przewiązuje pakiecik i każe pokojówce schować go do sejfu. I wyjąć płaszcz z kołnierzem z króliczych ogonów. Bo zamierza dziś pracować. (Ale dziś jest Nowy Rok, *mademoiselle*). Przewiązuje listy czerwoną satynową wstążeczką: drżącymi dłońmi poprawia kokardkę, coraz silniej zaciskając węzeł. Listy spadają na podłogę, podnosi je, strzepuje i ponownie okręca tasiemką. (Nic mnie to nie obchodzi).

Nienawidzi świąt, wyludnionych hotelowych korytarzy, bożonarodzeniowych światełek mrugających w półmroku jadalni, tych nieznośnych kolęd wygrywanych o każdej porze dnia, udawanego przez wszystkich dookoła szczęścia i głupiego optymizmu. Stara kobieta, przesycona bogactwem i sukcesem, ma tylko jedno pragnienie (i nadzieję): nie umrzeć z nudów. Tłumaczy to pokojówce, gdy ta przynosi jej płaszcz. (Nie, może inny, ten śmierdzi starością).

– Przez całe życie, Céline, projektowałam ubrania. Mogłam robić cokolwiek, na przykład hodować świnie, co zresztą w moich stronach bardzo się opłaca. Ubrania same w sobie nie bardzo mnie interesowały – ciągnie. – Zresztą świnie też nie. Fascynował mnie akt tworzenia. Przez całe życie zajmowałam się tworzeniem, tak jak świnia zajmuje się ryciem. Właściwie to jedno i to samo. A wiesz, dlaczego i ja, i świnia zajmujemy się ryciem? Dlatego, że to grzebanie w gównie pomaga nam pogodzić się z własnym istnieniem. Nie mogę znieść pustki wolnych dni. Nie. Nie mogę.

Jedyny problem z królewskim apartamentem jest taki, że czy ktoś w nim jest, czy nikogo nie ma, co dwie-trzy godziny przychodzi hotelowa pokojówka, żeby zmienić ręczniki, dorzucić cukierków do miseczki na stoliku i sprawdzić, czy pojemniczki z szamponem są pełne. Czasem zagląda też boy z pełną tacą: dobrze schłodzone piwo, słupki zielonych szparagów w winegrecie, tosty melba na bielusieńkiej serwetce, purée z młodych ziemniaczków i groszek, a na deser gorgonzola lub gruyère i dobra kawa. Tak czy owak nic, co przypominałoby żeńską szkołę z internatem, w której matka zostawiła ją wraz z siostrą, gdy ona, Coco, miała siedem lat. Tam nie jadało się gorgonzoli i nie zmieniało ręczników – ani jedno, ani drugie po prostu nie istniało.

Była dzieckiem samowolnym i pyskatym. Ojciec sprzedawał kapelusze, guziki, pokrowce i fartuchy. Matka suchotnica pokonała kiedyś pięćdziesiąt kilometrów przez góry, z brzuchem jak bęben, żeby wyciągnąć narzeczonego z knajpy i uświadomić mu w dobitnych słowach, że jej ciąża dotyczy ich obojga. „Albo wracasz i się ze mną żenisz, albo urodzę tu, na miejscu" – powiedziała.

Ślub niczego nie zmienił. On znikał na długie tygodnie, żeby handlować guzikami. Mieszkali w Saint-Croix, miasteczku położonym w głębokiej, pachnącej dolinie, gdzie były tylko dwie pory roku: lato i zima. Po rdzawym pyle i lepkim upale nadchodziły przymrozki. Powietrze robiło się wilgotne i ostre. Spadał pierwszy śnieg, twarze czerwieniały, kobiety zawijały się w czarne szale. Coco i jej bosonogie rodzeństwo przestawali bawić się na cmentarzu.

Matka, która od rana do nocy krzątała się po domu i rodziła jedno dziecko po drugim, umarła w 1900 roku, dokładnie tego samego dnia, gdy wypuszczono w przestworza pierwszy z niemieckich sterowców, znanych później jako zeppeliny. Miała trzydzieści dwa lata i bezzębne usta. Podobno zabiło ją zapalenie płuc.

Opuściła ten padół nieświadoma udogodnień i wynalazków nowego stulecia. Nie poznała upajającej radości jazdy automobilem, nie musiała się bać widzianych po raz pierwszy ruchomych obrazów. Nie został jej objawiony cud elektryczności, by w środku nocy, wzywana płaczem jednego z dzieci, mogła zapalić światło jednym ruchem dłoni. Nigdy nie jechała windą i nie słuchała muzyki z gramofonu. Nie było jej dane zadzwonić do przyjaciółki z wyjaśnieniem, że to wcale nie zapalenie płuc, tylko niedożywienie, ciągłe trudy, kolejne ciąże (donosiła ich w sumie siedem) i wyczerpująca konieczność ciągłego karmienia piersią.

Saint-Croix, miasteczko targowe nad brzegami Loary, bogate w świnie i winorośl, miało jeszcze długo pozostać tym, czym zawsze było: obojętną na bieg historii, zabitą dechami, nędzną wiochą.

Równie nędzna była szkoła, gdzie Coco rosła pod czujnym okiem zakonnic ze Zgromadzenia Najświętszego Serca Marii Panny, wybitnie cielesnych siostrzyczek, które nadały dziewczynce ciągnące się za nią potem do końca życia przezwisko

Chudzina i zasłużyły się, ucząc ją subtelnej sztuki władania igłą, haftowania obrusików i robienia obrąbków. Tam zostawiła ją matka tuż przed czwartym porodem i tam chowały się wraz z siostrą do czasu, gdy Coco, ukończywszy trzynaście lat, postanowiła, że uciekną i zostaną szansonistkami w Paryżu. Pieniądze na podróż zebrały, zastępując handlarza sprzedającego halki i wstążki na niedzielnym jarmarku. Pomogły mu w zamian za prowizję od sprzedanych artykułów i tak się postarały, że jeszcze tego samego dnia mogły sobie kupić bilet na pociąg do stolicy. Wszystko, byle uniknąć losu matki albo siostrzyczek od Najświętszego Serca.

Zakonnice nauczyły Coco umiaru, którym szczyciła się przez całe życie, wpoiły jej upodobanie do prostoty, nagich ścian, szarego mydła i ługu. Świat wszakże nie ograniczał się do szkolnych murów, choćby i najczystszych, a Coco była zwolenniczką poszerzania horyzontów.

Na dziewczynce, która nigdy wcześniej nie opuszczała Saint-Croix, Paryż wywarł ogromne wrażenie: te kobiety manifestujące na ulicach, ponieważ parlament (a był rok 1906) ponownie odmówił im prawa głosu w wyborach; teatry, gdzie wystawiano wodewile, operetki i variétés, a artystki występowały w wydekoltowanych i porozcinanych sukniach z cekinów; całe aleje eleganckich butików, sklepów z kapeluszami, perfumerii i drogerii; lśniące od szkła i metalu stacje metra, oświetlane latarniami wykwitającymi na żelaznych łodygach jak kwiaty; pierwsze mercedesy i rolls-royce'y, jeszcze dość niezgrabne i hałaśliwe, o wiecznie wysychających chłodnicach. Bo Paryż to było właśnie to: stal i rewolucja, błysk i grom, szach mat.

Obserwując mijane kobiety, Coco odkryła, że parciane worki, nazywane przez siostrzyczki ubraniem, niewiele miały wspólnego z wymogami mody. A jednak paryżanki nie wyglądały na zadowolone ze swoich strojów: talia wąska jak u osy, mocno wyeksponowane biodra i pośladki, kręgosłup – również moralny – wykrzywiony od gorsetu, monstrualne, chybotliwe kapelusze przystrojone gąszczem zieleni, włosy upięte wysoko, w formie niezliczonych loczków i warkoczyków, podtrzymywane szpilkami, spinkami i grzebykami, od których ciężaru uginała się biedna szyja.

Moda damska nabrała rozpędu, gdy angielski krawiec Charles Frederick Worth ze słynnego londyńskiego magazynu Edgar & Swan postanowił, że zamiast, jak dotąd, dostarczać tkaniny cesarzowej Eugenii, sam przeniesie się do Paryża i zajmie projektowaniem jedwabnych sukien. Po kilku latach doszedł do wniosku, że opłaca się połączyć dwa w jednym i samemu produkować materiały na własny użytek. Właśnie wtedy wpadł na pomysł, by na wzór malarzy firmować poszczególne kreacje swoim nazwiskiem, stwarzając w ten sposób pojęcie marki i zapoczątkowując historię *haute couture*.

Następnie pojawiła się konfekcja, system wytwarzania odzieży znany potem jako *prêt-à-porter*; jeszcze później – poliestry, sukienki koktajlowe, szale, zapięcia bez haczyków, za to z metalowymi, zaczepiającymi się o siebie ząbkami (coś w rodzaju suwaków), trykoty oraz swetry wzorowane na topornych ubraniach rybaków z północy; w końcu – cudowny wynalazek w postaci poprawiających figurę pasów z lycry, moda hippisowska, topy halter z miniszortami ze srebrzystego lureksu, staromodne koronkowe bluzki noszone do mieniących się dżinsów, krokodylki na T-shirtach i obcisłe do granic wytrzymałości legginsy z poliuretanu.

O tym właśnie rozmyśla, gdy znów nawiedza ją złe przeczucie: tak, teraz jest pewna, dziś, 1 stycznia 1971 roku, ktoś zechce ją zabić. Ale kto? Przypomina sobie ludzi, z którymi los zetknął ją w ciągu całego życia. Długa Meg? Nie. A jeśli? Pani albo pan Desboutin? Tak, pani Desboutin może by i miała powody, ale... Oni muszą być już przecież bardzo starzy, kto wie, czy w ogóle jeszcze żyją. Lucienne Rebaté, jej wierna ekspedientka? Po tym wszystkim, co zaszło, mogłaby chować do niej urazę, ale... Nie. Misia! Misia najlepiej nadawałaby się na morderczynię... Chociaż nie, co za głupstwo, niemożliwe! Marie, oddana służąca z lat dwudziestych...?

Pojawia się pokojówka ze strzykawką.

– Lekarstwo – mówi i szykuje się do nakłucia nogi Coco.

– Dziś nie – protestuje Coco i przegania ją energicznym machnięciem dłoni.

Céline przynosi inny płaszcz.

– Jest pani pewna, że chce dziś pracować? – pyta.

– Oczywiście, że jestem pewna – odpowiada Coco, zakładając naszyjnik. – Pracować, pracować i jeszcze raz pracować. Aż padnę. Jeśli zostanę tutaj, w tym łóżku śmierdzącym starością, zamienię się w ślimaka.

Ślimaka, który ma perły, ale nie ma miłości.

– Ślimak, ślimak, pokaż rogi... – nuci.

Otwiera drzwi i wychodzi na korytarz siódmego piętra. Obrzuca go podejrzliwym spojrzeniem. Przez okno w głębi zagląda świt, mgła wspina się po mansardowych dachach domów. Jest pusto, cisza aż dzwoni w uszach. A jednak Coco odnosi wrażenie, że ktoś z jakiegoś miejsca uważnie jej się przygląda (kto mógłby jej do tego stopnia nienawidzić?).

– *Mademoiselle* – mówi znacząco Céline, stając w otwartych drzwiach, i lekko się uśmiecha. – Przecież... przecież jest pani w koszuli nocnej.

Coco rozchyla płaszcz.

– Cóż – mówi. – Wygląda prawie jak suknia.

Nie ma co się denerwować, to bardzo nieprzyjemne. Wraca do apartamentu.

Czuje się upokorzona swoim starczym roztargnieniem, ale za nic nie pozwoliłaby się teraz rozebrać do naga. Zwiędła skóra opinająca kości, piersi zwisające do pasa. Aż nieprawdopodobne, że kiedyś była piękna. W wieku dwudziestu trzech lat spotkała miłość swojego życia: Erny'ego Capela, przystojnego, inteligentnego, wykształconego Anglika, który grał w polo, jeździł konno, był dwadzieścia lat od niej starszy, miał zawsze otwarty dla gości dom w Londynie i eleganckie mieszkanie przy Avenue Gabriel. Lubiła zapach Erny'ego, zapach potu, konia i świeżo wyczyszczonych siodeł. Już ubrana, idzie do sejfu i ponownie sięga po listy. Przytrzymując je drżącymi dłońmi, podchodzi do toaletki, siada i rozplątuje supełek tasiemki. Liczy:

– Jeden, dwa, rok tysiąc osiemset osiemdziesiąty ósmy, trzeci maja tysiąc osiemset dziewięćdziesiątego piątego, drugi września tysiąc osiemset dziewięćdziesiątego szóstego, dziewięć, jedenaście. – Nagle wydaje żałosny jęk. – Jednego brak! – krzyczy. Pioprunuje wzrokiem pokojówkę, która znów zabrała się do mycia okna. W tej samej chwili dostrzega list na podłodze. Zgarnia wszystkie razem, układa je w stosik, przewiązuje tasiemką i wsuwa paczuszkę za stanik. Wychodzi na korytarz, zamierzając wreszcie odejść, ale coś w rodzaju bezdennego smutku każe jej zawrócić. – Céline! – Brzmi to jak skrzek ptaka. – Przytul mnie, na miłość boską, Céline, przytul, nie chcę umierać sama!

Pokojówka zbliża się powoli, niepewna, czy dobrze słyszała, z kubełkiem w dłoni. Widząc, że pani stoi na środku pokoju, pojękując i dygocąc niczym chore zwierzątko, rzuca wszystko i obejmuje ją – łagodnie, z zaskakującą, macierzyńską czułością, jak osłaniałaby własną córkę. Chudzina ciężko dyszy, uczepiona swojej zbawczyni jak topielec gałęzi. Céline wykorzystuje ten moment, podnosi z tyłu jej sukienkę i robi zastrzyk.

– Zabijasz mnie – syczy Coco.

Odpycha pomocne ramiona: dość tego. Wyciera łzy wierzchem dłoni i znowu wychodzi na korytarz. Wzywa windę. Kto mógłby nienawidzić jej aż tak, by pragnąć jej śmierci?

Znowu czuje tamto spojrzenie, ślizgające się po futrzanym płaszczu, wzdłuż jej ciała. Myśli, że nienawiść – cały trud nienawiści – sprowadza się do nienawidzenia samej siebie. Nienawidzić znaczy nienawidzić siebie. Czeka już dobrą chwilę, z mocno bijącym sercem, kiedy dociera do niej kolejna fala kwaśnego (a może raczej gorzkiego?) zapachu. Słyszy odgłos ruszającej z dołu windy i w ciągu kilku sekund oblewa się zimnym, lepkim potem. Na wyświetlaczu pojawiają się cyferki: 1, 2, 3, 4... To bardzo powolna winda, tryby zgrzytają w rytm rozbrzmiewającej z głośników kolędy. Coco wpatruje się w wyświetlacz: piętro siódme. Drzwi rozsuwają się powoli, a ona ma wrażenie, że serce nabrzmiewa jej, jak nabrzmiewają w podnieceniu genitalia.

Z windy wychodzi sympatyczna pokojówka, którą Coco zna z widzenia. Kłania się z szacunkiem. (Dzień dobry, *mademoiselle*, idę zmienić pani ręczniki). Nozdrza Coco rozdymają się niebezpiecznie. Precz stąd, kretynko! W królewskim apartamencie trzaska myte przez Céline okno.

Wściekła przemierza korytarz. Po drodze strąca na podłogę kilka popielniczek i donic z kwiatami, poły płaszcza powiewają za nią od szybkiego ruchu. Nic jej nie powstrzyma. Ma zamiar pracować. Wtedy słyszy dźwięk odwodzonego kurka pistoletu. Jej wątła pierś unosi się i opada. Ona, Coco, strzęp kobiety, spróchniały szkielet, dostrzega kogoś, kogo w pierwszej chwili nie rozpoznaje. Napina się w odruchu ćwiczonym setki razy. Zdaje się jej, że widzi błysk i obłoczek dymu.

Widzi kulę. Dwa metry przed sobą.

Ta sama zimna kula, która musnęła jej ucho bladym świtem, nadlatuje z wielką szybkością.

Ta sama, która groziła jej od zawsze.

Teraz jest tuż-tuż. A wraz z nią – wspomnienia.

2

Ten obraz, obraz nadlatującej z wielką szybkością kuli, jest jej dobrze znany (a nawet wydaje się z jakiegoś powodu pokrzepiający, jak pomyślne zakończenie bajki). Ile minut, godzin, dni, lat zmieści się na odcinku dwóch metrów? Prawdę mówiąc, już wcześniej, wielokrotnie i na rozmaite sposoby, nachodziło ją przeczucie, że ktoś chce ją zabić. Pierwszy raz stało się to wkrótce po tym, jak Jeanne, jej matka, załomotała pięścią w drzwi prowadzonej przez zakonnice szkoły. Dlatego widząc, że kula (a wraz z nią wspomnienia) jest tuż-tuż, myśli najpierw o niej: o matce, walącej pięścią w drzwi. Głuchy stukot, chwila oczekiwania, szybkie, stłumione kroki i zakatarzony kobiecy głos: „Kto tam?".

Jeanne była chuda i wybladła. Ostatecznie przez całe dorosłe życie nic tylko rodziła dzieci i chorowała.

„To ja" – rzekła. „Co za ja?" – spytała tamta. „Ja – powtórzyła Jeanne miękkim głosem, charakterystycznym dla ludzi pozbawionych zębów. – Przyprowadziłam córki. Chciałabym porozmawiać z dyrektorką". „Nie ma żadnej dyrektorki". Prychnięcie z tamtej strony. „To w takim razie z przełożoną, proszę otworzyć". „Przełożonej też u nas nie ma". Drzwi uchyliły się, przepuszczając intensywny zapach środków odkażających. W mroku przez chwilę nic nie było widać. Potem zarysował się jakiś ciemny kształt, wysoka postać, od której biła niewyraźna, krowia woń. „Kim pani jest?" – spytała Jeanne. Brak odpowiedzi, tylko błysk źrenic i bielejąca w ciemności twarz. „Nikim" – usłyszały.

Zaległa cisza, przerywana przez dochodzący skądś plusk i szuranie wielu stóp sunących po posadzce z wyślizganego kamienia. Dziesiątki cieni, konturów, oczu, twarzy, ciał.

Widząc tego „nikogo" – dwadzieścia lub więcej ubranych w wykrochmalone welony zakonnic, uśmiechniętych, trzymających się za ręce, przysłaniających sobą wnętrze budynku – Coco zadrżała. Matka przyprowadziła je tu – Coco i Antoinette, swoje dwie najstarsze córki – ponieważ nie mogła ich wykarmić. Przy piersi trzymała kolejne, nowo narodzone dziecko. Zima 1889 roku była wyjątkowo ciężka. Wprowadzone przez Trzecią Republikę środki ostrożności – filtry do wody, ulepszony system ścieków, nakaz sprzątania ulic – zahamowały rozprzestrzenianie się cholery, ale pojawiło się nowe, równie poważne zagrożenie: czarna ospa, która zabiła już w miasteczku ponad pięćdziesięcioro dzieci. Jeanne była przerażona. Dziewczyna z sąsiedztwa opowiedziała jej o Lidze Matek, które doradzały kobietom z klasy robotniczej: pomagały rodzić w domu i zapewniały wsparcie przez kilka następnych miesięcy. „Rodzić w domu! – wykrzyknęła Jeanne. – Przecież chodzi o to, żebym nie musiała już tego robić, ani w domu, ani nigdzie indziej!".

Szkoła mieściła się w przykościelnym klasztorze, dawniej cysterskim, położonym na jałowej, kamienistej, porośniętej jedynie krzakami równinie, dwadzieścia kilometrów od Saint--Croix. Pewien szesnastowieczny mnich zapaleniec wzniósł cały kompleks z pomocą garstki włóczęgów, których skusił obietnicą zbawienia oraz szklanką wina i kawałkiem chleba z serem co wieczór. Po zakończeniu robót zamknął klasztorną bramę i ustanowił ścisłą regułę, odrzucającą wszelkie ziemskie zbytki: koronki i futra, tiule i szyfony, kapuzy i pludry, czepeczki i woalki, piernaty, amory, wykwintne posiłki w refektarzu, mięso i wszelkie tłustości. Kilka stuleci później budynek zajęły zakonnice, by po jakimś czasie urządzić w nim szkołę dla dziewcząt. W 1889 roku przechowywano tam jeszcze kilka relikwii: kosmyki włosów w szklanych szkatułkach, flakoniki ze łzami i krwią świętych. Klasztor zamieszkiwało dwadzieścia mniszek, ale surowe zasady założyciela dawały się we znaki głównie wychowankom, które na każdą okazję nosiły białe bawełniane bluzki, czarne spódniczki i były poddawane ostrej dyscyplinie.

Jeanne zjawiła się tam z mocnym postanowieniem oddania córek pod opiekę zakonnic, choć powitanie i ją przejęło niemiłym chłodem. „Przyprowadziłam te dwie" – rzuciła pospiesznie, skrobiąc porośniętą mchem ścianę, żeby nie patrzeć na mniszkę. Jednocześnie nie przestawała popychać dziewczynek w stronę mrocznego wnętrza.

Nieco dalej nisko nad ziemią fruwały kruki, czarne i bezkształtne jak parasole bez drutów. Gdzieś zakasłało dziecko. „Ludzie mówili, że będzie im tu dobrze, że się wiele nauczą" – dodała. Ludzie mówili wprawdzie zupełnie co innego (zwłaszcza dziewczyna z Ligi Matek), ale nie miała wyboru, zresztą kto mógł wiedzieć, jak jest naprawdę? Poza tym znowu była w ciąży, a mąż nie dawał znaku życia.

Za liszajowatymi murami klasztoru ziała przepaść. Wysoka, nieco przygarbiona zakonnica (zwana Długą Meg, o czym Coco dowiedziała się wkrótce potem) postąpiła krok naprzód. Miała oliwkową cerę, dużą głowę, błędny wzrok i usposobienie płochliwej gazeli. Pachniała ługiem. Ogarnęła spojrzeniem sześcio- i siedmiolatkę, które stały spokojnie, nie wypuszczając z rąk skórzanych walizeczek. „Chciałybyśmy porozmawiać z dyrektorką albo przełożoną – powtórzyła cichutko Jeanne. – Ludzie mówili, że..." Zakonnica nie pozwoliła jej skończyć. Wydobyła dłoń z fałdów habitu i wskazała dziewczynki palcem. „Piętnaście franków miesięcznie" – powiedziała. Podeszła jeszcze bliżej, tak że poczuły w nozdrzach niewyraźną krowią woń, i szepnęła: „Są brudne".

Coco i Antoinette przekroczyły próg klasztoru, nie pożegnawszy się z matką, która natychmiast odwróciła się na pięcie i odeszła z dzieckiem u piersi.

Chudzina dobrze zapamiętała wyraz jej oczu: w matowych źrenicach obok najczystszej macierzyńskiej miłości był też głęboki smutek, rezygnacja, zniechęcenie i odrobina pogardy.

Dziewczynki podążyły za przewodniczką nagim, wybielonym korytarzem, który wił się i zdawał nie mieć końca, aż dotarły do wielkiej wspólnej łazienki. Pomieszczenie było naprawdę ogromne, pachniało mydłem i środkami odkażającymi. Na kamiennej posadzce stał rząd miednic, służących wychowankom zarówno do prania, jak i do mycia się. Coco i Antoinette, otoczone przez kilkanaście zakonnic, zostały rozebrane do bielizny i brutalnie wyszorowane. Ostre szczotki zdrapywały z nich nie tylko brud, ale także całą radość życia. Jak im wytłumaczono, chodziło o to, by pozbyły się osadu przeszłości. Jedna z mniszek, wyjątkowo niska, podeszła do stojącej w rogu wielkiej dębowej szafy, wróciła z dwoma białymi stosikami ubrań i kazała dziewczynkom zdjąć mokre halki. Szczękając z zimna zębami, wykonały polecenie. Następnie zaprowadzono je do jadalni, gdzie trwała kolacja. Usadzone przy oddzielnym stole, zjadły nieprzebraną soczewicę i – na spółkę – jedno jabłko. Na koniec znalazły się w swoim pokoju: ciemnym, z jedną szafą, stołem i dwoma małymi niewygodnymi łóżkami.

„Muszę mieć osobną, dużą i jasną sypialnię" – oznajmiła Coco zakonnicom zaraz następnego dnia. „Hotelu się zachciewa, co, złotko?" – zaśmiały się z ironią. „Właśnie" – przytaknęła Chudzina, nie bardzo wiedząc, co to słowo znaczy.

Życie w internacie bardzo się różniło od półdzikiej egzystencji u boku rodziców. Zakonnice przygotowywały je do roli kur domowych, wdrażając do oszczędzania, i trzymały z dala od grzesznej wiedzy o tym, że gdzieś na świecie istnieje rozkosz i piękno, wino, które upaja i zamracza, oraz przyjemności takie jak sikanie gorącym moczem do lodowatego morza.

A jednak to właśnie musiało być prawdziwe życie i gdy wyobrażały je sobie w samotności, policzki płonęły im jak podczas jedzenia czekolady albo ssania plasterków cytryny. Wciąż słyszały o rezygnacji. Ale z czego?

Przedpołudniami sprzątały, uczyły się i modliły. Po obiedzie szyły przy mdłym i niestałym świetle zmierzchu. Przygotowywały wyprawę dla panien na wydaniu i haftowały nocne koszule dla młodych mężatek.

Nocami w internacie słychać było dziwne odgłosy: coś skrzypiało i strzelało jak z pistoletu. Coco budziła się i nasłuchiwała, ale nigdy nie zdołała dociec, skąd się biorą te dźwięki.

W pobliżu klasztornych zabudowań wił się strumień obrośnięty sosnami i topolami. Czasem w letnie popołudnia wychowanki, oczywiście w halkach, kąpały się w nim pod roziskrzonym okiem siostrzyczek, które dreptały boso po brzegu, rozważając, co też należałoby rozumieć przez słowo „pływać". Każda dziewczynka musiała bowiem „popływać" albo przynajmniej „zanurzyć się".

Idąc dalej kamienistą ścieżką, w cieniu grusz, a potem przez pole wonnej lawendy, dochodziło się do osady złożonej z czterech domów i sklepiku z artykułami kolonialnymi. Jego właścicielem był stary Żyd, którego żona zamiast ręki miała protezę zakończoną szczypcami, stworzonymi chyba specjalnie do chwytania szparagów. W sklepiku, pachnącym jabłkami i dorszem, można było kupić absolutnie wszystko: nakrętki, garnki, śledzie prosto z beczki, konserwy, chleb, a nawet powieści, publikowane w odcinkach przez lokalną gazetę i cieszące się wielkim powodzeniem. Do dobrego tonu należało wycinać je, kolekcjonować, a następnie wymieniać na inne. Ostatnim krzykiem mody było doprawdy genialne, a przy tym zabawne dzieło Sybilli de Mirabeau, ekscentrycznej hrabiny de Martel, wydane pod pseudonimem Gyp. Bohaterki wszystkich tych historii ubierały się wyłącznie na różowo i przejawiały skłonność do melancholii, którą przełamywały tylko po to, by skoczyć z balkonu wprost w ramiona chorego z miłości wybranka.

Przez cały tydzień czekało się na niedzielę, by z zaciśniętymi z przejęcia ustami pokonać kamienistą ścieżkę i kupić w sklepiku trochę miętówek. Zakonnice i dziewczynki, maszerujące w zgodnym rytmie niczym jedno stworzenie o trzydziestu głowach, sześćdziesięciu nogach i sześćdziesięciu rękach, przywodziły na myśl kolumnę żołnierzy.

Jak to możliwe, że tak bardzo cieszyły się na myśl o miętówkach?

Pewnego dnia zastały sklepik zamknięty. Żona właściciela wyjaśniła zakonnicom, że mąż pojechał do Paryża na manifestację w obronie niejakiego Dreyfusa i przy okazji zobaczyć świeżo wzniesioną wieżę Eiffla. Wytłumaczyła, że kapitan Dreyfus, oficer pochodzenia żydowskiego, został postawiony przed wojskowym trybunałem i uznany za zdrajcę, a choć wiele przemawia za jego niewinnością, armia nie godzi się na ponowne rozpatrzenie tego przypadku. „Sprawa Dreyfusa podzieliła kraj – powiedziała kobieta, kiwając metalową ręką. – Z jednej strony są tradycjonaliści, militaryści i monarchiści, a z drugiej – lewicowi, antyklerykalnie nastawieni republikanie". „Co to jest wieża Eiffla?" – przerwała jej Coco. Zakonnice milczały przez chwilę, ale wkrótce uznały, że muszą coś odpowiedzieć, bo nawet żona sklepikarza zdawała się czekać na ich słowa: „To zwykła, całkowicie pozbawiona gustu, ordynarna wieża, dziwaczne brzydactwo".

Pożegnały się z kobietą, całe w uśmiechach, ale po powrocie kategorycznie zabroniły wychowankom dalszych wizyt w sklepiku. „Od tych »republikańskich« miętusów psują się zęby" – tłumaczyły.

Rytm dnia wyznaczały posłuszeństwo i dyscyplina. Posłuszeństwo oparte na strachu. Dziewczynkom nie wolno było zadawać pytań, podnosić oczu znad pracy, prosić o dokładkę zupy, uśmiechać się (chyba że ukradkiem), a nawet swobodnie poruszać. Chudzina odnosiła wrażenie, że ten strach udziela się czasem samym zakonnicom. I że pachnie. Pachniał cytrynami i środkiem odkażającym, dokładnie tak samo, jak pachnieć miał wiele lat później. Dopiero z czasem pojęła, że taki lęk ma też swoją dobrą stronę: pozwala przezwyciężyć nudę codzienności.

Jednak wychowanki klasztoru właśnie w rutynie szukały ratunku, ona pomagała im przetrwać. Bez rutyny nie byłoby w szkole żadnego życia.

Siostrom od Najświętszego Serca brakowało wyobraźni. Dawno zrezygnowały z uczuć i namiętności. Były ospałe i jakby wiecznie oszołomione – owieczki z bożej trzódki, których nic już nie mogło zdziwić. Przynajmniej taką miały nadzieję. Któregoś razu jedna z mniszek wpadła w szał, gdy wyszedł na jaw jej romans z pewnym mężczyzną. Padła na ziemię, wijąc się w napadzie histerii, i trzeba było ją uspokoić siłą. Wszystko to wszakże trwało tak krótko, że zdawało się nierealne.

W gruncie rzeczy tylko jedno wprawiało je w stan prawdziwego upojenia: muzyka Ludwiga van Beethovena. W każdy czwartek po zupie z kluskami zakonnice, odprowadzane zdumionymi spojrzeniami wychowanek, dreptały gęsiego, z zamglonym wzrokiem, do biblioteki. Tam statecznie zasiadały na krzesłach, otaczając półkolem piękny, niezbyt pasujący do surowości tego przybytku fortepian marki Steinway & Sons. Jedna z najmłodszych siostrzyczek zdejmowała pokrowiec, Długa Meg zajmowała miejsce na taborecie, starannie regulowała jego wysokość, tak jakby od poprzedniego czwartku mogło się coś zmienić, i zaczynała grać sonaty. Najpierw powoli, potem coraz szybciej, coraz gwałtowniej, zapamiętując się do tego stopnia, że welon zsuwał się jej z głowy. W takich razach była niezmordowana i dzika. Jak lwica.

Sądząc po dochodzących z biblioteki histerycznych okrzykach, charkotach i skowytach, muzyka wyzwalała w siostrach trudne do zniesienia emocje. Przy sonacie numer siedemnaście rozczochrana pianistka przerywała nagle, bez żadnej wyraźnej przyczyny, zaciskała powieki i z jękiem gwałtownie zamykała klapę fortepianu. Plam! Co czwartek o jedenastej wieczorem powtarzał się ten sam rytuał: najpierw fala delikatnych dźwięków, potem galopada palców po żółtawych klawiszach, krzyki i skowyty, wreszcie cisza, jęk Długiej Meg i plam, koniec.

Czasami nocą, w absolutnej ciszy, niezakłócanej nawet pokasływaniami dziewczynek, słychać było czyjś płacz, zduszony, jakby tłumiony dłońmi i skrajem habitu, nieprzeznaczony dla niczyich uszu, zbolały i uporczywy, rozdzierający. Coco wiedziała, że to Długa Meg.

Na te muzyczne wieczorki były zapraszane wychowanki, które kończyły trzynaście lat, dlatego trzynaste urodziny nabrały w klasztorze szczególnego znaczenia. Dziewczynki liczyły dni dzielące je od tej wiekopomnej chwili, bytność w bibliotece dodawała im bowiem powagi, oznaczała przejście o stopień wyżej. Na sześć miesięcy przed tym wydarzeniem całe zamieniały się w czekanie.

Chudzina miała około dziewięciu lat, kiedy zauważyła, że koleżanki, które dostąpiły zaszczytu uczestniczenia w czwartkowym rytuale, stawały się doroślejsze. Zachodząca w nich zmiana nie mogła być dziełem przypadku, choć nie rzucała się zbytnio w oczy (Antoinette, na przykład, w ogóle niczego nie dostrzegła). Głos przybierał inny ton, w głębi źrenic pojawiał się blask, krok stawał się bardziej rozkołysany. Tu przebiegała granica odgradzająca dziewczynki od dzieciństwa i zbliżająca je do zakonnic.

W każdej szkole, w każdym internacie czy sierocińcu zawsze znajdzie się jakieś niepokorne dziecko, tak jak zawsze znajdzie się lizus, ofiara albo zarozumialec. Pewnego ranka jedna z zakonnic uderzyła Coco po rękach, karząc ją w ten sposób za namoczenie chleba w zupie. I krzyknęła: „Ty dzikusko!". Dziewczynka podniosła wzrok i zmierzyła prześladowczynię drwiącym spojrzeniem. Mniszka miała okrutne, wygłodniałe oczy i szare włosy. Splecione dłonie trzymała na brzuchu. „Ten chleb jest twardy" – odważyła się powiedzieć Coco.

Zawsze znajdzie się dziecko o buntowniczym usposobieniu. Czarna owca w śnieżnobiałym stadku. To kwestia charakteru – u niektórych bunt wrze nieprzerwanie w jakimś trudno dostępnym zakamarku duszy. Pozostałe uczennice wyściubiły nosy z talerzy i przestały siorbać. Zapadła cisza. „Twardy – powiadasz" – odezwała się mniszka. Bunt wrze u niektórych we krwi, zapowiadając rewolucję, która wybuchnie kiedyś, później. „I dlatego moczysz go w zupie?". Na co Coco odrzekła, nie mrugnąwszy powieką: „A co siostry robią w czwartkowe wieczory?". Wargi zakonnicy zadrżały; może od dawna spodziewała się tego pytania. „To nie ma nic do rzeczy" – powiedziała. Chudzina wyjęła chleb z zupy i potrząsnęła nim przed oczami tamtej: „Moczę go, żeby zmiękł" – wyjaśniła. Siostra rozplotła dłonie i przygładziła habit tak mocno, że zostały zagięcia. „Miękkość to zboczenie" – powiedziała i wybiegła z jadalni.

Leżąc w łóżku, Coco i Antoinette często wspominały dom rodziców i zabawy na starym cmentarzu. Niemal czuły, jak maki i pokrzywy łaskoczą je po łydkach. Łóżka przybierały wtedy postać kóz i nagrobków.

Dziewczynki snuły też plany na przyszłość. W takich razach Chudzina pytała zawsze: „Jaki kapelusz sobie kupisz, jak już stąd wyjedziesz, Antoinette?". I żeby ostatecznie zadziwić siostrę, ciągnęła: „Będziemy chodzić razem na herbatę". „Na herbatę? – zdziwiła się Antoinette. – Gdzieś ty widziała, żeby ktoś chodził na herbatę?". „W kolorowych czasopismach – odparła Coco. – W Paryżu wszyscy chodzą na herbatę. Smakuje ci czy nie, i tak musisz ją pić – przekonywała. – W filiżankach. Z przyjaciółmi. Och, ale z ciebie głuptas!".

Pewnego popołudnia, kiedy stebnowały prześcieradło, Coco odniosła wrażenie, że dostrzega w oczach siostry dziki błysk. Wiedziała, że Antoinette wciąż rozmyśla o zakochanej zakonnicy, rwącej sobie włosy z głowy i toczącej pianę z ust. Dlatego przerwała pracę i zapytała wprost: „Co ci jest?".

„Skoro miłość mogła wyzwolić taką siłę w ospałej siostrze Madeleine – odparła Antoinette z płonącymi policzkami – to znaczy, że omija nas coś istotnego". Po tych słowach wróciła do szycia. Coco nie spuszczała z niej uważnego spojrzenia. Po chwili spytała: „Czy naprawdę tego chcesz od życia? Skończyć trzynaście lat, zamknąć się z tymi wariatkami w bibliotece, a potem... wyjść za mąż?". Antoinette podniosła wzrok. „Owszem – odparła z mocą – tego właśnie chcę". Chudzina zerwała się na równe nogi. „Nikt nie powinien trawić życia na czymś takim! – krzyknęła z wściekłością. – Co, może nie masz ochoty zobaczyć wieży Eiffla?".

A jednak myśl o czwartkowych wieczorach nie opuszczała jej ani na chwilę, przeradzając się w prawdziwą obsesję. Dźwięk fortepianu prześladował ją od rana do wieczora, zdając się prowadzić ku czemuś pięknemu i daremnemu. W snach widywała przebiegające klawiaturę smukłe palce Długiej Meg, jej przygarbione plecy, rozczochrane włosy... I opadającą z głuchym trzaskiem klapę. Pewnej nocy, gdy miała dwanaście i pół roku, obudziła się przestraszona. Poczuła, że musi uciekać z tego miejsca, zanim ją „nawrócą". Wyszła na korytarz i szwendając się bez celu, usłyszała dobiegające z pobliskiej sypialni głosy. Przywarła do ściany i podkradła się bliżej. Oprócz głosów było też słychać śmiech.

Przez uchylone drzwi zajrzała do środka i zastygła zdumiona. W pokoju znajdowały się dwie zakonnice: ta, która twierdziła, że miękkość to zboczenie, oraz inna, na co dzień zgorzkniała i nietowarzyska. Leżały na brzuchu, ze splecionymi nogami, pogrążone w lekturze. Na podłodze walały się przeczytane odcinki powieści pani Gyp.

Coco poczuła, że zalewa ją fala gorąca. Intymny zapach bijący z pokoju dławił w gardle. Do ust, nie wiadomo skąd, napłynął ostry smak mięty. Zakonnice podniosły głowy i widząc ją w progu, instynktownie się przytuliły.

Niedługo po tym incydencie do klasztornej bramy zapukała żona sklepikarza. Twarz zasłoniła woalką z czarnej krepy. Mimo zimna miała na sobie wydekoltowaną suknię z cieniutkiego batystu zdobnego w angielski haft. Jej rąbek podtrzymywała metalowymi szczypcami. W holu rozłożyła ramiona i obróciła się kilka razy, aby mogły podziwiać spódnicę o zupełnie rewolucyjnym kroju (tak się wyraziła). Mąż przywiózł jej ten strój z Paryża.

Dziewczynki stłoczyły się wokół niej. Spod sukni, z przypiętymi do niej polnymi kwiatami, wystawała zabłocona halka. W jednym miejscu materiał rozerwał się, zaczaczywszy zapewne o przydrożny krzew. Obfitych piersi nie krępował gorset, usta błyszczały czerwienią szminki. Natychmiast wynikła gwałtowna kłótnia, gdy jedna z zakonnic zapytała surowo: „Co pani tu robi bez gorsetu, to przecież szkoła". „Spaliłam go – odparła żona sklepikarza. I dodała: – To pierwszy krok ku wyzwoleniu kobiet". „Wyzwoleniu?" – zdziwiła się zakonnica. „Tak, wyzwoleniu" – potwierdziła tamta. – Stawki za pracę takie same jak dla mężczyzn, ubezpieczenie i pomoc dla położnic, wynagrodzenie za prowadzenie domu". Coco i Antoinette stały zafascynowane, nie tyle zresztą jej słowami, ile ogromnym kapeluszem przypominającym abażur, donicę albo klatkę dla ptaków, spod którego wystawały nieuczesane włosy.

Tak czy owak, pomimo kłótni, kobieta wydawała się zachwycona: „Przyniosłam dziewczynkom miętuski i najnowsze powieści" – rzuciła z przebiegłym uśmieszkiem. Jednakże nie ulegało wątpliwości, że nie zjawiła się w klasztorze ani z powodu miętówek, ani romansów, ani nawet praw kobiet. Przyszła, bo było święto i nie znalazła nikogo innego, komu mogłaby się pochwalić swoją suknią o rewolucyjnym kroju. Długa Meg zbliżyła się do niej wielkimi krokami, zostawiając za sobą smugę ługowego zapachu, i bezceremonialnie wypchnęła ją za bramę. Sklepikarzowa uniosła suknię końcem sztucznej ręki i okrążyła budynek (jej oczy również zataczały wściekłe koła), ciskając cukierkami jak kamykami w szyby pokoju wychowanek. „Wariatki, kurwy!" – wrzeszczała. Dziewczynki otwierały okna, chwytały w dłonie deszcz miętówek i słuchały obelg. „Każdy ma prawo czytać romanse. Wszystkie dziewczęta na świecie czytają romanse. Niech żyją romanse!".

Zakonnice zgromadziły się przy jednym z okien. Bały się i bezsilnie zaciskały pięści.

Po południu Coco dała upust swojemu wzburzeniu. Zerwała wiszące w bibliotece aksamitne zasłony w kolorze malwy i zaniosła je do szwalni. Materiał parzył jej dłonie, zaczęła go ciąć jak w transie. Przez trzy gorączkowe godziny kroiła, szyła i obrębiała, aż położyła przed sobą gotową suknię z wysokim karczkiem, wiązanymi z tyłu tasiemkami i dobraną pod kolor liliową halką, przywodzącą na myśl bohaterki powieści w odcinkach. Przebrała się, zeszła na dół i oświadczyła wszem wobec, że wybiera się tak do kościoła. Reakcja była łatwa do przewidzenia: „Bardzo ładnie – stwierdziły zakonnice z lodowatym spokojem, w którym kryła się zapowiedź wyjątkowo surowej kary. – Doprawdy ślicznie, oryginalnie. A teraz idź na górę i natychmiast się przebierz".

Wreszcie nadeszły trzynaste urodziny. Coco, świadoma, że muzyczny czwartek zbliża się nieubłaganie, zebrała się na odwagę i zagadnęła w tej sprawie Długą Meg. Stanęła przed siedzącą na kamiennej ławce w ogrodzie i obierającą świeżo wyrwane z ziemi cebule zakonnicą, spojrzała jej w oczy i powiedziała, że nie chce uczestniczyć w wieczorku. „Dobrze – odparła Długa Meg, ze wzrokiem utkwionym gdzieś w dali. Wsunęła do ust krążek surowej cebuli i dodała: – W takim razie nie przychodź".

Tylko tyle. Sześć lat obaw, co będzie, gdy w końcu nadejdzie ta chwila, i tylko tyle. Coco nie mogła oprzeć się uczuciu rozczarowania, a nawet smutku, który towarzyszy zawsze końcowi jakiejś epoki. Zapytała, czy może odejść, i już miała się wymknąć z ogrodu, kiedy znów dobiegł ją zakatarzony głos Meg: „Wiesz, gdzie go kupiłam? Steinwaya znaczy...".

Jaka była w przeszłości ta kobieta? – zastanawiała się Coco. Ta zakonnica o wielkich, błędnych, trochę jakby krzywo osadzonych oczach, zasnutych teraz cebulowymi łzami i wpatrzonych w sobie tylko znane widoki. Czy kochała kiedyś jakiegoś mężczyznę? Czy kiedykolwiek ktoś o niej marzył, czekał na nią? Gdzie nauczyła się tak dobrze grać? I dlaczego nie została zawodową pianistką, skoro miała talent? Jakie nosiła w sobie pragnienia, porywy i marzenia? Jakie szalone przygody przeżywała w wyobraźni?

„Nie mam pojęcia" – odparła Chudzina z niechęcią. „Bardzo daleko, w Nowym Jorku". Coco wytrzeszczyła oczy. „Była tam siostra?".

Meg nie odpowiedziała. Rozgarniała krzaki pomidorów i liście młodej sałaty, obmacywała kabaczki, twarde jak kamień i pełne nasion, sprawdzając, czy dojrzały.

Zakonnice siały warzywa we wrześniu, w styczniu przychodziła pora kwitnienia, a w kwietniu sprzedawały to i owo na targu. Miały też swoje jabłka (kwaśne), soczewicę, groch i kapustę, czasem owiniętą z rana w folię szronu.

Długa Meg podniosła wzrok i popatrzyła na dziewczynkę.

„Wiesz, co było moim największym marzeniem, a stało się najboleśniejszą porażką?" – zapytała. „To oczywiste – odpowiedziała Coco bez namysłu. – Chciała siostra zostać pianistką, a teraz, zamiast grać w najlepszych salach koncertowych świata, siedzi siostra tutaj, z nami. Porażką jest nie dać się rozwinąć talentowi tylko dlatego, że...". „Talent... – przerwała jej zakonnica. – Jeśli się go ma, łatwo go rozwijać. W końcu zawsze się ujawni. To ślepa, zwierzęca siła". Zerwała pomidora, przez chwilę przyglądała mu się z uwagą, a potem odgryzła duży kęs. „Już dojrzały – orzekła. – Wszystko kiedyś dojrzewa. Siejesz coś, a to rośnie, pięknieje i w końcu umiera – ciągnęła w zamyśleniu. – Jest piękne, a potem przestaje istnieć, ale ani w tym pięknie, ani w śmierci nie ma naszej zasługi".

W budynku panowała całkowita cisza. Tylko nowe zasłony w bibliotece lekko trzepotały na wietrze. Długa Meg wstała, podniosła kosz z cebulami i spojrzała na Coco. „Cała trudność, moje dziecko – powiedziała – polega na tym, żeby umieć się oprzeć. Oprzeć się talentowi".

Wkrótce potem w wiosce odbywał się jarmark. Ze względu na niewielką odległość od klasztoru siostry pozwoliły wychowankom wybrać się tam po chleb i wędliny bez opieki. Pod słowem „jarmark" kryły się jednak nie tylko szeregi stoisk z owocami, pieczywem, soczewicą, groszkiem, mięsem, tkaninami, ubraniami, wstążkami, guzikami, świecznikami i garnkami, ale także mrowie wymieniających pożądliwe spojrzenia mężczyzn i kobiet. Coco i Antoinette przechadzały się właśnie wśród straganów, pojadając z papierowego rożka pieczone kasztany, kiedy podszedł do nich jeden z handlarzy. Za nim wlokła się jego żona, zgięta wpół od kaszlu. „Muszę zawieźć ją do szpitala – powiedział. – Jeśli mnie zastąpicie, dam wam napiwek". Coco wrzuciła nadgryzionego kasztana do tutki. „Jaki napiwek?" – spytała. „No, napiwek" – odparł handlarz. Coco popatrzyła mu w oczy. „Chcemy prowizji od sprzedaży" – powiedziała bez zająknięcia.

Przez całe popołudnie sprzedawały wstążki, szale, halki i staniki. Przyłożyły się tak solidnie, że – jak przyznał handlarz po powrocie – zarobiły więcej niż on w ciągu tygodnia.

Kiedyś któraś z zakonnic powiedziała: „Panna bez wiana dziadowi pisana". Te słowa przejęły Coco grozą.

O zmierzchu wróciły z siostrą do klasztoru, ale zamiast iść spać, zaczęły pakować manatki. Chudzina po raz pierwszy w życiu doszła do wniosku, że pieniądze są warunkiem powodzenia. Od dawna żywiła głębokie przekonanie, że czeka ją wspaniała przyszłość, i nie zamierzała dłużej trawić czasu w towarzystwie gnuśnej bożej trzódki. Na koniec zapytała tylko: „Kto chce jechać z nami?". Nikt się nie zgłosił.

W drodze na stację zobaczyły kobietę na rowerze. Miała torbę przewieszoną na ukos przez pierś, dłoń opartą o poruszające się rytmicznie kolano; sukienka oblepiała jej brzuch, a z tyłu wydymała się od wiatru i prędkości. Mocne uda opięte białym jedwabiem uderzały o siebie: klap, klap, klap. Chudzinie przypomniał się fragment sonaty granej przez Długą Meg, ale to klap, klap, klap było znacznie przyjemniejsze.

Gdy dotarły na stację, podróżni żywo komentowali niecodzienne zjawisko. Kobieta na rowerze przejeżdżała również tamtędy, kręcąc tyłkiem, jakby miała pod sobą chłopa, wedle słów jednej z kumoszek. I w dodatku bez gorsetu, ku oburzeniu drugiej. Antoinette chciała wracać, ale Chudzina chwyciła ją za rękaw: „Nie widzisz, że już zaczynają się nam zdarzać niezwykłe rzeczy? – I dorzuciła: – Może byśmy pojechały pierwszą klasą?". Kupiły dwa bilety w drugiej i wsiadły do pociągu.

„Wiesz co? – odezwała się Coco. – Chciałabym wejść na wieżę Eiffla i zobaczyć, co stamtąd widać". „Ty masz chyba obsesję na punkcie tej wieży" – odparła Antoinette.

Kontroler, przyłapawszy je w pierwszej klasie, kazał im dopłacić różnicę w cenie biletu i doliczył grzywnę. Ale choć musiały przenieść się do innego wagonu, i tak było warto, przynajmniej zdaniem Antoinette, która przez tych kilkanaście minut zdążyła zawrzeć znajomość z notariuszem z pobliskiego miasteczka. Dżentelmen ów zaprosił ją na oranżadę do wagonu restauracyjnego i przy pożegnaniu obsypał jej dłoń pocałunkami.

Chudzina przebrała się w swoją aksamitną suknię koloru malwy, tak źle uszytą, że kiedy wysiadały, jakaś kobieta zapytała, po ile te zasłony.

3

Opuściłam internat i wpadłam prosto w wiek dwudziesty – myśli Coco, stojąc przed windą w hotelu Ritz, twarzą w twarz z kulą (i wspomnieniami).

A był to wiek, który naprawdę wiele zmienił. Wtedy, na stacji śmierdzącej kotami i dymem – zresztą, jak się okazało, nie był to wcale Paryż, tylko Paillers, miasteczko położone dwieście kilometrów od stolicy – wyjaśniając ciekawskiej kobiecie, że „te zasłony" nie są bynajmniej zwykłe, lecz cysterskie, szesnastowieczne, miała wrażenie, że czuje pulsujący rytm życia, zupełnie jakby trzymała w dłoniach żywą żabę.

Jedno wiedziała na pewno: nie zostanie zakonnicą. Nie nauczy się grać na fortepianie. Nie pojedzie do Nowego Jorku tylko po to, żeby kupić steinwaya, a po powrocie zamknąć się w prowincjonalnym klasztorze, sfrustrowana, z miniaturą Statuy Wolności w walizce. Na tej nędznej stacji podjęła decyzję, że począwszy od tego dnia, nie będzie się już nigdy kąpać w halce ani haftować nocnych koszul w szarawym świetle zmierzchu.

Tak, życie to ciągłe powtarzanie słowa „nie". Pierwsze „nie", z którym przyszło się w sposób świadomy zmierzyć Chudzinie, dotyczyło cysterskich zasłon: kobieta na stacji nie chciała ich kupić; drugie – faktu, że Paillers nie jest Paryżem, a ona i Antoinette nie mają pieniędzy na dalszą podróż.

Położone nad rzeką Allier Paillers było dwudziestodwutysięcznym miasteczkiem o na poły wiejskim charakterze: średniowieczne centrum pachniało stęchlizną i kurami, a na podwórkach z tyłu domów mieszkańcy hodowali świnie, krowy i kozy. Bogacze mieli do dyspozycji własny kran lub pompę, ale znakomita większość nosiła wodę z miejskiego ujęcia. Tylko główna ulica mogła poszczycić się brukiem, a że prawie wszyscy załatwiali swoje potrzeby na wolnym powietrzu, wczesnym rankiem i późnym wieczorem piaszczystymi korytami mniejszych uliczek płynął gęsty strumień, zostawiając po bokach pienisty osad: kupy, zakrwawione szmatki i skórki z pomarańczy. Wszystko to, wraz z mydlinami z balii i fabrycznymi odpadkami, lądowało w przypominającej jeden wielki ściek rzece.

Część mieszkańców zarabiała na życie produkcją kapeluszy i octu, ale prawdziwy zysk przynosiły zajęcia związane ze stacjonującymi w miasteczku siedmioma regimentami kawalerii, wśród których największą sławą cieszył się dziesiąty pułk lekkiej jazdy. Kobiety szyły i prały mundury. Schodziły nad rzekę o szóstej rano i prawie nigdy nie udawało im się skończyć przed siódmą wieczorem. Posilając się domowymi ciastkami, tłukły wojskowymi kurtami o kamienie i głośno roztrząsały, czy porucznik Veric ma aby wszystko na swoim miejscu (tak to właśnie ujmowały: czy ma aby wszystko na swoim miejscu), czy ten drugi, ten, co przyniósł poprzedniego dnia koszule do prania, jest przystojny, czy nie, i czy zna lazł już sobie *maîtresse**. Praca w fabrykach i po domach była bardzo ciężka. Kobiety – tkaczki, praczki, koronczarki, pracownice manufaktur produkujących buty i kapelusze – idąc za przykładem innych krajów, zaczynały się już organizować w związki zawodowe, wysyłać delegacje do Paryża, urządzać mityngi i demonstracje.

Coco i Antoinette wędrowały właśnie ulicą wiodącą ze stacji, gdy drogę zagrodził im zwarty tłum robotnic domagających się równości płac i skrócenia dnia pracy. Ponieważ wiele kobiet, chcąc uzyskać męską – czyli podwójną – stawkę, udawało mężczyzn, demonstrantki szły w groteskowych przebraniach szlifierza, strażaka i złodzieja. Żądały też poszanowania dla wprowadzonej kilka miesięcy wcześniej ustawy o ochronie macierzyństwa, którą wielu fabrykantów wciąż ignorowało, wyrzucając ciężarne na bruk albo, co gorsza, pozwalając im wrócić do pracy z noworodkiem przy piersi, pod warunkiem że w okresie karmienia zgodzą się na zaniżenie i tak już marnej pensji.

Życie to ciągłe powtarzanie słowa „nie", ale nie każdy może sobie na takie „nie" pozwolić.

W dodatku – i to był główny powód manifestacji – ku rozpaczy bojowniczek o prawa kobiet przyszłe i obecne młode matki nie otrzymywały od państwa żadnej pomocy finansowej. Parlamentarzyści, którzy przeforsowali w Paryżu ustawę o ochronie macierzyństwa, senator Strausti i poseł Bonnety, uważali ją za pierwszy krok ku korzystniejszym rozwiązaniom. Drugi, konieczny etap całego procesu miał się według nich zakończyć wprowadzeniem obowiązkowego urlopu macierzyńskiego i zapomóg pieniężnych.

Siostry schroniły się przed ciżbą w drzwiach sklepiku pończoszarskiego. Tłum składał się w większości z kobiet

---

* *Maîtresse* (franc.) – kochanka (przyp. tłum.).

i dzieci, tylko tu i ówdzie migały męskie zdezorientowane twarze. Między manifestującymi plątały się kozy, podzwaniając zawieszonymi na szyjach dzwoneczkami. Praczki, które właśnie skończyły pracę, dołączały do pochodu z wiklinowymi koszami wypełnionymi mokrą bielizną. Coco i Antoinette poczuły, że ktoś chwyta je za ręce i prowadzi ku jednemu z domów.

„Kim jesteście?" – spytała nieznajoma.

Znalazły się w półmroku, który pachniał gotowanym mlekiem, a potem – w niewiarygodnie czystym wnętrzu. Czysta była nowa, lśniąca kuchnia, czysta podłoga, czysty stół, czyste półki z fajansowymi półmiskami i wiklinowe krzesełka o lekko podniszczonych, ale niepokalanych w swej czystości poduszkach. Czysty był też mniejszy stolik w głębi z maszyną do szycia, wykrojami, skrawkami materiału, poduszeczkami do igieł, naparstkiem i metrem krawieckim. Sama gospodyni również wydawała się czysta aż do przesady, ale na pierwszy rzut oka całkiem miła. Kazała im usiąść, dała po szklance mleka i ciastku.

„Jesteśmy dziewczynkami" – odpowiedziały.

„Tu będziecie bezpieczne" – stwierdziła nieznajoma, mając na myśli uliczną demonstrację.

Podczas gdy one maczały ciastka w mleku, ona tłumaczyła, że kobiety demonstrujące za oknem domagają się rzeczy absurdalnej: chcą dostawać pieniądze za nic. To się po prostu w głowie nie mieści. „Powyrzucają je z pracy i tyle będą z tego miały – powiedziała. – Potem, żeby zarobić na chleb, będą musiały harować dwanaście godzin na dobę, a nie dziesięć jak teraz". Umilkła i uważnie przypatrzyła się dziewczynkom. Nie była już młoda – i chyba sama to widziała z rozpaczliwą jasnością – ale wciąż miała wspaniałe jędrne pośladki. „Wolność polega na tym, że człowiek robi to, co chce – oświadczyła. – Ale żeby robić to, co się chce, trzeba wiedzieć, czego się chce, a te biedaczki nie wiedzą nawet, skąd się wzięły na świecie. Czy umiecie szyć?" – zapytała znienacka. „Tak – odparła Coco, a widząc, że kobieta oczekuje czegoś więcej, dodała: – I haftować".

Zostały więc przyjęte do pomocy w sklepie z odzieżą i dodatkami Grampayre. Jadły trzy razy dziennie i miały do dyspozycji czyściutki stryszek z dwoma łóżkami, szafą, stołem i wychodzącym na ulicę oknem, przez które wpadały do pokoju chmary much. Państwo Desboutinowie, bo tak nazywało się prowadzące sklep małżeństwo, od dawna zatrudniali wychowanki klasztorów, które, ich zdaniem, szyły wprost bosko. Coco cieszyła się, bo poza godzinami pracy mogła wychodzić i wracać, kiedy chciała. Antoinette natomiast wydawała się zrezygnowana. Nie przeszkadzało jej to jednak marzyć o poznanym w podróży notariuszu i co wieczór modlić się do Boga o tę świetną partię. „Jeśli ten twój prawnik się zjawi, w co wątpię – powtarzała Coco – to raczej z własnej woli, a nie dlatego, że klęczysz tu jak jakaś bigotka. Niepotrzebnie tak się wysilasz". Antoinette odpowiadała, że to jej jedyna przyjemność.

Ze względu na swoje powściągliwe, ba, nienaganne zachowanie państwo Desboutinowie stanowili w oczach sąsiadów przykładne małżeństwo. Po obiedzie, kiedy pani Desboutin uprzątnęła ze stołu, zasiadali przy kominku, aby rozkoszować się ciepłem i spokojem. On drzemał w głębokim fotelu, ona szyła, czasem rozmyślała – o śmierci i o egzotycznym Timbuktu.

Codziennie o wpół do szóstej po południu zamykali sklepik i uważając, by nie wdepnąć w płynący ulicą strumień nieczystości, szli pod rękę do kościoła Notre Dame. Mieli tam w kaplicy Czarnej Madonny swoją ławkę. W kościele zbudowanym na planie krzyża pachniało woskiem i zawsze panował przeraźliwy ziąb. Państwo Desboutinowie modlili się za dzieci chore na ospę i za matki, które, zamiast siedzieć w domu, wychodzą na ulice demonstrować w obronie swych rzekomych praw. Nie zapominali też o kobietach jeżdżących na rowerze i nienoszących gorsetu. Potem pani Desboutin padała na kolana i wcisnąwszy podbródek w piersi niczym brzydkie ptaszysko, przedkładała Stwórcy swoją własną prośbę, tak sekretną, że nie wiedział o niej nawet pan Desboutin. Po skończonych modłach rozdzielali się. Pan Desboutin szedł do Logis Henri IV, gdzie wraz z innymi szacownymi obywatelami miasteczka, zagłębiony w fotelu, z nogami na taborecie i aperitifem w dłoni, rozwiązywał problemy tego świata. Zwykł był przy tym mawiać: „Gdyby Gertrude, nie daj Boże, umarła, oczywiście to tylko takie gdybanie, wybrałbym się w podróż po Europie".

Kiedy wracał do domu z twarzą fioletową od nadmiaru hawańskich cygar, czekała nań smakowita kolacja, a w chłodniejsze dni – również trzaskający w kominku ogień. Pani Desboutin zdejmowała małżonkowi buty, przemawiając cichym, kojącym głosem, albowiem życie mężczyzny najeżone jest trudnościami i do obowiązków dobrej żony należy podnoszenie strapionego męża na duchu. Nie pozwalała w tym czasie na żadne hałasy. Słuchała cierpliwie, nie wyrywała się ze swoją opinią. Nigdy nie czyniła mu wyrzutów, jeśli się spóźnił lub po wizycie w Logis zajrzał też do innych miejsc rozrywki.

Po prostu próbowała zrozumieć świat napięć i stresu, w jakim żył, i nigdy nie zapominała, że to on jest panem domu.

Zachęcała go, by realizował swoje pasje, w razie potrzeby służyła pomocą, ale nigdy nie wtrącała się ponad miarę. Jeśli miała jakieś problemy z klientkami, starała się go tym nie zanudzać. Czymże bowiem były kłopoty kobiet wobec ogromu zmartwień, którym muszą stawić czoło mężczyźni?

Mieszali łyżkami zupę w milczeniu, które układało się

w koncentryczne wiry, wsysając bezlitośnie każdą próbę nawiązania rozmowy o wydarzeniach minionego dnia, każdą stonowaną uwagę („Miriam, ta z ulicy de la Paix, spod trójki, jest w ciąży, a w środę ma podobno padać śnieg") – słowa nieodmiennie uprzejme, nigdy podstępne czy agresywne. Z wybiciem dwudziestej drugiej trzydzieści pan Desboutin dźwigał się od stołu i majestatycznie wstępował na schody wiodące do małżeńskiej sypialni. „Gertrude, chodź" – mówił.

Zawsze co wieczór tak samo.

„Tak, już idę" – odpowiadała.

Znalazłszy się w tym sekretnym przybytku, pani Desboutin energicznie strzepywała puchową pierzynę. Wiedziała, że w łóżku powinna prezentować się możliwie najlepiej, co się zaś tyczy stosunków małżeńskich, dobrze znała swoje obowiązki. Jeśli mąż chciał spać – oczywiście, w żaden sposób na niego nie naciskała. Nie próbowała go też pobudzać. Jeśli jednak przejawiał ochotę na zbliżenie, zgadzała się pokornie, pamiętając, że jego satysfakcję winna przedkładać nad swoją. Kiedy pan Desboutin osiągał szczyt rozkoszy, ciche westchnienie z jej strony w zupełności wystarczało. (Coco i Antoinette słyszały ze strychu lekkie „och", a czasem „och, och"). Jeśli żądał jakiejś wyuzdanej odmiany, nie stawiała oporu. Potem zapadał zwykle w głęboki sen, ona zaś doprowadzała się do porządku, odświeżała i smarowała twarz kremem. Na koniec nastawiała budzik, żeby wstać chwilę przed mężem i czekać na niego z poranną herbatą.

Gdy pan Desboutin twardo zasypiał, nadchodziła najprzyjemniejsza chwila. Pani Desboutin otwierała starą cynową puszkę, z której bił zapach maślanych ciasteczek i zawilgłego kurzu, i wyjmowała z niej kilka zatłuszczonych fotografii. Nikt nie wiedział, kogo przedstawiają, ponieważ strzegła ich jak oka w głowie. Panny sklepowe opowiadały, że potrafi je oglądać (i całować) godzinami.

Rankiem pan Desboutin rześko wyskakiwał z łóżka i szybko znikał jej z oczu, za co, choć nie przyznałaby się do tego nawet na torturach, była mu w głębi duszy wdzięczna, ponieważ o tej porze pachniał raczej nieładnie: męskim potem i pierdnięciami. Czasem kupował jej róże na pobliskim straganie, najpiękniejsze i najświeższe w całym miasteczku. Nadchodził, przysłonięty bukietem, postukując nankinowymi butami. Coco wyobrażała sobie zawsze, że za tym wiechciem czai się jakiś niebezpieczny stwór. Iskra nienawiści.

Pani Desboutin zauważyła wkrótce, że Coco doskonale sobie radzi nie tylko z igłą i nitką, ale także z klientkami. Zaproponowała jej więc stanowisko ekspedientki. Szacowne damy z wyższych sfer ciągle jeszcze mocno podzielonego społeczeństwa nadziwić się nie mogły nowej modzie, nakazującej zastępować gorset przypominającymi łyżki wazowe stanikami i jedwabne, obszyte koronką pantalony – majtkami. Korzystając z okazji, gdy pani Desboutin nie było w pobliżu, Coco prowadziła swoją małą rewolucję: tłumaczyła tym paniom wytrwale, że talia osy wyszła już z mody, bo mężczyźni lubią więcej ciała, fiszbiny gorsetu zaś, wypychając biust do góry, nadmiernie go eksponują, a wiadomo przecież, że im mniej widać, tym większe pole dla wyobraźni.

Wstawała wcześnie rano i natychmiast zabierała się do pracy. Lubiła przed szyciem starannie coś zaprojektować, nawet jeśli potem dawała się ponieść natchnieniu. Lubiła swoje przedpołudniowe wypady na kawę z mlekiem do pobliskiej kawiarni, gdzie gromadziły się emancypantki z czasopisma „La Fronde", aby dyskutować o wzmocnieniu tendencji lewicowych i anarchistycznych. Lubiła rzucić okiem na stragany, zza których bezzębne handlarki wykrzykiwały: „Brzoskwinie, gruuuszki!". Lubiła tę obfitość kwiatów, rozmaitych rupieci, domowych serów, foie gras, kogucich grzebieni, owoców i warzyw. Lubiła trzaskać drzwiami, gdy wracała, i wydawać polecenia pannom sklepowym, choć pracowały w sklepiku dłużej niż ona.

Klientki przepadały za nią i w sprawie modnych nowinek nie ufały nikomu innemu. Na początku była zadowolona, ale z czasem zaczęła się nudzić. To życie, te damulki tkwiące po szyję w dziewiętnastym wieku, te staniki, to miasto, które śmierdziało kurami jak zwykła wiocha – wsparta łokciami o stół, buntowała się przeciw temu z całej duszy. Zatęskniła za internatem, za kąpielami w rzece, wyprawami do sklepiku kolonialnego i miętówkami. Nawet wtedy więcej miała z życia niż teraz. Myślała często o Długiej Meg, o jej krokach na korytarzu. Powieści w odcinkach straciły urok zakazanego owocu i zupełnie przestały ją kusić. Popadła w rodzaj duchowego odrętwienia. Krzyczała na koleżanki, nie pozwalała się do siebie zbliżyć nawet najmłodszym i najsympatyczniejszym klientkom. Wszystko, począwszy od niej samej, wydawało się jej nie do zniesienia.

Niekiedy robiła dziwaczne zakłady: „Jeśli zobaczę dziś karła, w moim życiu nastąpi gwałtowna zmiana". Oczywiście tego akurat dnia żaden karzeł nie wchodził jej w drogę.

Antoinette mówiła: „Wiązać nadzieję na odmianę losu z karłem to chyba jeszcze mniej mądre niż pokładać ufność w Bogu".

Pewnego wieczoru, zamknąwszy sklep, Coco przysiadła na zapleczu i nie zapalając światła, pochyliła się nad projektem odważnego, prostego żakietu bez klap. Pani Desboutin nie było, poszła na pogrzeb znanego w Paillers przedsiębiorcy. Po jakimś czasie pojawił się jej mąż. Podszedł do regału z ubraniami do poprawki i zaczął wśród nich grzebać. Pokój tonął w dziwnym szarawym mroku. Ulicą przechodziły właśnie krowy. Przez otwarte okno napływał zapach łajna i dźwięk dzwoneczków. Coco, powodowana bardziej instynktem niż szacunkiem czy strachem, ukryła się za oparciem wielkiego fotela. Pan Desboutin najwyraźniej czegoś szukał: wyjmował z pudełek spódnice, bluzki i pończochy, aż wreszcie trafił na stanik. Oblizał spierzchnięte wargi i rozejrzał się dookoła, a następnie ku zdumieniu Chudziny podniósł koronkowy fatałaszek do nosa i powąchał. Potem podszedł do lustra, fachowo zapiął stanik wokół pasa i podciągnąwszy go do góry, przymierzył.

Począwszy od tego dnia, gdy tylko pani Desboutin wybierała się po południu do miasta, jej małżonek oddawał się swojej ulubionej rozrywce. Po ciemku, obijając się o meble, zakradał się na zaplecze, by tam, jeden po drugim, zakładać biustonosze klientek. Zaczynał od białych, a gdy przychodziła kolej na kolorowe, dostawał gęsiej skórki. Małe, duże, naprawione już i rozprute, satynowe i jedwabne – przykładał je do ciała, mrucząc z zadowoleniem. Oczy wychodziły mu z orbit, pojękiwał i niemal słaniał się z rozkoszy. Na koniec wybiegał do ogrodu, rozpinał spodnie i długo sikał na rosnące pod murem prymulki. Później wracał do sklepu, opadał na fotel i zakrywał twarz dłońmi.

Kilka dni po tym dziwnym odkryciu Coco została wezwana do pani Desboutin. Wspinając się po schodach, doszła do wniosku, że to koniec. Wszystko układało się zbyt dobrze. Chlebodawczyni wie, że ona wie o dziwnych skłonnościach jej męża. Pani Desboutin wyglądała w zamyśleniu przez okno. Przed domem dzieci skakały przez skakankę. „Jestem z ciebie bardzo dumna – powiedziała pani Desboutin. Trzymała w dłoniach jeden z rysunków Coco, projekt spódnicy. – Myślę, że masz wielki talent".

Była to piękna pochwała i Coco poczuła się, rzecz jasna, mile połechtana. Ale w oczach pani Desboutin, zwykle pustych, błyszczało teraz jakieś zdradzieckie światło. Niewypowiedziane słowa drżały w powietrzu, osiadały na zasłonach i meblach. Pani Desboutin, skrzypiąc gorsetem, odwróciła się w stronę okna. „Są takie urocze" – powiedziała, wskazując na dzieci.

Tego popołudnia znowu lało jak z cebra (od kilku miesięcy Francję nękały rekordowe opady). Do sklepu wszedł mężczyzna. Czasem trafiał się śmiałek, który wbrew powszechnemu zwyczajowi wstępował po upominek dla żony lub ukochanej. Coco i Antoinette szyły na zapleczu, gdy usłyszały jego głos. Opowiadał ekspedientkom o straszliwej powodzi w Paryżu. Potem spokojnie poprosił o stanik. Jeden z tych, które rozdzielają piersi zamiast je ściskać. Pan Desboutin, który palił na zapleczu cygaro, dostał gęsiej skórki. Pani Desboutin, przeglądająca właśnie rachunki, spojrzała na klienta ponad monoklem. Panny sklepowe nie potrafiły powstrzymać chichotów.

„Nic wiem, z czego się panie śmieją – powiedział klient. – Nigdy nie rozumiałem, dlaczego piersi mają się tak gnieść".

Antoinette, nagle rozpromieniona, upuściła igłę. Deszcz hałasował po dachu jak stado słoni albo grad pocisków, jego metaliczne szczękanie przywodziło też na myśl brzęk sztućców, ciepło domowego ogniska, szczęście. Coco spojrzała na siostrę: w oczach Antoinette była nadzieja. Siostra zerwała się na równe nogi i wybiegła. Stanąwszy za ladą, bez słowa wyrwała ekspedientce biustonosz i wręczyła go klientowi. Nie miała już wątpliwości: to był notariusz, ten sam, który w pociągu zaprosił ją na oranżadę. Od tamtej pory minęło trzy i pół roku. „To bardzo wygodny stanik" – zapewniła, nie spuszczając z gościa uważnego spojrzenia. Oczy mężczyzny zalśniły rozpoznaniem.

Do Paillers przyjeżdżał dość często, prowadził tu bowiem sprawy spadkowe. Zatrzymał się w miejscowym hotelu i ze względu na powódź chwilowo nie zamierzał wracać do stolicy. Przez dwa tygodnie (tyle trwało usunięcie wody i naniesionych przez nią śmieci z głównych placów i ulic Paryża) chadzał z Antoinette na spacery. Zawsze towarzyszyła im Coco, ponieważ nie wypadało, by młoda panienka pokazywała się sama z mężczyzną.

Często zaglądali do ponurego lokalu, gdzie wieczorami grywała kilkuosobowa orkiestra, a w niedziele i święta odbywały się również poranki muzyczne. W głębi małej, słabo oświetlonej sali znajdowała się osłonięta zdobionymi parawanami niewielka scena. Siostry wstępowały na nią niekiedy, by coś zaśpiewać. Malowały przedtem usta, przyklejały do powiek okropne sztuczne rzęsy i w mieniących się cekinami sukienkach, ze szklanymi koralikami na szyi i blaszanymi bransoletkami na przegubach defilowały przez środek sali, nie zwracając uwagi na mężczyzn, którzy uparcie próbowali klepać je po tyłkach. Stanąwszy na podwyższeniu, przybierały afektowane pozy i zaczynały śpiewać.

W podobnych lokalach nikt nie zwracał uwagi na pochodzenie czy majątek, bogacze mieszali się z biedakami. Gdy siostry za bardzo fałszowały (miały, owszem, wdzięk i to coś w sobie, ale natura poskąpiła im głosu), arystokraci i robotnicy zgodnie obrzucali je pestkami czereśni.

Po kilku takich występach pani Desboutin postanowiła odbyć z podopiecznymi poważną rozmowę. Łagodnie uświadomiła im, a raczej zasugerowała, że są jeszcze bardzo młode, czego nie da się powiedzieć o panu notariuszu, którego zresztą niezwykle ceni. Tak czy owak te niby-muzyczne poranki nie cieszą się dobrą sławą. Niech więc kochane dziewczęta uważają na siebie i upewnią się co do intencji pana notariusza. Potem wstała i starannie wygładziła suknię. „Byłabym zapomniała – powiedziała. – Musimy rozszerzyć zakres usług".

Gdy wypowiadała te słowa, Coco popatrzyła jej w oczy: w ich czarnej głębi dostrzegła zapowiedź tego, co już się zaczęło.

Obserwując, jak pani Desboutin wstępuje na schody, pomyślała: Jaka ona gruba! W tej kobiecie najważniejsze są plecy. Wszystkie jej gesty, cała jej istota biorą z nich swój początek.

Późnym wieczorem, gdy znalazły się w łóżkach, Antoinette nawiązała do rady pani Desboutin. „To bardzo miło z jej strony, że się tak o nas troszczy, zupełnie jak matka, prawda, Coco?". Coco gwałtownie usiadła na łóżku. Nienawidziła rad. Czy Antoinette nie rozumie, że ludzie zawsze doradzają innym to, co im samym odpowiada najlepiej?

Następnego dnia zaprojektowała swoją pierwszą suknię dla otyłych kobiet. Luźna, mocno marszczona, z nisko zaznaczoną talią, aby ukryć obwisłe pośladki, spotkała się z wielkim uznaniem klientek. „Prawdziwe arcydzieło" – przyznała pani Desboutin. Ale w jej oczach nie było pochwały.

Antoinette wybrała się w odwiedziny do klasztoru. Odczuwała względem zakonnic pewną wdzięczność. „Długa Meg już nie gra" – powiedziała siostrze po powrocie. Podobno któregoś styczniowego poranka siadła do fortepianu, położyła palce na klawiaturze i powiedziała: „Koniec". Wzięła z szopy siekierę i porąbała instrument na kawałki. „Porąbała na kawałki swój talent" – mówiły mniszki. Stojąc z boku, z potarganymi włosami, z perwersyjną przyjemnością obserwowała, jak na jej polecenie inna zakonnica wyrzuca resztki steinwaya przez okno.

Sklep Grampayre rzeczywiście rozszerzył zakres usług. Korzystając z dobrej koniunktury (tak brzmiał główny argument pani Desboutin), oprócz szali, spódnic, staników, sukien i tkanin państwo Desboutinowie sprzedawali odtąd również mundury młodym kawalerzystom z dziesiątego pułku. Przystojni wojacy nosili się dumnie: błękitne uniformy z galonami, szamerunkiem i złotymi guzami, a na to podbite futrem płaszcze. Pani Desboutin pracowała coraz więcej, nie zaniedbując jednak wizyt w kościele. Zaglądała tam teraz nawet dwa razy dziennie: wieczorem modliła się za cały świat, a rano za Bóg wie co (tak przynajmniej myślała Coco). Po powrocie obrzucała Chudzinę uważnym spojrzeniem. Pewnego dnia Coco przyłapała ją na przeglądaniu zdjęć z puszki i zażywaniu tabaki. Pani Desboutin pospiesznie zamknęła wieczko i zmieszana tłumaczyła się, że tabaka pomaga jej zwalczyć zmęczenie.

Pan Desboutin coraz częściej kupował kwiaty. Żona czekała na niego w drzwiach. „Spóźniłeś się" – mówiła.

Zaczęli kłócić się w łóżku. Gorzkie, niezrozumiałe słowa, które trwają chwilę i natychmiast wsiąkają w noc. Rzecz dziwna: czasem, kiedy pana Desboutina nie było w domu, z sypialni dobiegały jakby ryki. Rozdzierające ciemność ryki krowy albo rozpalonej do granic wytrzymałości kobiety.

Któregoś przedpołudnia, koło jedenastej, Coco zobaczyła chłopaka mocującego się z ogromną skrzynią. O jedenastej piętnaście, pod surowym spojrzeniem pani Desboutin (jej małżonek wbijał wzrok w podłogę), skrzynia odjechała na zaprzężonym w dwa koniki wozie. W sklepie Grampayre nie sprzedawano odtąd staników.

W wieku dwudziestu jeden lat, w tym samym mrocznym lokalu, gdzie odbywały się poranki muzyczne, Coco poznała kogoś, kto miał zostać pierwszym mężczyzną jej życia. Tamtego dnia powiedziała sobie: „Jeśli zobaczę karła, jeszcze dziś spotkam mężczyznę swojego życia". Karła oczywiście nie zobaczyła, spotkała za to Liébarda Balsaina, oficera, służącego do niedawna w dziesiątym pułku młodego człowieka z bujną czupryną pachnącą szamponem. Coco spodziewała się po miłości czegoś więcej: przyspieszonego bicia serca, zimnych potów, wzburzonej krwi. Niczego takiego nie czuła, ale i nie przejmowała się tym zanadto.

Liébard był najmłodszym z trzech synów fabrykanta, który zbił fortunę w przemyśle tekstylnym. Dzieciństwo spędził w Anglii, w szkole z internatem, skąd oprócz doskonałej znajomości angielskiego wyniósł gorące upodobanie do koni. Coco opowiadając mu o sobie, zmyśliła, że po śmierci rodziców wychowywała się u bogatych, wąsatych i złych ciotek, które w swych rozległych włościach hodowały wierzchowce na potrzeby armii.

„Tam – powiedziała – nauczyłam się jeździć na oklep". Wyrzucając z siebie te i inne brednie, czuła, że dziecko, którym była, i dorosła kobieta, którą się stała, czyli w gruncie rzeczy ona sama, jest tylko opowieścią złożoną ze strzępów i fragmentów. Zamieszkała w historii z majętnymi i złymi ciotkami tak, jak mogłaby zamieszkać w każdej innej. Słowa (ciotki, bogate, złe) przypominały sieci zarzucane daremnie, by wyłowić to, co nigdy nie miało miejsca. Tak czy owak Liébardowi bardzo się spodobała. Poza tym wzruszał go jej bardzo przeciętny śpiew i dziecinna radość z aplauzu, zrodzona z niepewnosci i kompleksów. Pewnej niedzieli zaprosił Coco na wyścigi.

Atmosfera hipodromów w Auteuil i Chantilly natychmiast ją urzekła. Stajnie, tory, niepozorni dżokeje w kolorowych koszulkach, zapach siana i końskich odchodów zmieszany z perfumami hrabin, krążących jak osy wokół smakowitego ciasta. Chudzina obserwowała ich histeryczny taniec, który miał pobudzić męskie libido i sprawiać, że kobiety zamieniały się w lalki o wydatnym biuście i odstającym tyłku. Ta moda, te powierzchowne konwersacje! Zaskoczyła ją pstrokata rozmaitość strojów, kapelusze przybrane czymś w rodzaju warzyw z tafty i tiulu, ciągnące się po trawie koronki, futra i suknie. Mężczyźni nosili krótkie, wcięte w pasie kurtki, kaszmirowe swetry i szaroperłowe sztylpy. Wysmarowane brylantyną włosy ściśle przylegały do głowy.

Była pod wrażeniem całego tego bogactwa i zastanawiała się, co by czuła, gdyby to wszystko należało do niej.

W owym czasie śmietanka towarzyska ubierała się u Paula Poireta. Od Liébarda Coco dowiedziała się, że ten znany krawiec pochodził z nizin społecznych. Jego ojciec, sprzedawca materiałów, kazał mu terminować w wytwórni parasoli, ale chłopiec interesował się raczej modą damską i w końcu, za namową matki, która kupiła mu w prezencie manekin, zaczął szyć suknie. Pokazując je słynnemu Doucetowi, zdobył przepustkę do wielkiego świata. Zdaniem Liébarda to on rozsadził schematy tradycyjnej *haute couture*.

Jeszcze bardziej zafascynowały Coco stroje dżokejów. Po wielu latach wspomnienie ich niebieskich satynowych koszulek inspirowało ją przy tworzeniu kolejnych kolekcji.

Jeździła z Liébardem na wyścigi raz w tygodniu. Czasem zabierali Antoinette i notariusza, który wynajął tymczasem mieszkanie w Paillers. Rozmawiali o polityce, muzyce, sztuce, o nowym, roślinno-zwierzęcym języku, w jakim przemawiało od niedawna żelazo w paryskim metrze, i o kalekim malarzu, z upodobaniem malującym prostytutki ze stołecznych burdeli. Wszystko mogło stanowić przedmiot rozmowy i Coco chciwie chłonęła nowe tematy.

Pewnego popołudnia, idąc do kawiarni przy hipodromie, odniosła wrażenie, że dostrzega w tłumie sylwetkę pani Desboutin. Tego ranka, starannie szczotkując garnitur męża, pani Desboutin, świadoma, że Coco wybiera się na spotkanie z narzeczonym, zaczęła mówić o szczęściu, jakim jest małżeństwo (nie powiedziała: „narzeczeństwo"), zwłaszcza jeśli obie strony ze wszystkich sił starają się nawzajem zadowolić. Odważyła się nawet napomknąć o dzieciach, choć przy tej kwestii spuściła głowę.

Kobieta podobna do pani Desboutin nie była na hipodromie sama. Towarzyszył jej młodziutki oficer. „No co ty, to na pewno nie ona – zaprotestowała gorąco Antoinette. – Ty zawsze myślisz o wszystkich jak najgorzej". Coco podeszła do baru, żeby lepiej widzieć. W tej samej chwili do kawiarni wpadł jakiś mężczyzna z wiadomością, że Marguerite Durand, założycielka czasopisma „La Fronde", stoi na barierce odgradzającej trybuny od toru i grozi, że rzuci się pod końskie kopyta, jeśli nie uzyska zapewnienia, iż zgromadzeni uznają macierzyństwo za „funkcję społeczną" („Funkcja społeczna!" – wykrzykiwała, uczepiona markizy nad ławkami). Większość obecnych nie miała zielonego pojęcia, co to za diabeł, ale każdy wyczuwał, że sprawa pachnie rewolucją. Po pierwsze dlatego, że trzeba było opuścić hipodrom, aby do akcji mogła wkroczyć policja, po drugie zaś z tej przyczyny, że Durandka miała na sobie męskie spodnie.

Dwa dni później, kiedy Marguerite Durand tryumfalnie opuszczała więzienie w Paryżu, w sklepie Grampayre zjawił się pewien mężczyzna. Bardzo wzburzony, zapytał o panią Desboutin. Nie miał więcej niż dziewiętnaście lat – ot, przebrany za oficera chłopczyk z wielkimi uszami. Zdenerwował się jeszcze bardziej, gdy panny sklepowe wybuchnęły śmiechem. Doprowadzony do ostateczności, zrzucił na podłogę poukładane na półkach ubrania, pozrywał suknie z wieszaków i fulary z manekinów. Szlochając, wyjawił (choć ledwie można go było zrozumieć), że właścicielka sklepu okradła go i – tu skromnie spuścił oczy – pozbawiła dziewictwa. Ekspedientki rozchichotały się na dobre. Pani Desboutin, która wraz z Coco przeglądała na zapleczu rachunki, przysłuchiwała się słowom rozhisteryzowanego młodzieńca z całkowitym spokojem, od czasu do czasu tylko krzywiąc się z niesmakiem.

Młodzian nawijał jak katarynka i zapalał się coraz bardziej. „Ta pani – mówił, jakby panienki tego nie wiedziały – zadaje się z wieloma oficerami, nie na darmo ma cały sklep błękitnych kurtek i podbitych futrem płaszczy". Potem znienacka wyciągnął szablę. Panny sklepowe przestały chichotać. Na zapleczu pani Desboutin upuściła rachunki na podłogę.

Gołowąs przeszedł do szczegółów, szczegółów zbyt wszystkim znanych, aby mogły być wymyślone, szczegółów, których pani Desboutin musiała wysłuchać (i których nie mogła się wyprzeć), zbierając papiery z podłogi, na czworakach, z kroplami potu ściekającymi po czole. A tamten gadał i gadał: o pasie wyszczuplającym, o podwiązkach, o zdjęciach z cynowej puszki (zdjęciach oficerów kawalerii), o świecidełkach, o jękach w środku nocy i o zażywanej po kryjomu tabace. „No, proszę, co panie na to?".

Żadna nie śmiała spojrzeć mu w oczy. I to nie tylko ze względu na wywołane jego słowami zakłopotanie: wszystko, co mówił, było zbyt prawdopodobne. Trudne do uwierzenia, ale prawdopodobne. Niespodziewanie zjawił się pan Desboutin. Przeszedł powoli przez zaplecze, minął żonę i zatrzymał się w drzwiach wychodzących na ulicę. Przez kilka minut stał nieruchomo, ze zwieszonymi rękoma i szeroko otwartymi, pustymi oczami, jakby ta sytuacja w ogóle go nie dotyczyła.

Potem zawrócił i wyszedł tylnym wyjściem (drzwi zamknęły się za nim z lekkim trzaskiem), muskając skrajem nogawki spodni regularnie podlewane moczem prymulki i zostawiając za sobą odór potu i pierdnięć.

4

Rozmieszczone co dwadzieścia metrów dyskretne fioletowawe lampki rzucają na podłogę snopy światła. W połowie korytarza, dokładnie na wprost jednej z nich, znajduje się winda. Tam, naprzeciwko lecącej kuli, która dosięgnie ją za dwie lub trzy dziesiąte sekundy (dwie czy trzy?), życie zdaje się rozciągać niczym guma do żucia, w nieskończoność.

Czas... Okres między teraz a wtedy, ruchome obrazy, które osadziły się na siatkówce oczu. Na zawsze. Jak choćby obraz państwa Desboutinów, którzy mimo wszystko, siłą przyzwyczajenia, jak gdyby nigdy nic podjęli swoją uporczywą rutynę. Cokolwiek się stało, o wpół do szóstej trzeba zamknąć sklep i omijając porozrzucane tu i ówdzie kupy, zajść do kościoła Notre Dame po kawałeczek Boga.

„Bo – powiedziała sobie Coco – są ciała w ruchu i ciała w spoczynku".

Pytanie brzmi, czy ruch nie jest czasami tym samym co spoczynek. Albo na odwrót. Na przykład (kręgosłup wykrzywiony od gorsetu lub kapelusz osadzony chybotliwie na górze jedwabnych wstążek oraz sztucznych i prawdziwych włosów – ruch to czy spoczynek?

Pan Desboutin marzył często, że kiedyś ów niebezpieczny stwór, przyczajony w bukiecie wręczanym co dzień żonie, wyskoczy. Byłoby cudownie, gdyby wyskoczył wprost na nią i powiedział wreszcie, co myśli: że brzydzi się jej kremami do twarzy, papilotami i gorsetami. I już miał to zrobić (on czy ten stwór?), ale słysząc szelest sztywnych spódnic, kulił się w sobie. I obaj czuli się tchórzliwi i malutcy. Siłą bezwładu (a raczej rozkładu) stwór chował się wśród kwiatów, a potem już tylko msza o siódmej i puchowa pierzyna. Pan Desboutin marzył też, że gdy Gertrude umrze („Boże uchowaj, to przecież tylko takie gdybanie"), on odbędzie wreszcie swoją podróż po Europie. Dlatego wieczorami państwo Desboutinowie mieszali łyżkami zupę w ciszy, a następnie szli do małżeńskiej sypialni, by tam zrobić, co trzeba, ponieważ ruch (czy rutyna?) jest uparty jak osioł. I strachliwy.

Nawet tego dnia, kiedy młody bośniacki rewolucjonista, członek organizacji o nazwie Czarna Ręka, zamordował w Sarajewie dziedzica Habsburgów, pan Desboutin nie zrezygnował ze swoich przyzwyczajeń. „Chodź, Gertrude" –

rzekł do żony z czeluści schodów swoim zwykłym tonem roz-kapryszonego dziecka.

Gdy zasnął, ona, wcierając krem w policzki i czoło, po-wtarzała w myśli zasłyszane od klientek nowiny. Podobno żona arcyksięcia, księżna Sophie Chotek (a może to była hra-bina?), nie stanęła na wysokości zadania i stąd to nieszczę-ście. Nie chcą jej nawet pochować w grobowcu Habsburgów i ja to rozumiem – dumała, wklepując w skórę białą papkę. No, ale on był bez pamięci w niej zakochany i uparł się, żeby zabrać ją ze sobą na inspekcję wojsk do Bośni. Umarła od po-strzału w brzuch, biedaczka, w rocznicę własnego ślubu! Pani Desboutin ścisnęła męża za ramię. „Co będzie, jeśli któregoś dnia dobiorą się do nas?" – szepnęła nagle, przestraszona. Pan Desboutin otworzył oczy i zlustrował żonę od stóp do głów. „To co innego" – zawyrokował.

Kolejne ciało w spoczynku: Antoinette, której jedyną życiową ambicją było mieć spokój. Dlatego całymi latami trzymała się swojego notariusza, nawet kiedy odkryła, że jest żonaty. Dowiedziała się o tym 25 lipca 1909 roku, w dniu, w którym całe Paillers świętowało przelot Louisa Blériota nad kanałem La Manche w jednopłatowcu własnej produkcji. Dla uczczenie jego wyczynu mer – daleki krewny bohatera – zaprosił wszystkich na rożki z owocami i lemoniadę. Roz-mawiano o silniku wspaniałej maszyny, jak długo trwał lot i czy Blériot ma rodzinę. Nagle ktoś spytał notariusza o żonę. Zapadła cisza. Jedno spojrzenie na ukochanego upewniło An-toinette, że nie chodzi bynajmniej o głupi żart. Wpadła w fu-rię, nawet unikała go przez kilka tygodni, w końcu jednak wszystko wróciło do normy, bo inercja rządzi nie tylko jedno-płatowcami (i kulami, które nadlatują z wielką szybkością, by trafić kogoś w serce), ale również ludźmi.

Ciała w ruchu: Marguerite Durand, uczepiona markizy nad hipodromem, i jej koleżanki na dole, żądające świadczeń dla ciężarnych kobiet. Już od początku stulecia emancypantki o rozmaitych sympatiach politycznych organizowały konferencje i manifestacje, śląc do parlamentu wciąż nowe delegacje z propozycjami ustaw mających chronić przede wszystkim przyszłe matki. Coco zasiliła szeregi Rady Narodowej Francuskich Kobiet, która w 1909 roku liczyła już siedemdziesiąt pięć tysięcy członkiń. Nie angażując się w żadne konkretniejsze działania, Chudzina, pomna losu swojej matki, brała udział w kongresach, które, zapoczątkowane na Wystawie Powszechnej w 1900 roku, przyjmowały od tamtej pory coraz ostrzejszy kurs. Nie chcąc pozostawać w bezruchu, opuściła też dom państwa Desboutinów i zamieszkała w posiadłości Liébarda, gdzie dostała do dyspozycji osobną i jasną sypialnię, jak sobie tego kiedyś życzyła u zakonnic w internacie, w czasach, gdy dni upływały jej na ssaniu miętówek i czytaniu romansów w odcinkach.

Liébard mówił, że na świecie ścierają się właśnie potężne fronty (tak się wyraził) i że lepiej, by kobieta miała w takich czasach bezpieczne schronienie. W swoim majątku, położonym na równinie nad rzeką Allier, trzydzieści kilometrów od Paillers, hodował konie i czerwone krowy. Jaskrawa żółć słoneczników i rzepaku pięknie kontrastowała z czernią wulkanicznej ziemi.

Wiosną obory rozbrzmiewały przeciągłym porykiwaniem: zwierzęta tęskniły za łąkami. W połowie maja wyganiano je na odległe pastwiska, porośnięte miękką trawą. Prawdziwą pasją Liébarda były jednak konie, hodowane dla armii. Zaglądał im w zęby, głaskał po pęcinach i dbał o nie jak o własne dzieci. „Potężne fronty" – szepnęła kiedyś w zamyśleniu Coco i wzruszyła ramionami. W jej głosie dźwięczało pytanie.

Pytanie również jest ruchem.

Więc jeśli ciała poruszają się, to nie z własnej woli, lecz popychane zewnętrznym impulsem: dla państwa Desboutinów była nim rutyna (tak dobrze znana również krowom i łąkom); dla Antoinette – strach przed porażką i samotnością; dla Marguerite Durand – wiatr nad hipodromem; dla Coco – ambicja i nuda; dla krów – tęsknota.

Kulę (i wspomnienia, które, jak ona, są tuż-tuż) wprawia w ruch odwiedziony kurek pistoletu. Czy jednak to wszystko jest ruchem? Czy może spoczynkiem?

Coco była już od jakiegoś czasu trudna, kapryśna. Wszystko ją drażniło. Drażniła ją konieczność zakładania pończoch do posiłków i uległość służby, drażnił zapach grzanek i gęsty osad na dnie szklanki z sokiem pomarańczowym, drażniły ciasteczka z cukrem pudrem i własna drażliwość. Jaki on brzydki – myślała czasem, patrząc na kochanka – taki nijaki. Zwłaszcza wtedy, gdy pochylał się nad pieczenią z ziemniakami albo nad gazetą. „Posłuchaj tylko – mówił. – Te emancypantki chcą teraz wstępować na uniwersytety".

Nudziła się. Po całych dniach płakała w poduszkę. Owce dają wełnę, krowy – mleko. Wszystko na świecie czemuś służy, oprócz mnie – myślała. Tęskniła za swoją pracą, za pogawędkami na zapleczu sklepu Grampayre. Odnosiła wrażenie, że mury Liébardowego domu zabijają w niej wszelką wrażliwość. Czuła otępienie, nie potrafiła jednak wyrwać się z tego stanu. „Boję się nudy tego dnia" – szeptała po przebudzeniu.

Często wspominała Antoinette, z którą od dawna nie miała kontaktu: czy wciąż spotyka się z notariuszem? Coco pamiętała ten obrazek sprzed lat: siostra na klęczkach przy łóżku, z zarumienioną twarzą, mająca tylko jedno ślepe pragnienie – wyjść za mężczyznę, który był przecież ucieleśnieniem przeciętności. Chudzina zazdrościła jej w głębi duszy tego nastawienia: tak, poddać się losowi, pokochać codzienność, życie, które upływa bez wstrząsów i sekretów, nie pozostawiając miejsca na ryzyko. Zazdrościła Antoinette tej wewnętrznej dyspozycji, przypominającej wiarę. Tyle że z wiarą, tak jak z talentem, trzeba się urodzić.

Właściwie dlaczego sama sobie wszystko utrudniam – zastanawiała się, patrząc na wazony, srebra i dywany wokół. Dlaczego życie jest dla mnie takim problemem? Antoinette spełniała się jako Antoinette. Ona, Coco, czuła, że musi dopiero wymyślić dla siebie rolę.

W słoneczne dni wychodziła na taras zrobić sobie manikiur. Opiłowując paznokcie, podśpiewywała. Słońce chowało się za horyzontem, służba zapalała światła w całym domu, a ona nadal siedziała w tym samym miejscu, nucąc. Czasem zjawiał się chłopak z sąsiedniego majątku. Siadał obok niej, z rękami złożonymi na zsuniętych kurczowo kolanach, i rozmawiali o wszystkim po trochu. Niekiedy Coco chwytała jego ukradkowe spojrzenia. Zerkał na nią nieśmiało, jakby miał przed sobą Matkę Boską albo anioła. Kiedy ich oczy się spotykały, odwracał wzrok, spuszczał głowę i lekko się rumienił. Był wysoki, szczupły, z wysokim, zawsze odrobinę spoconym czołem i wąsikami koloru słomy. Nie zajmował jej w najmniejszym stopniu, ale w gorące popołudnia, kiedy Liébarda nie było w domu, stanowił jedyną dostępną rozrywkę. Poza tym Coco nade wszystko lubiła się podobać.

Któregoś dnia odważył się usiąść trochę bliżej. Wytarła mu czoło chusteczką, a on poczerwieniał jak burak. Chusteczka spadła na podłogę, Coco schyliła się, by ją podnieść, i na moment zastygła w takiej pozycji, pokazując piersi. Następnego popołudnia przyniósł bukiet róż i zdobył się na miłosne wyznanie.

„Chyba... – powiedział, podając jej kwiaty i nerwowo strzelając oczami. – Chyba się w pani zakochałem". Coco roześmiała się na cały głos („Ależ ty jesteś głupi" – powiedziała), ale po chwili, na widok jego ściągniętej twarzy i zaciśniętych ust, zamilkła. „Przykro mi" – rzekł. Schwycił bukiet i uciekł. Nie zobaczyła go nigdy więcej.

Kiedy indziej prosiła Liébarda, żeby kupił jej kwiaty, a kiedy to robił (albo raczej zlecał służącym), oglądała je bez emocji i wyrzucała do śmieci.

W owym czasie istniało całkiem sporo eufemizmów na określenie utrzymanek: pożeraczki diamentów, *irrégulières*, *cocottes*, i Coco przymierzała te nazwy z przyjemnością, jak suknie, przekonana, że być kochanką to coś uroczego, a zarazem groźnego i wyzywającego. Uwielbiała jeździć z Liébardem do Paryża, pokazywać się jako jego utrzymanka. Miała nadzieję, że przyniesie jej to sławę, i każdego ranka chciwie przeglądała dział towarzyski w gazecie, sprawdzając, czy nie ma gdzieś ich zdjęcia.

Przed wybuchem wojny spędzali w stolicy każdą sobotę i niedzielę. Zatrzymywali się w hotelu Bifou przy ulicy de la Noit i w sobotnie popołudnia oglądali wyścigi. Coco wychodziła z pokoju niczym wielka pani, klaszcząc ze zniecierpliwieniem w dłonie i pokrzykując na pokojówki: „Łóżko w numerze trzysta trzy wciąż jeszcze nieposłane, nieroby! W głowie się nie mieści, że w hotelu tej klasy trzeba przypominać o takich rzeczach". Ubierała się w luźne spódnice, bez gorsetu, i we wzorowane na ubiorze rybaków z północy sweterki z wysokim kołnierzem zapinanym po jednej stronie na drewniane guziczki. Sama dla siebie szyła, używając dzianiny (bardzo wtedy niepopularnej ze względu na zbytnią miękkość) i flaneli, stosowniejszej w powszechnym mniemaniu dla robotników i w ogóle mężczyzn. Inne kobiety, które ciągle nosiły kapelusze jak bochny, monstrualne konstrukcje ze stroikami z winogron i daktyli, tudzież falbaniaste suknie z piórami, zaczęły zwracać na nią uwagę. Nie tylko dlatego, że była nową *cocotte* Liébarda, ale również z powodu jej odważnych kreacji.

W towarzystwie Liébard nikomu jej nie przedstawiał, czasami nawet udawał, że się wcale nie znają. Któregoś dnia, gdy stała przy koniach, głaszcząc je po chrapach, wydało jej się,

że grupka ludzi, wśród których znajdował się również Liébard, patrzy na nią z wyraźną kpiną.

Wieczorami wybierali się do tej czy innej *café concert*,
najczęściej do Folies Bergère. We wnętrzach w stylu Ludwika
XIII gromadziły się światowe damy, artyści, bankierzy, żurna-
liści, lekarze, by oglądać sentymentalne, romantyczne, patriotyczne i religijne w tonie przedstawienia, z udziałem pajaców,
muzyków i kuglarzy. Publiczność wyrażała swoje zdanie, obrzucając scenę pestkami czereśni i wrzeszcząc. Największe
zainteresowanie wzbudzał spektakl *Kangur Bokser i Birmań-
ska familia*, odgrywany przez rodzinę złożoną z ojca, matki,
syna, córki i babki. Każde z nich miało przyklejoną sztuczną
brodę i pakowało się w nieustanne a pocieszne kłopoty, na
koniec zaś Kangur Bokser skrapiał wszystkich szampanem.

Paryż – miasto sklepowych wystaw, stworzone do spa-
cerów. Miasto eleganckich kobiet, ciągłego gwaru, przyga-
szonych świateł, wytwornych perfum, rozbrzmiewających
śmiechem kawiarni, rozgorączkowanych, subtelnych młodzieńców. W roku 1900, 1902 i 1906 było to miasto Tou-
louse-Lautreca, prostytutek i stukającego pod obcasami bruku na Polach Elizejskich, zwariowane miasto *belle époque*,
pomalowanych na czerwono ust i charlestona. Ludzie bawili
się jak szaleńcy, bo wtedy jeszcze szaleńców nie brakowało.
Wieża Eiffla ze swoimi siedmioma milionami nitów wznosiła
się trzysta metrów nad ziemią.

„To jedyna w swoim rodzaju konstrukcja, mogąca stawać
w szranki z budowlami przeszłości: dzwonnicami i baszta-
mi – powiedział kiedyś Liébard. – Artyści, tacy jak Pissar-
ro, Manet, Degas, Aleksander Dumas syn czy Guy de Mau-
passant, podpisali list protestacyjny w jej sprawie. Niektórzy
twierdzą, że wygląda jak samotny czopek". Coco odpowiedziała pytaniem: „Wiesz, co bym chciała kiedyś zrobić?".
„No co?". „Mam zamiar któregoś pogodnego dnia wspiąć się

na ten samotny czopek i sprawdzić, co człowiek czuje na takiej wysokości". Ale jakoś nigdy nie nadarzyła się po temu okazja.

Niedziele spędzali w hotelu, odgrodzeni od świata zasuniętymi storami, w łóżku usłanym różanymi płatkami, popijając zimnego szampana, dostarczanego im do pokoju już z samego rana. Jeśli kelner spóźnił się choćby pięć minut, Coco obrzucała go gradem ordynarnych wyzwisk.

Do majątku wracali w poniedziałek o świcie, kiedy łąki zaczynały parować zapachem świeżej trawy i krowiego nawozu. O tej porze w sadach jabłka niespodziewanie spadały z gałęzi, bydło szło stadami ku pastwiskom. Czasem ponad kościstymi grzbietami krów Coco dostrzegała spieszącą do domu kobietę z dzieckiem przy piersi. Nieco dalej, w cieniu topoli, jakaś wieśniaczka w słomkowym kapeluszu sadziła brukiew. Mają trzydzieści dwa lata, albo może pięćdziesiąt, są szczęśliwe lub nieszczęśliwe, samotne lub zamężne, ale przynajmniej się nie nudzą, ciągle coś robią – myślała Coco, obserwując je z łokciami wspartymi na wąskim parapecie. A wtedy tamte kobiety przystawały nagle pod topolą i patrzyły do góry, w jej okno. Wymieniały spojrzenia, szepcząc coś między sobą. Oczywiście nic o nich nie wiedziała. Po prostu przechodziły obok. Nie były niczym więcej niż snem, wytworem fantazji. Niczym więcej. A może jednak?

Bo nic nie przeszkadzało jej w wyobrażaniu sobie, że w głębi duszy myślą tylko o tym, jak ją zabić.

Pewnego dnia, gdy Liébarda nie było w domu, do drzwi zadzwoniła mniej więcej czterdziestoletnia kobieta. Jej zniszczona twarz zachowała ślady wybitnej urody. Miała wąską spódnicę, krótkie włosy i naszyjnik z pereł okręcony wokół szyi w taki sposób, że zamiast emanować niewymuszoną elegancją zdawał się ją dusić. Służący otworzył jej, a ona bez słowa ruszyła do salonu, gdzie Coco, z nogami przerzuconymi przez oparcie sofy, przeglądała właśnie kolorowy magazyn. Kobieta minęła ją, nie zaszczyciwszy jej nawet spojrzeniem, niezobowiązująco uśmiechnięta. Wzięła coś z półki i wyszła, nie zamykając za sobą drzwi. Coco wzruszyła ramionami, zaczęła tupać i tupała tak długo, aż zjawił się ten sam służący. Wtedy cisnęła w niego siedemnastowiecznym wazonem, który rozbił się w drobny mak. Uznała, że bardzo ładnie wyglądał w locie.

Od tego czasu zamartwiała się, że któregoś dnia Liébard po prostu się nią znudzi. „Może już kogoś ma" – truchlała na samą myśl. Jednego była pewna: musi uniezależnić się od mężczyzn, od ich kaprysów i pieniędzy. Wsiadła więc na zaprzężony w woły wóz i pojechała do Paillers, porozmawiać ze znajomymi z „La Fronde". Tam jednak nikt nie miał głowy do jej problemów. Wszystkich zajmowała jedynie nadciągająca ogólnoświatowa zawierucha. Kobiety bały się stracić wywalczone z takim trudem prawa, ale uspokajały się myślą, że jeśli wybuchnie wojna – która zresztą nie potrwa długo, jedna-dwie bitwy i po sprawie – będą umiały odegrać odpowiednio znaczącą rolę.

Po powrocie zastała Liébarda nad gazetą, przy herbacie. Spytała, co z nią będzie. „Dlaczego pytasz? – zdziwił się, nie podnosząc wzroku znad »L'Excelsiora«. Nigdy nie patrzył jej w oczy, zawsze gdzieś ponad głową. – Nie jest ci tu dobrze?". Odparła, że nie chce spędzić życia, jeżdżąc konno, że chce pracować.

Po raz pierwszy opowiedziała mu o kapeluszach. „Mam tyle pomysłów" – szepnęła. Tyle pomysłów na to, jak uwolnić kobiece głowy od tych bochnów chleba i owoców. Wystarczyłoby coś zwykłego. „Widziałeś, co zakładają chłopki do sadzenia brukwi?". Ona dodałaby wstążki i koronki, poszerzyła ronda i proszę, elegancki kapelusz gotowy. Zresztą to dla niej nie pierwszyzna, znajome z hipodromu, zachwycone jej własnoręcznie robionymi nakryciami głowy, już złożyły zamówienia. Potrzebowała tylko pożyczki na wynajęcie lokalu.

Śmiech Liébarda wybuchł nagle i równie nagle ucichł. „Ty to naprawdę masz głowę pełną bochnów i zieleniny. Brakuje ci tu czegoś?" – zapytał. „Jestem pusta w środku" – odparła. „Jak wszystkie kobiety – skwitował. – Macicę masz pustą, skarbie, to dlatego. Każda kobieta jest przede wszystkim samicą, a życie samic sprowadza się do macicy, do tej otwartej i pustej przestrzeni w brzuchu".

Potem, żeby zmienić temat i nieco Chudzinę rozerwać, uznał za stosowne mówić o uprawach, bydle i kredytach. „Zimą konie są przygnębione, potrzebują zastrzyku energii" – perorował. Coco spuściła głowę. Była rozgorączkowana, czerwona na twarzy. (Macica!). Zapadał zmrok. Fruwały gawrony. „Potrzebują witamin" – powiedział Liébard, wracając do gazety. „Witamin" – powtórzyła mechanicznie Coco. Ponieważ wciąż wydawała się zamyślona i napięta, oznajmił, że zanim wyjedzie w interesach do Argentyny, mogliby się wybrać razem w Pireneje. Został zaproszony do trzynastowiecznego zamku, na polowanie na lisa. Swoją obecność zapowiedzieli ministrowie, księżne i w ogóle arystokracja. Byłoby zabawnie, gdyby z nim pojechała.

Coco powoli uniosła głowę.

„Powiedziałeś: księżne?".

5

Pustka jest niczym jastrząb: wisi w powietrzu, czyha na dogodny moment, wiruje jak nasionko klonu, a potem spada niespodziewanie, chwyta człowieka w swoje szpony i już nie puszcza. Najchętniej między drugą po południu a ósmą wieczorem, w porze, gdy znudzone kobiety zabijają nudę nieśmiertelnym manikiurem.

I co one robią, żeby wypełnić godziny? – myśli Coco, stojąc naprzeciw windy, pięćdziesiąt osiem lat później, otulona w królicze futro, na chwilę przed śmiercią. Udzielają się w kółkach dobroczynnych, chodzą na odczyty, robią zakupy, podróżują, umawiają się z tak samo znudzonymi i nieznośnymi przyjaciółkami. Czyli uganiają się za czymś, co by zatkało ssące usta próżni. I co? I nic, bo pustka jest przeciwieństwem pełni, a nie dziurą, którą można zasypać.

Liébard uważał, że źródło tej pustki tkwi w kobiecie. Tak stwierdził tamtego popołudnia na tarasie obrośniętym bugenwillami, nie zadając sobie nawet trudu, by podnieść oczy znad „L'Excelsiora". A raczej: w macicy. „W tym naczyniu, które nabrzmiewa i flaczeje, kurczy się i rozkurcza, pęcznieje i opada – powiedział. – Jeśli nie wypełni się płodem, w końcu staje się źródłem histerii, zachcianek i zastępczych pragnień". Coco spojrzała na niego z urazą.

Przed wyjazdem w Pireneje raz jeszcze wybrała się do Paillers porozmawiać z przyjaciółkami z „La Fronde". Czasopismo zjednało sobie sympatię dawnych stronników Dreyfusa, zyskało poparcie rządu, coraz częściej zachęcającego emancypantki do wystąpień, i aprobatę neomaltuzjanistów, zwolenników hedonistycznej i utylitarystycznej doktryny, wedle której stosunek seksualny miał służyć przede wszystkim rozkoszy. „Wyślij tego swojego Liébarda do diabła" – poradziły koleżanki. One również musiały w życiu zrezygnować z niejednego mężczyzny. Ale Coco była zdania, że to niewłaściwy moment. W grę wchodziło przecież polowanie na lisa, pobyt w zamku i, przede wszystkim, sposobność zapoznania się z przedstawicielami wyższych sfer, z którymi one, zamknięte w redakcji prowincjonalnego czasopisma – tu pozwoliła sobie na ironiczny uśmieszek – nigdy nie miały się zetknąć.

Liébard nie spodziewał się, że poza śmietanką towarzyską Coco spotka w Pirenejach osobę zdolną wypełnić pustkę w jej wnętrzu. Chociaż nie, wypełnić – nie, bo pustki nic nie wypełni; raczej poruszyć. Osobą tą był Ernest Capel, dla znajomych Erny, jedyny człowiek, którego Coco kiedykolwiek kochała.

Państwo Mercy-du-Pont, ponure i, wedle doniesień prasy, bynajmniej nie najuczciwsze małżeństwo, wzbogacone na przemyśle żelaznym i mające swój udział w budowie wieży Eiffla (a to w postaci piętnastu tysięcy elementów stalowych oraz dwóch i pół miliona nitów, zresztą wyroby pochodzące z ich fabryk w Lotaryngii zdobiły też Grand i Petit Palais w Paryżu), organizowali co roku kilka polowań i zapraszali do swego luksusowego zamku trzydzieścioro wybranych gości: przedsiębiorców, markizów i hrabiny. Zamek, średniowieczna budowla z trzema masywnymi wieżami zjedzonymi przez pnącza i upływ czasu, wznosił się na równinie u stóp ośnieżonych gór. Jego wnętrze doskonale harmonizowało z pokrętnym charakterem gospodarzy, przypominało bowiem labirynt niekończących się korytarzy, tajemnych przejść i sklepionych podziemi.

Znalazłszy się wraz z Liébardem na schodach wiodących do sześćdziesięciu trzech zamkowych komnat, Coco poprosiła go, by na chwilę przystanął. Przez całą drogę nie przestawała rozmyślać nad tym, że chciałaby mieć wreszcie własne życie, a nie wiecznie czepiać się kogoś jak bluszcz. Dlaczego ja właściwie czegoś chcę? – pytała sama siebie, skulona w przedziale pierwszej klasy, podczas gdy pociąg pokonywał głęboką dolinę. Ktoś, kto robi sobie na przykład operację nosa, działa pod wpływem pragnienia, by być piękniejszym, łatwiej oddychać albo nie chrapać. A ja? W końcu znalazła odpowiedź: jeśli przestanie chcieć, wpadnie w apatię i ostatecznie stoczy się w pustkę.

Marmurowe schody zamku wydały jej się odpowiednim miejscem, by powrócić do swoich zawodowych planów. Zatrzymała się na podeście, napuszyła jak kwoka, obrzuciła nieprzychylnym spojrzeniem zbroje, hełmy i gobeliny, po czym stwierdziła: „Wszystko to pięknie, ale moja pracownia kapeluszy... Pomożesz mi ją założyć?". Kiedy Liébard odparł, że to zły moment na rozmowę o kapeluszach, bo może zapomniała, ale właśnie idą się przywitać z państwem Mercy-du--Pont, zaczęła tupać nogami jak mała dziewczynka.

Prawdę mówiąc, od czasu, gdy wbiła sobie tę *idée fixe* do głowy, nagabywała go od rana do wieczora: kiedy wiązał krawat, płukał usta płynem Denfri („Musiałbyś tylko za mnie poręczyć!" – krzyczała z łóżka, waląc pięścią w poduszkę), obierał jabłko, schylał się po leżący na podłodze guzik, wsiadał do swojego najnowszego forda, składał serwetkę i mówił o pogodzie, wyglądając przez okno. „Tyle kruków, że chyba spadnie śnieg" – stwierdzał na przykład. „Wystarczy, żebyś za mnie poręczył, resztą zajmę się sama".

W gruncie rzeczy, słysząc w kółko „pracownia" i „pracownia", przestał łączyć z tym słowem jakiekolwiek znaczenie. Kapelusze fruwały wokół jak te kruki za oknem.

Coco ujrzała Erny'ego Capela w wielkim salonie, przy kominku, pogrążonego w rozmowie z państwem Mercy-du-Pont i kilkorgiem gości. Natychmiast pomyślała, że jest w nim coś z dzikiego zwierzęcia. Raczej chudy niż smukły, był Anglikiem, pochodził z rodziny, która dorobiła się na morskim handlu węglem z Newcastle, i pachniał płynem do czyszczenia siodeł. Szeptano, że jest nieślubnym synem francuskiego Żyda albo może któregoś z braci Pereire, tych od francuskiej kolei żelaznej. Tak czy owak odebrał doskonałe wykształcenie, świetnie mówił po francusku i zamiast trwonić rodzinną fortunę, czym zajmowała się większość złotych młodzieńców, poświęcał swój czas hodowli wierzchowców do gry w polo. Rozmowa dotyczyła niskiej stopy urodzeń we Francji, której, zdaniem zebranych, winna była emancypacja kobiet, aborcja i neomaltuzjańska propaganda. „Czy ktoś czytał *Les Dames du Palais?*" – spytała któraś z pań, po czym zaczęła rozprawiać o ambicji i egoizmie tak zwanej nowej kobiety, adwokatki czy doktorki, zdolnej poświęcić miłość i macierzyństwo dla kariery. O, taka źle skończy, zgorzkniała, stara i brzydka. „I wyniszczona" – dodała Coco, której Liébard nie czuł się w obowiązku nikomu przedstawić. (A w myślach dorzuciła: Cycki ci opadają, złotko, i żaden stanik nic tu nie pomoże).

Mówiono też o tym, że w Europie aż iskrzy. Erny przyjaźnił się z byłym premierem, Georges'em Clemenceau, i podobnie jak on uważał, że na kontynencie nagromadziło się już zbyt wiele pretensji i konflikt może wybuchnąć w każdej chwili. Aneksja Alzacji i Lotaryngii, dla przykładu, wykluczyła jakiekolwiek pojednanie między Francją a Niemcami.

Przez całe dnie uganiali się za lisem. Wyruszali o świcie, z ośmioma czarnymi hałaśliwymi psami, w pierwszych promieniach słońca, wśród pogwizdywań kosów, które śpiewały, same nie wiedząc dlaczego, a wracali dopiero koło trzeciej po południu.

Pewnego dnia Erny i Coco odłączyli się od reszty towarzystwa i pojechali na bagna. Wstrzymali konie nad strumieniem. Erny zrywał kwiatki i ciskał je do wody, popatrując na swoją nową znajomą. Coco przysiadła na pniu i obserwowała go z uwagą. Miała na sobie męską marynarkę z szarej flaneli, męski krawat i spodnie obciskające łydki. „Chyba zajmujesz się też modą" – powiedział. „Owszem" – odparła Chudzina, właściwie nie wiedząc, czy mówi prawdę. Szyła trochę dla siebie, ale od kiedy związała się z Liébardem, przestała poważnie pracować. „To widać" – stwierdził Erny. „Po czym?" – spytała.

„Po twojej elegancji". Wciąż zabawiał się kwiatkami. „Elegancji na odwrót – dodał – bo zmaskulinizowanej". Było zimno i zaczynało zmierzchać. Na kamieniu przysiadła jaskółka i piła wodę ze strumienia. „Dlaczego powiedziałeś »też«?" – zagadnęła nagle Coco. Erny trochę się zmieszał. „Bez powodu... – I niespodziewanie rzucił: – A ty i Liébard?".

Coco wpiła w niego spojrzenie: słodkie, a zarazem groźne i wyzywające. Poprzedniego wieczoru słyszała, jak goście mówili o czymś, co nazywali skorupą Erny'ego, o szczególnym sposobie, w jaki podchodził do rozmaitych spraw. Jak na Anglika przystało, rozmawiał o pogodzie, porach roku, uprawach, ale nigdy nie pogłębiał żadnego tematu. A przynajmniej oni tak twierdzili. Ta jego skorupa zdawała się ich irytować, skrywała bowiem poczucie wyższości i arogancję. Coco wszakże uznała jego pytanie za dość pogłębione. Poza tym, choć znali się już od trzech czy czterech dni, nie zauważyła w nim tej milczącej pogardy. Ani specjalnej urody, którą tak się zachwycały inne panie. Nie zwróciła uwagi na jego ogromne zielone oczy, tak zielone i melancholijne, że porażały jak grom, ani na wyraźne w tym, co mówił, poczucie sprawiedliwości, na jego samokontrolę, zyskiwaną dzięki kontroli nad otoczeniem, na błyszczące od brylantyny włosy i arystokratycznie równe zęby, na jego domniemane pochodzenie, młodość spędzoną w brytyjskich szkołach, ani na żadne jego cnoty, rozkwitające pięknie pod kloszem finansowego bezpieczeństwa.

Pierwszego poranka obudziła ją gorzka woń – zapach potu i skóry (a może końskich odchodów), przenikająca przez zamkowe podwoje. Płynęła w górę po schodach i wziąwszy kilka gwałtownych zakrętów, wśliznęła się pod jej drzwi. Po południu, kiedy wraz z całym towarzystwem raczyła się winem na tarasie, odkryła, że ta dziwna woń nie pochodzi wcale ze stajni. To on tak pachniał, siedzący naprzeciwko niej Erny. Pachniał koniem i lasem. I płynem do czyszczenia siodeł. Słuchając jednym uchem czyjegoś nudnego monologu, zsunęła pod stołem pantofel, odnalazła nogę Erny'ego i pogładziła ją bosą stopą. On tylko zerknął na nią spod oka.

„Ja i Liébard – powiedziała teraz, nad strumieniem. – Dlaczego o to pytasz?". „Widziałem, jak cię traktuje – odparł Erny – i odniosłem wrażenie, że ci to zwisa".

W drodze do zamku aż się w niej gotowało od natłoku myśli. A więc każdy to dostrzega, że Liébard ją lekceważy. Nie ma zamiaru pomóc jej w założeniu pracowni, wymagałoby to zbyt wiele zachodu, nie po to ułożył sobie wszystko tak wygodnie, żeby się teraz dodatkowo trudzić. Traktuje ją jak dziecko. Nie, jak dziecko – nie. Jak konia, któremu od czasu do czasu trzeba obejrzeć zęby i pęciny. Ale i to nie. Ani jak konia, ani jak dziecko. Jak macicę. Nie pomoże jej w uzyskaniu niezależności, bo nie potrzebuje kobiety niezależnej, tylko macicy. Macicy, która czekałaby biernie od rana do wieczora. Macicy, która wylegiwałaby się w łóżku do południa, czytając romanse. Macicy, która płakałaby, gdyby nie wracał na noc. Macicy, którą w końcu wypełniłby płód. To pieniądze dają wolność kobiecie – pomyślała Coco. A kobieta wolna, sama możliwość zaistnienia takiego zjawiska, przeraża mężczyzn do głębi. Dlatego dobrze jest, jeśli macica nie pracuje. Niech nabrzmiewa, rośnie, owszem, ale niech nie pracuje.

Wieczorem zeszła do salonu pogawędzić z baronową Diane de Tohschild, zwaną Kitty, i innymi damami. Rozmawiały o cenach mieszkań, psach rasy chihuahua – tak niestety rzadkich w Paryżu – i o modzie, a konkretnie o wymyślonym przez niejakiego doktora Waltera nowym terapeutycznym i wyszczuplającym gorsecie z gumy, który, wedle relacji jednej z pań, zadusił jakąś kobietę na śmierć. Kitty zaczęła krytykować Poireta: „Nie znacie go? To ten idiota o oczach langusty i brodzie à la Franciszek Józef. Ma salon mód koło Opery, cały wyłożony czerwonymi dywanami i trójkolorowym jedwabiem, w domu z ogrodem wzorowanym na Wersalu: ścieżki wysypane żwirkiem i umundurowany szwajcar przy bramie". Ze swadą opowiedziała, jak to któregoś razu ten dureń zgorszył się niebywale, gdy rozebrała się do naga, żeby przymierzyć zamówioną u niego wieczorową suknię. Ba, ośmielił się wyrzucić ją za drzwi. Zaśmiały się. Ciszę, która zapadła, znowu przerwała Kitty, zadając Coco pytanie chodzące jej po głowie od początku wizyty: „Więc to ty jesteś nową flamą Étienne'a?".

Nową flamą. Nocą, w łóżku, Chudzina powtarzała sobie te słowa raz po raz: nowa flama, nowa flama, nowa flama... Nowa szybko zamienić się może w byłą. Kiedy Liébard wyciągnął ku niej rękę, oświadczyła, że bolą ją nerki. „I głowa" – dodała, odwracając się tyłem.

Kiedy obudziła się następnego ranka, Liébarda już nie było. Na komodzie leżała kartka: „Kochanie, ponieważ, jak widzę, cierpisz na jakieś kobiece dolegliwości, tak zawsze męczące, postanowiłem wykazać się zrozumieniem (o to ci przecież chodziło, kiedy zaczęłaś tupać wtedy na schodach) i poprosiłem księżniczkę Babę de Faucgny-Lucinge, żeby zechciała mi towarzyszyć podczas polowania".

Coco poczuła, że oblewa się rumieńcem. Stała przez chwilę bez ruchu, nie wiedząc, co robić, z karteczką w drżących dłoniach. Potem upuściła ją na podłogę i zaczęła grzebać wśród ubrań. Nie powie ani słowa. O, nie. Żadnych krzyków. Bo tego właśnie chciał Liébard: krzyków. Wyciągnęła z szafy spódnicę, obrzuciła ją szybkim spojrzeniem i cisnęła na podłogę. Ubierze się i zejdzie na dół. Wkroczy do jadalni jak gdyby nigdy nic. Wyjęła jedwabną bluzkę, ale i ona wylądowała w kącie. Zje śniadanie przy tym samym stole co księżniczka Baba, gdzie z pewnością będzie siedział również Liébard. Porozmawia o pogodzie, o przeraźliwie kolorowych obrazach fowistów i o Europie na krawędzi kryzysu. Całkiem spokojna (ona osobiście nie jest przecież na krawędzi kryzysu), pozwoli, żeby jej mężczyzna pojechał na polowanie z tą gnuśną księżniczką. Nic po sobie nie pokaże, absolutnie nic.

Ledwie się kontrolując, kontynuowała poszukiwania, aż wreszcie znalazła odpowiednią bluzkę. Ubrała się, założyła buty na wysokich obcasach, kapelusz z szerokim rondem i zeszła. W głównym holu spotkała jedną z dam. „Biedactwo – rzuciła tamta z szyderstwem w głosie, lustrując Coco od góry do dołu – naprawdę źle z tobą". Coco nie potrafiła odpowiedzieć, wydała z siebie tylko dziwny, gardłowy dźwięk. A więc ten kretyn wmawiał wszystkim, że jest niedysponowana. Niedysponowana? Świetnie, niech i tak będzie.

Weszła do jadalni, gdzie reszta gości jadła śniadanie złożone z kawioru i szampana. Przebiegła wzrokiem stoliki. Tak jak sądziła, Liébard siedział z tą zafajdaną księżniczką. Przecięła salę, postukując wesoło obcasami, świadoma, że wszyscy się za nią oglądają. Czuła na sobie ich spojrzenia. Zdało jej się nawet, że słyszy śmiech. W końcu dotarła do stolika. „Dzień dobry" – powiedziała, pozorując spokój, choć cała się trzęsła. Księżniczka Baba de Faucgny-Lucinge spojrzała na nią szeroko otwartymi oczami i aż podskoczyła. Liébard nie stracił opanowania. „O – rzucił – już jesteś".

Wziąwszy sobie kilka grzanek z kawiorem i trochę kawy, Coco zabrała się do jedzenia, żarłocznie i w ciszy. Liébard podjął przerwaną rozmowę. „Lis z Pirenejów nie ma nic wspólnego z gatunkiem znanym w Moytisac – zapewnił. – Jest niedożywiony ze względu na zalegający długo śnieg. Malutki i rachityczny". Księżniczka udawała, że słucha, w rzeczywistości zerkając wciąż w stronę zgarbionej Coco, która stukała sztućcami i siorbała, jak mogła najgłośniej. „Natomiast nie da się ukryć – ciągnął Liébard, dolewając sobie kawy – że jest też bardziej zwinny, powiedziałbym nawet: sprytniejszy, co czyni polowanie znacznie ciekawszym. – Podniósł oczy i utkwił je w Coco. – Proszę wybaczyć – powiedział lekko. – Wziął Chudzinę pod ramię i poprowadził do odległego kąta. – Sądzisz, że mnie w ten sposób zranisz, tymi wygłupami?" – wysyczał. „Mam taką nadzieję" – odparła Coco. Gwałtownie puścił jej rękę. „No to się dowiedz, że choćbyś nie wiem jak się starała, nie zdołasz mnie dotknąć".

Wrócili do stołu, gdzie czekała zaniepokojona księżniczka Baba. „Dziś wyjedziemy trochę wcześniej – rzekł Liébard, zwracając się do niej. – Chyba będzie cieplej niż wczoraj. Jakie ładne są pola w marcu, prawda?".

Niespodziewanie głowa Coco opadła prosto w maselniczkę. Księżniczka de Faucgny-Lucinge podskoczyła, tym razem dostrzegalnie, odchylając się instynktownie do tyłu. Ponieważ jednak Liébard kontynuował rozmowę, pomyślała, że to może normalne, i nic nie powiedziała. Cała jadalnia wpatrzyła się w Coco, tkwiącą nieruchomo z twarzą w maśle. Ludzie szeptali (może umarła?). Liébard przerzucił się na sztukę. „Podobno pojawił się hiszpański malarz, który maluje prostytutki. Jego obrazy to arcydzieła, jest w nich geometria i, przede wszystkim, ruch...". W tym momencie, nie podnosząc głowy, Coco przemówiła głosem jak z zaświatów: „Jestem niedysponowana, bardzo niedysponowana".

Księżniczka Baba chwyciła Liébarda za ramię. „Geometria i ruch – perorował, próbując zachować spokój – zmiana punktów – przełknął ślinę – widzenia". Księżniczka rozszlochała się histerycznie. Coco wyjęła nos z maselniczki, obrzuciła rywalkę dzikim spojrzeniem i uśmiechnęła się do niej czarująco. Łagodnym, subtelnym maślanym uśmiechem, który mówił: „Jesteś niemrawą idiotką, która wysługuje się pokojówkami, żeby wiązały jej gorset i zakładały pończochy". Goście pospuszczali oczy i było to najlepsze, co mogli w owej chwili uczynić, ponieważ Coco właśnie gramoliła się na stół. Stanąwszy na nim, tupnęła z całej siły w blat. Wtedy nie wytrzymał także Liébard. Wspiął się na krzesło i łapiąc Coco za rękę, podniósł głos: „Zdaje ci się, że kim jesteś, co?!". Chudzina wbiła w niego szalone oczy i odrzekła: „Macicą. Jestem macicą". Liébard wyprowadził ją z jadalni. „Do widzenia, kochani! – krzyknęła, zabierając po drodze butelkę szampana ze stołu i kłaniając się widowni, która zaczynała się świetnie bawić.

Kiedy Liébard zostawił ją na górze, poszła do łazienki i usiadła na sedesie. Pochlipując i czkając. Odkorkowała butelkę i przytknęła ją do ust. Zachciało jej się siku. Możliwość robienia tych trzech rzeczy naraz: płakania, picia i sikania, zaskoczyła ją nieco. Towarzyszące temu uczucie było niezwykłe i miłe. Łzy spływały jej strużkami po nosie i policzkach, wpadając do ust i łącząc się z szampanem, który piła i który z kolei zlewał się w jeden strumień z tym, co wydalała. Jej ciało funkcjonowało na nowych zasadach, ten świeżo odkryty obieg zdawał się znacznie bardziej bezpośredni niż zwykle: gardło i od razu cewka moczowa.

Nie było już czkania, ani wnętrzności, ani nerek.

Ani nawet macicy.

Szampan lał się pionowo, bez przeszkód.

Przenikał ją na wskroś.

6

Była sobie, pięćdziesiąt osiem lat później, młoda i piękna krawcowa (młoda i piękna?!). Pewnego razu, gdy spała w swoim apartamencie, ktoś postanowił ją zabić strzałem z pistoletu. Jaka śliczna bajka – myśli Coco. Tyle że ta piękna krawcowa miała burzę czarnych włosów zamiast żółtawych kosmyków i gładką skórę, a nie zmarszczki, żylaki, problemy z oddychaniem i piersi zwisające do pępka jak woreczki z piaskiem.

Jej oczy były kiedyś duże, władcze, czarodziejskie. Teraz, kiedy ledwie ogarniają najbliższe otoczenie, widzą, jak kula (a z nią wspomnienia) nadlatuje z wielką szybkością (z wielką szybkością?) przez wysłany dywanami korytarz Ritza. Co się czuje, gdy pocisk przebija czoło? Ból? Mdłości? Czy zapada absolutna ciemność? Piękna krawcowa sądziła zawsze, że ten moment nigdy nie nastąpi. Śmierć – mówiła sobie – zdarza się wyłącznie innym.

Tak długo trwa lot tej kuli. Równie długo ciągnął się ów dzień, który spędziła zamknięta w jednej z komnat zamku państwa Mercy-du-Pont. Opróżniwszy butelkę szampana, zebrała wszystkie poduszki, jaśki i koce, jakie znalazła w pokoju, i umościła sobie gniazdko, rodzaj domku lub twierdzy, gdzie legła, by czekać, niczym egipska mumia, aż nadejdzie wieczór. I nadszedł.

Następnego poranka otworzyła z rozmachem drzwi i zbiegła na dół, jak gdyby nic się nie stało.

Przy śniadaniu dowiedziała się, że Erny wraca do Paryża. Przed aperitifem, serwowanym o wpół do siódmej wieczorem, postanowiła zajrzeć do jego pokoju. „Podobno wyjeżdżasz" – rzuciła, stojąc w otwartych drzwiach i lustrując wnętrze sypialni niedyskretnym spojrzeniem. „Niestety tak" – odparł. Weszła i przysiadła na łóżku, na którym on walczył z węzłem krawata. „Wcześnie rano – dodał, czując z zaskoczeniem dziwny dreszcz przebiegający od lędźwi do żołądka. – Wiesz – rzekł, odwracając się trochę, żeby ukryć to, co malowało się na jego twarzy – słyszałem o wczorajszym. Myślę, że dobrze zrobiłaś". Wtedy Coco opowiedziała mu o swoim związku z Liébardem. „Gorąco tu" – stwierdziła i zdjęła wełnianą marynarkę. Mówiąc o braku szacunku Liébarda wobec jej osoby, zdjęła też kapelusz i bluzkę.

„Pokoje są ładne, ale przegrzane, prawda? Liczą się pieniądze – ciągnęła, rozwiązując mu krawat – a właściwie nawet nie tyle pieniądze, ile praca. Dzisiejsza kobieta – powiedziała i odpięła guzik jego koszuli, leniwie, jakby chodziło o coś zupełnie naturalnego, jakby znalazła się u niego właśnie po to, żeby odpinać mu kolejne guziki koszuli – dzisiejsza kobieta to stojak na błyskotki, koronki i futra".

Erny siedział osłupiały. „Łaskoczesz mnie paznokciami" – wykrztusił. „Stojak na szynszyle – podjęła. – Treny u sukni służą wyłącznie do zamiatania kurzu. Wszystko powinno być prostsze, ozdoba – wpisana w linię kroju. Nadmiar przytłacza". „Zwróciłem uwagę na twoje obcisłe bryczesy – powiedział Erny. – I na to, że dosiadasz konia po męsku". Coco zdjęła spodnie i energicznym ruchem cisnęła je w kąt. „Swoboda ruchu to władza – stwierdziła, po czym dodała: – Nie wiem, jak możesz spać w takim upale, ja otwieram okna na oścież. Mam mnóstwo pomysłów dotyczących mody". „Tak – przytaknął Erny z lekkim uśmiechem – mnóstwo pomysłów".

Nigdy wcześniej nie spotkał kobiety tak pod każdym względem przyziemnej, tak bezczelnie żywotnej i ostrej, pięknej, a raczej uroczej w sposób, który pozbawiał go tchu. „Praca uszlachetnia nie tylko mężczyzn – mówiła, rozpinając stanik – ale także kobiety". I odsłaniając niespiesznie piersi, śliczne i delikatne jak młode figi, zaczęła opowiadać o sklepie Grampayre i o swojej misji wyzwalania kobiet z gorsetu. Nie zamierzał dłużej czekać. Niespodziewanie znikła gdzieś cała jego rezerwa, opadła maska angielskiego dżentelmena. Zrzucił spodnie, zdjął szybko buty i skarpetki. Potem wziął Coco za rękę i przesunął nią powoli wzdłuż swojego ciała.

"Cała płoniesz" – powiedział wieczorem Liébard, gdy wślizgnęła się do łóżka. "To z gorączki" – odparła.

Nazajutrz Liébard przekonał Erny'ego, żeby został dzień dłużej. Zaproponował partyjkę szachów. W połowie rozgrywki, kiedy omówili już niemieckie próby skłócenia Rosji z Francją i Anglią, światowe wydobycie węgla oraz szanse na jego wzrost w obliczu ewentualnej wojny, Liébard zapytał: "Podoba ci się?". Erny nie podniósł wzroku znad szachownicy, dopóki nie przesunął pionka w pobliże królowej. Liébardowi mogło właściwie chodzić o dowolną rzecz, ale Erny nie był głupi. Popatrzył na rywala i odrzekł: "Jasne". "Więc jest twoja, przyjacielu" – oświadczył Liébard. "To chyba od niej zależy". "Mylisz się, takie sprawy mężczyźni załatwiają między sobą".

Być może zraniony jednak w swej dumie, Liébard jeszcze przed końcem partii napomknął o pracowni kapeluszy. Powiedział, że rezygnuje z Coco, ale ona z pewnością nie zrezygnuje ze swojego pomysłu i jeśli Erny jej nie pomoże, znajdzie sobie kogoś innego, kto... "Nie jestem pewien, czy mogę sfinansować sklep – przerwał mu Erny. – Nie mam aż tyle pieniędzy". "Pomogę wam, co mi szkodzi – rzekł na to Liébard. – Skoro upiera się przy pracowni kapeluszy, dam jej swoje mieszkanie. Ale nic ponadto".

Następnego ranka Erny wsiadł do pierwszego pociągu jadącego do Paryża. Coco zjawiła się na stacji bez walizki. Była zdecydowana z nim jechać, choć ani razu o tym nie wspomnieli. Widząc ją na peronie, bezczelną i wyniosłą, w obcisłym żakieciku podkreślającym długość szyi, Erny wyszedł z przedziału i otarł jej wilgotne od zimna oczy. "Skąd wiedziałaś, że cię ze sobą zabiorę?" – spytał.

Miał w Paryżu apartament przy Avenue Gabriel, ulicy położonej w pobliżu Place de la Concorde i pałacu prezydenckiego. ("Bo po wczorajszym nie dałbyś rady mnie zostawić" – odparła Coco). Kiedy weszła do tego mieszkania, obrzuciła pełnym podziwu spojrzeniem meble, niewielkie lustro Mackintosha, fortepian, drzwi z szybkami z ciętego kryształu wiodące do jadalni, gdzie były stiuki na suficie, owalny stół, czerwone aksamitne fotele, trzy komody zastawione wazonami i oprawionymi w ramki zdjęciami oraz dwa ogromne okna z widokiem na kasztanową aleję wokół Pałacu Elizejskiego. „Tu też mogą mnie zabić" – powiedziała. Wtedy wyznała Erny'emu, że polują na nią już od dłuższego czasu. Chowają się po szafach, szpiegują, czekają. „Kto? I dlaczego?" – zapytał Erny. „Bo zajmuję im przestrzeń" – odpowiedziała.

Resztę zimy spędzili przy Avenue Gabriel, nie widując prawie nikogo. Przez pierwszy tydzień wylegiwali się w łóżku do południa. Kochali się, wygłupiali i jedli smażone jajka, zapijając je szampanem. Ale to, co na początku wydawało się Coco niezmiernie ekscytujące, dość szybko ją znudziło. Piątego dnia nie mogła patrzeć na jajka. Zatęskniła za wstawaniem o ósmej, porannym piciem kawy z mlekiem i czytaniem romansów. Szóstego dnia zaproponowała, by zjedli coś innego. Siódmego – wyskoczyła z pościeli o ósmej, zasiadła w aksamitnym fotelu i zabrała się do lektury. Koniec z rytuałem z jajkami i szampanem.

Czasem szli na kolację do Maxima albo do restauracji Pré Catalan w Lasku Bulońskim. Następnego dnia ich zdjęcia ukazywały się we wszystkich gazetach. Magazyn „Vogue" podkreślał niezwykłą elegancję nowej towarzyszki znanego przedsiębiorcy, pana Capela. Jej męski styl, zrywający z tradycyjnymi kanonami piękna, doskonale nadawał się na symbol wyzwolenia kobiet.

Jednej rzeczy Chudzina była absolutnie pewna: nie zrezygnuje z pracowni kapeluszy. Pewnego wieczoru, wkrótce po przeprowadzce na Avenue Gabriel, skłoniła Erny'ego, by odwołał umówione spotkanie z ministrem, z którym miał rozmawiać o przemyśle węglowym. Choć tłumaczył jej, że dzięki tej rozmowie może dostać zgodę na eksploatowanie nowych złóż we Francji, nie ustąpiła. „Świetnie – powiedział – pójdziemy dziś na kolację, ale ty za to zorganizujesz w najbliższym czasie wieczorek dla pań, z herbatą, ciasteczkami, jakimś sławnym pianistą i tak dalej, i zaprosisz żonę mojego ministra. To ważne, bo jeśli przypodobamy się jej, przypodobamy się i jemu". „Dobrze – zgodziła się Coco – załatwione. W ciągu miesiąca roześlę zaproszenia, znajdę dobrego pianistę i załatwię herbatę oraz ciasteczka".

Tego wieczoru podczas kolacji poruszyła najbardziej interesujący ją temat. Erny, który wiedział – i miał nadzieję – że to zrobi, nie dał się zaskoczyć.

„Chcę pracować – powiedziała. – Chcę robić kapelusze". „Doskonale – odparł i streścił jej rozmowę z Liébardem. – Na pewno sobie poradzisz. Wydasz przy tym masę pieniędzy, ale co tam, trzeba ci znaleźć jakieś zajęcie. Spytamy Liébarda, czy ci odstąpi mieszkanie, tak jak obiecał".

Coco nabrała powietrza w płuca. „Więc to tak! Traktujecie mnie jak towar! Oddaję ci ją z jej wariactwami, a ty sobie z nią radź! Jakbym była tylko macicą!'".

Erny wytłumaczył jej z iście brytyjską flegmą, że taki radykalizm niczemu nie służy. Zresztą postawiła przecież na swoim: jest tam, gdzie chciała być. Nie ma chyba nic złego w przyznawaniu kobiecie twórczych zdolności. „Problem w tym – ciągnął Erny – że wy nie wierzycie, aby jedno z drugim dało się pogodzić. Twoja pracownia, Coco, nie ma nic wspólnego z twoją macicą i cudownymi dziećmi, które mogłabyś urodzić".

Coco rozejrzała się dokoła. „Gapią się na ciebie – powiedziała. – Wszystkie kobiety się na ciebie gapią". Erny odwrócił lekko głowę. „To nie na mnie się gapią, tylko na ciebie".

W ciągu trzech dni uporała się z przygotowaniami do

obiecanego wieczorku dla pań. Ku jej zdziwieniu wszystkie ją znały i chętnie przyjęły zaproszenie. Swoją obecność zapowiedziało dwadzieścia wpływowych dam, wśród nich żona ministra, na którym tak zależało Erny'emu. Z herbatą i ciasteczkami również nie było żadnego problemu: firma Grimpernaut, od lat zajmująca się organizowaniem tego rodzaju imprez, przysłała trzech kelnerów i przekąski. Pozostawała sprawa pianisty. Znajomi zarekomendowali Coco pewnego Rosjanina, który koncertował na całym świecie.

Erny promieniał. Wtedy Chudzina zażądała bukietu kwiatów. To był jej sposób, by mu pokazać, że jeśli chce ją mieć tylko dla siebie, musi przyzwyczaić się do kaprysów i ekscentryczności. „Liébard codziennie kupował mi róże". „W porządku – odrzekł Erny – nie będę od niego gorszy".

Po półgodzinie przyniesiono kwiaty. Gardenie i azalie, z gałązką mimozy. Coco przyjęła je z uśmiechem, wstawiła do wody i wróciła do swoich zajęć. Dwadzieścia minut później – kolejny dzwonek do drzwi: znowu kwiaty. Tym razem różnokolorowe goździki. Coco znalazła drugi wazon i zaniosła go do innego pokoju. Po chwili – a nie minął nawet kwadrans – następny bukiet. Wzięła go z grymasem na ustach i z całej siły wepchnęła do trzeciego wazonu, jakby chciała go utopić. I tak przez cały tydzień, aż miała tego naprawdę serdecznie dosyć.

„Przecież chciałaś dostawać kwiaty – powiedział Erny. – No to dostajesz".

Stosunki Coco z Liébardem układały się całkiem dobrze. Jakby nic się nie zmieniło, poza tym, że nie mieszkali już razem. Kiedy wrócił z Argentyny, odwiedził ją nawet w domu Erny'ego. Przywiózł jej w prezencie torbę cytryn. Po otwarciu wyszło na jaw, że wszystkie zgniły. „A więc, skarbie, na jakim etapie jesteś ze swoim Anglikiem?" – zapytał. „Na takim, na jakim są zwykle mieszkający razem mężczyzna i kobieta".

Erny miał przyjaciół spoza arystokratycznych kół gromadzących się na hipodromach. Znał malarzy, pisarzy i ludzi teatru. W owym czasie wielu artystów fascynowało się sztuką Afryki i Oceanii, poprzez którą, ich zdaniem, można było dotrzeć do tego, co pierwotne i instynktowne. Coco słuchała rozmów, często krytycznych, na ich temat i odczuwała coraz większy pociąg do tych drewnianych rzeźb, okropnych czarnych bożków i bogiń o stożkowatych, zdeformowanych, odrażających piersiach. Coraz częściej mówiono też o pewnym skandalizującym hiszpańskim malarzu i jego nieskromnych pannach z Awinionu, niewystawianych wprawdzie oficjalnie, ale pokazywanych czasem w prywatnych domach. Coco obejrzała ten obraz u znajomego i wyszła zachwycona: te migdałowe oczy, trójkątne zwierzęce pyski, te ogromne i bezczelnie zmysłowe uszy. Inny malarz, Georges Braque, twierdził podobno, że ktoś, kto maluje takie rzeczy, musi pijać do śniadania ropę i ziać ogniem. Coco pomyślała, że szkoda by było umrzeć, nie poznawszy tak niezwykłego artysty.

Cały dzień myślała o dziwnym arcydziele. Wieczorem, przy kolacji, zdało jej się, że słyszy jakieś głosy, świńskie chrumkanie, krzyki. Wstała od stołu. Erny zastał ją na przeszukiwaniu mieszkania: zaglądała pod fotele, za lustra i komody. „Pomóż mi – powiedziała. – Ktoś jest w naszym domu".

We dwoje przewrócili apartament do góry nogami. Nic nie znaleźli. Coco upierała się jednak, że ktoś wszedł przez okno – znalazła je przecież otwarte – a teraz gada i wyje. Położyli się o trzeciej nad ranem, gdy policja przeczesała wszystkie pomieszczenia, zapewniając, że nie może być mowy o włamaniu.

Od rozmowy z rosyjskim muzykiem zaproszonym na wieczorek dla pań Coco coraz częściej wspominała Długą

Meg. Jakaż to była wspaniała pianistka! Mogłaby przejść do historii, ale wyrzuciła steinwaya przez okno. A wraz z nim – ewentualną sławę. Co za idiotyzm! Jakież marnotrawstwo! Przez cały dzień prześladowała Coco myśl o talencie (kobiecym talencie!) wyrzuconym w pewien zimowy poranek przez okno, potrzaskanym... Wściec się można. A gdyby tak pomóc biedaczce? Tylko czy chęć udzielenia pomocy Długiej Meg nie oznaczała chęci dopomożenia samej sobie? W umyśle Coco zrodził się pewien pomysł. Przemknął jej przez głowę jak błyskawica, ale z czasem zaczął nabierać kształtów. Może zaprosić Meg na ten cały wieczorek?

Coco poczuła, jak zalewa ją zupełnie nowe uczucie. I natychmiast uznała się za kobietę wielkiego serca. Jestem taka dobra – pomyślała.

Tego samego wieczoru, posprzątawszy mieszkanie przy Boulevard des Malesherbes, które ofiarował jej Liébard i które, rzecz jasna, bez wahania przyjęła, zasięgnęła języka w sprawie swojej dawnej szkoły. Kto wie – zastanawiała się – czy Długa Meg jeszcze w ogóle tam mieszka i czy sam internat nadal istnieje. Pewien człowiek z Saint-Croix, bywający w Paryżu w interesach, zapewniał, że widuje czasem zakonnice z dziewczynkami. Coco dała mu dziesięć franków i poprosiła, żeby się dowiedział, czy siostra Meg wciąż tam uczy. Wieczorem, robiąc manikiur, powróciła do rozmyślań nad swoją szlachetną naturą. Niektórzy rodzą się wspaniałomyślni, jak ja – uznała – a inni całkiem źli, i nic się na to nie poradzi. Otworzyła sekretarzyk, wyjęła pióro i papier i zasiadła do pisania listu, w którym prosiła Długą Meg o udział w mającym się odbyć spotkaniu.

Człowiek z Saint-Croix zjawił się po dwóch dniach. Siostra Meg ciągle mieszka w klasztorze. Coco podała mu kolejny banknot i kopertę: „Więc przekaż jej to ode mnie".

Coco opuściła mieszkanie przy Malesherbes i udała się do

Galeries Lafayette. Zapytała o kapelusze. Pokazano jej wiele modeli: niektóre miały ogromne pióra, inne – kształt donicy lub klatki. Nie racząc nawet na nie spojrzeć, zapytała, czy są kapelusze słomkowe. Panna sklepowa popatrzyła na nią ze wzgardą. Owszem, są, ale nikt ich nie kupuje oprócz wieśniaczek. „Wezmę dwadzieścia" – oświadczyła Coco. Zapłaciwszy rachunek, zwróciła się do ekspedientki nader uprzejmie, mówiąc: „Mumia. Przez to, że pracujesz tu od tylu lat, zamieniłaś się w mumię".

Zaczęła od dekorowania tych prostych kapeluszy dodatkami własnego pomysłu, zawsze świeżymi i eleganckimi. Porównywała swoje projekty z osiągnięciami innych kobiet znanych w świecie mody: pani Paquin (zwanej Damą z Masy Perłowej), Madeleine Vionnet czy Jeanne Lanvin. Tą ostatnią interesowała się szczególnie, jako zawodową krawcową i właścicielką sklepu z kapeluszami. Czasem zaglądała do jakiegoś butiku. Prosiła o podanie z półki lamowanego szala z białej krepy albo mierzyła kapelusz zaprojektowany przez panią Lanvin. Ubrana w obce sobie stylowo fatałaszki, wchodziła na chwilę w cudze role. Była rosyjską księżniczką urodzoną w Berlinie. Władającą piętnastoma językami szaloną baronową z Singapuru, matką trzech synów. Czerpała z tego niezwykłą przyjemność. Potem odwieszała kapelusz, zwracała szal, dziękowała i wychodziła.

Wstawała wcześnie rano, jak dawniej u państwa Desboutinów, i cały dzień spędzała w pracowni, w towarzystwie skromnej pomocnicy nazwiskiem Lucienne Rebaté.

„Czy jesteś wreszcie szczęśliwa?" – pytał wieczorem Erny. Chudzina wzruszała ramionami. Miała miłość, pracę, o której zawsze marzyła, powodzenie. Tak, była szczęśliwa, bardzo szczęśliwa, ale nie potrafiła nie wzruszać ramionami.

W końcu nadeszła odpowiedź od Długiej Meg. Zakonnica pisała, że cieszy się z wieści od Coco, tym bardziej że, wnioskując z listu, wiedzie jej się wspaniale. Życie w szkole płynie zwykłym torem: modlitwy, kwitnące grusze w sadzie, spacery nad rzekę, jednym słowem: rutyna. Dziękuje za zaproszenie, ale nie może go przyjąć. Od bardzo dawna nie grała (fortepian przepadł wskutek niepomyślnego zrządzenia losu), a już na pewno nie przed tak znakomitą publicznością, dla żony ministra. Jest stara, ale zadowolona, że najlepsze lata poświęciła sierotom, bo tego chyba chciał od niej Bóg. Zresztą niedużo jej życia zostało, ale to bez znaczenia. Tak czy owak dziękuje i przesyła najlepsze życzenia.

Coco napisała znowu: „To dla Ciebie wielka szansa, Meg, nie zmarnuj jej, a może staniesz się sławna".

Do spotkania został tydzień i Erny bardzo się denerwował. Chciał, żeby wszystko wypadło doskonale: żona ministra powinna wynieść z jego domu jak najlepsze wrażenia. Chudzina zwierzyła mu się z zamiaru zaangażowania siostry zakonnej (która, rzecz jasna, nie opiekowała się nią w dzieciństwie, bo przecież Coco nigdy nie była w sierocińcu, nigdy!). „Siostry zakonnej? – zdziwił się. – No, nie wiem, trochę to ekscentryczne, ale oczywiście gwarantuje efekt niespodzianki. Czy ta zakonnica chociaż dobrze gra?".

Tego samego popołudnia wsiedli w samochód i pojechali po Długą Meg. Po drodze Coco wymyśliła na poczekaniu historię o tym, jak to odwiedziła kiedyś tę szkołę ze swoimi „złymi ciotkami" i jak podczas tej bytności poznała uzdolnioną muzycznie mniszkę.

Była wiosna. Za oknem przesuwały się zieleniejące pola, rozwichrzone migdałowce, wypchane słomą strachy na wróble z motykami przywiązanymi do drewnianych ramion, wieśniaczki pochylone nad grządkami kabaczków, rzędy ptaków na drutach telefonicznych i, przede wszystkim, masa kwiatów: jaśminów, lawendy, maków, a na klasztornym dziedzińcu także żółtych i kremowych róż.

Meg bardzo się postarzała, sczerniała, jak gdyby upływ czasu wypalił ją od środka. Przyjęła ich z niezwykłą jak na nią serdecznością, ale stanowczo odmówiła udziału w przyjęciu. Erny i Coco zrozumieli, że nie chodzi o pieniądze. W drodze powrotnej Erny uznał, że to nie był dobry pomysł, że nie można wyciągać kobiety z klasztornej celi i rzucać jej na pożarcie dwudziestu francuskim arystokratkom. „Zamiast pomóc wyrządziłabyś jej straszną krzywdę – powiedział. – Poza tym to już niemal staruszka".

Jednakże na dwa dni przed wieczorkiem Coco nadal upierała się przy swojej wizji. Zabiegi związane z Długą Meg nadały jej życiu nowy sens. Myślała o innych (o tej nieszczęsnej kobiecie, która nie potrafiła kiedyś wykorzystać swojego talentu), czyniła dobro i to zdawało się wypełniać ziejącą w jej wnętrzu pustkę. Raz jeszcze wybrała się do klasztoru, już bez Erny'ego, i w długiej osobistej rozmowie (pełnej słów, takich jak: szansa, tryumf, odpowiedzialność i misja życiowa) zdołała wreszcie przekonać Długą Meg.

Zakonnica zjawiła się w Paryżu w czwartek wieczorem, pachnąca ługiem, kurczowo ściskająca w ręku brązową walizeczkę, i całkiem wyczerpana podróżą. W jej wieku musiała to być istna tortura. Mimo zmęczenia już w piątek rano zaczęła próby i ćwiczyła bez przerwy przez półtora dnia. Była zdenerwowana, bała się, że panie zauważą jej brak doświadczenia w dawaniu koncertów, niewiele jadła. Zdobywała się jednak na niezwykłą wprost uprzejmość względem Erny'ego, który z grzeczności nie zdradzał się ze swoim sceptycyzmem. W piątek, przed pójściem do łóżka, odezwała się do Chudziny słabym głosem: „Nie wiem, naprawdę nie wiem, czy powinnam, jestem taka zmęczona, ta podróż, zestarzałam się, Coco, chyba nadszedł moment, by... Nie musisz mi pomagać, jeszcze narobisz sobie przeze mnie kłopotów". Następnego dnia wstała jednak radosna jak skowronek.

Przyjęcie okazało się sukcesem. Panie, zwiędłe piękności w koronkach, wykazały niepohamowaną ekscytację na wieść, że Beethovena zagra jakaś mniszka. Firma Grimpernaut stanęła na wysokości zadania, dostarczając wybornej herbaty i ciasteczek. Wprawdzie piesek księżniczki Baby uciekł jej z kolan i obsiusiał habit Meg, ale ten drobny incydent przeszedł prawie niezauważony. Podobnie jak potężne chrapanie, którym podczas recitalu popisała się księżna de Berry.

Najważniejsze, że żona ministra była pod wielkim wrażeniem.

7

Pięćdziesiąt siedem lat później na korytarzu paryskiego Ritza Chudzina wspomina chwilę, gdy Długa Meg wkroczyła do salonu: naprawdę długa, uroczysta, zimna jak klasztor, w którym mieszkała przez ćwierć wieku, dygocąca na całym ciele (tak jak teraz ona, Coco, w obliczu nadlatującej śmierci). Usiadłszy przy fortepianie, skuliła się i przybrała pozę, którą Coco pamiętała z dawnych czasów. Wygięła palce, aż zatrzeszczały stawy, wzięła kilka próbnych akordów i w końcu zaczęła grać. Muzyka popłynęła spod jej dłoni lekko i naturalnie, jakby właśnie się rodziła pod wpływem natchnienia. Na koniec z lekkim trzaskiem opuściła wieko fortepianu. Rozległ się cichy pomruk, a po nim brawa.

Aplauz był szczery, choć krótkotrwały, albowiem podano już herbatę i panie zgłodniały („Ona pachnie chyba jakimś środkiem odkażającym" – powiedziała któraś z nich).

Nikt nie zauważył, że Meg podniosła wieko i szykuje się

do kolejnego utworu. Ciasteczka stały na widoku i wyglądały nader kusząco.

Ale Coco czuwała. Z szelestem niebieskiej sukni poskoczyła ku stołowi, schwyciła łyżeczkę i zadzwoniła nią o szklankę. Gdy zapadło milczenie, ujęła dłoń Długiej Meg i podniosła ją w geście tryumfu. „Brawa dla pianistki! – zawołała. – Brawa dla zakonnicy, która na kilka dni opuściła Boga, żeby przybyć na spotkanie z nami i ze swoim talentem!". Damy zaśmiały się i zaklaskały. Długa Meg miała łzy w oczach.

Potem była herbata i Beethoven odszedł w zapomnienie. Podczas gdy Coco przechadzała się między grupkami, gawędząc o zaletach firmy Grimpernaut i wadach życia w Paryżu, Długa Meg stała nieruchomo, tam gdzie ją zostawiono, skulona, z piersią falującą niespokojnym oddechem. Stała tak przez resztę wieczoru, dwie albo trzy godziny, dopóki ktoś nie powiedział jej, że może usiąść.

Kiedy damy wsiadły do aut i odjechały, Coco poszła do gościnnej sypialni życzyć Meg dobrej nocy. Zastała ją w łóżku, bladą i drżącą, w bardzo złym stanie. „Nie musisz tu przy mnie siedzieć, jeśli to problem" – szepnęła z wysiłkiem. „To żaden problem" – odparła nieco zdziwiona Coco. „Mam na myśli, że nie powinnaś robić sobie kłopotu".

Miesiąc później, kiedy Coco znowu zaczynała się nudzić, przyszedł list ze szkoły: „Szanowna Pani, pewnie zainteresuje Panią fakt, że Długa Meg umarła. Opuściła nas dwa dni po powrocie z Paryża. Mamy nadzieję, że była Pani chociaż zadowolona z koncertu. Z poważaniem".

Chudzina siedziała bez ruchu, z listem w drżących dłoniach. „Cóż – mruknęła po chwili, wzruszając ramionami i chowając kopertę do sekretarzyka, tak aby nie zauważył jej Erny – naprawdę dziwna jest ta kobieta. A raczej była".

W owym czasie projektami Coco zainteresował się magazyn „Vogue". „Nakrycia głowy proponowane przez młodą modystkę nie idą ślepo za modą, przeciwnie, mają swój własny, wyraźny styl" – pisano. Pierwszymi klientkami Chudziny były dawne kochanki Liébarda, które zlatywały się jak stado papug, by zakupić te oryginalne, proste i – czemuż by nie – odrobinę ekscentryczne kapelusze. A jak zachowują się papugi? Machają skrzydłami, skrzeczą i podrygują na drążku. I to właśnie robiły owe panie, krytykując przy okazji, co popadło: mężczyzn, politykę, wrześniowe noce, feministki, gorsety, mrówki, Paryż i życie.

Coco obserwowała je czasem z zaplecza. Sposób ubierania się mówił o nich prawie wszystko: z jakiej klasy pochodzą, w jakim są wieku, co jedzą, a czego nie, co lubią, komu ulegają, o czym marzą i z czego rezygnują, jakie mają ambicje, wady i problemy. Suknia takiej czy innej damy obwieszczała na przykład: „Jestem żoną dorobkiewicza z Avenue de Hausmann i strasznie się nudzę, bo dzieci dorosły, a mąż zdradza mnie z dwudziestolatką".

Do sklepu zaglądały też popularna aktorka Cécile Sorel i słynna Pauline de Saint-Sauver oraz dawne znajome Coco: księżniczka Baba de Faucgny-Lucinge i baronowa Kitty, bez swego szkaradnego pekińczyka, Lady Cold, którego zostawiła przed wejściem, gdzie piszczał z zimna i ze strachu. Pojawiała się również Émilienne d'Alençon, znana z rozwiązłości tancerka o wielkim nosie i wyglądzie ulicznicy. Sławę zdobyła, pokazując w jednym z najbardziej obleganych stołecznych teatrów numer z tresowanymi białymi i różowymi królikami. Z królem Belgii Leopoldem, który, jak wieść niosła, siedział u niej w kieszeni, zwykła o zmierzchu smażyć naleśniki z ciasta francuskiego.

Czasem, kiedy panie, nie przestając skrzeczeć, przymierzały przed lustrem kapelusze, ich eleganccy mężowie flirtowali z uroczą modystką. W obawie, by żona nie skończyła mierzenia zbyt szybko, proponowali niekiedy: „Może jeszcze jeden, moja droga?" i Coco wyjmowała następny model.

Pięćdziesiąt sześć lat później, chwilę przed śmiercią na wysłanym dywanami korytarzu paryskiego Ritza, Coco przypomina sobie tylko jedną twarz, twarz pewnej fascynującej kobiety, która stanęła kiedyś w drzwiach butiku.

„Czym mogę służyć?" – zapytała wtedy Coco.

Kobieta oparła się łokciami o ladę i uśmiechnęła zagadkowo. Miała na sobie białą tiulową suknię, była malutka i stylowa. I jakby rozmyta.

„Przyszłam wyłącznie po to, żeby panią zobaczyć" – oświadczyła.

Kiedy znikła w tłumie na ulicy, Lucienne powiedziała, że to amerykańska tancerka, która zrobiła ostatnio taką furorę w Gaieté Lyrique. „Nie zna jej pani? – zdziwiła się Lucienne. – Nazywa się Duncan. Isadora Duncan". Od tamtej pory Coco ukrywała się przed klientkami na zapleczu. „Niech mnie pani zastąpi" – mówiła do Lucienne. „Ale one chcą rozmawiać z panią, nie ze mną".

„Gdzie jest ta elegancka osoba, o której tyle się teraz pisze w magazynach?" – pytał czyjś głos w sklepie. „Niech pani idzie, *mademoiselle!*". „Nie mogę".

Wkrótce zrozumiała, że sekret jej butiku tkwi nie w kapeluszach, lecz w niej samej. Damy z wyższych sfer przychodziły do jej sklepu nie tylko po nakrycia głowy, ale także – a może przede wszystkim – po radę. Jeśli niziutka kobietka zwierzała jej się z chęci zakupu jakiejś sukni, Coco sugerowała podniesienie talii z przodu, żeby wyglądała na wyższą. Inne proponowała obniżenie stanu z tyłu, dla uniknięcia efektu obwisłych pośladków. Pamiętała przy tym, żeby się zbyt często nie pokazywać (klientka poznana to klientka stracona – powtarzała sobie w duchu) i zachowywać dystans. Niektóre panie zabiegały o jej przyjaźń, zapraszały ją na herbatę do swoich rezydencji. Nie potrzebowała ich przyjaźni. Nie potrzebowała sympatii ani towarzystwa bogatych, pustych w środku kobiet. Samotność leżała w jej naturze, co było złe (wiedziała o tym). Powoli jej twarde, dumne serce opancerzało się coraz skuteczniej. Zamierzała zestarzeć się w samotności.

Tak wtedy myślała. Chciała, by u źródeł jej życiowego sukcesu legła pogarda dla uczuć i niemal całkowita duchowa samotność – i walczyła o to wytrwale, omijając niebezpieczne rafy emocji.

Przyznawała natomiast, że potrzebuje dobrych ekspedientek.

Lucienne Rebaté była jedną z nich. Usłużna, ale nie służalcza. Pochodziła z bardzo ubogiej rodziny (może jeszcze uboższej niż rodzina Coco). Zaczynała w słynnym butiku Maison Lewis jako dziewczyna na posyłki, by awansować potem na pannę sklepową. Zaprzyjaźniły się z Coco. Chudzina przejęła nieco jej trzeźwości, prawości i luzu, ona zaś naśladowała styl i przedsiębiorczość szefowej. W końcu została pośredniczką w kontaktach chlebodawczyni z pracownią i od czasu do czasu wolno jej było nawet decydować o tkaninach, guzikach i innych dodatkach.

Lucienne miała swoją historię. Historię miłosną, która trwała zaledwie półtora miesiąca, zaskoczyła ją u progu młodości i naznaczyła na całe życie. Właśnie o tym duma Coco na chwilę przed śmiercią na korytarzu paryskiego Ritza. O tej ciemnej sferze w każdym człowieku. Bo jesteśmy obcy we własnych ciałach – myśli – jesteśmy, a jakby nas nie było.

Dwie części w każdym z nas, nieświadome siebie nawzajem, a komplementarne. To, co się zdarza, i to, co przez przypadek lub złośliwość losu nie zostaje nam dane. Nie wiadomo, co ważniejsze: jedno czy drugie. Brak nie jest motorem działania, jest sposobem na istnienie.

Lucienne Rebaté, młodsza od Coco o pięć lat, była szóstą z dziesięciu sióstr. Kiedy skończyła czternaście lat, ojciec, sprzedawca bydła, oddał ją na służbę do domu miejscowego notariusza.

Wszystko w nowym miejscu robiło na Lucienne ogromne wrażenie: łóżka z baldachimami, zawsze wypolerowane na wysoki połysk meble, aksamitne zasłony, książki w bibliotece, srebrne kandelabry, szczotki do włosów, których używała pani, tylko pani. Zamieszkała w ponurym, pozbawionym okien pokoiku. Pracowała gorliwie, dzieci ją uwielbiały, czym wzbudzała zazdrość w pozostałych pokojówkach.

Pewnego lata pani zabrała ją ze sobą nad morze. Lucienne chłonęła wszystko szeroko otwartymi oczami: blask słońca, stragany z łakociami, parasole i budki kąpielowe, pasiaste kostiumy z chińskiej krepy. Któregoś dnia zaczepił ją na deptaku jakiś chłopak. Podziwiali razem fale, pili cydr i jedli ciasteczka. Na koniec umówili się w tym samym miejscu w następną niedzielę, kiedy Lucienne znowu miała wychodne. Ogarnęła ją dziwna radość: życie było po prostu cudowne! Przez ten tydzień, oczekując na spotkanie, czuła się najszczęśliwszą osobą na świecie. Nawet pani zauważyła w niej zmianę.

W niedzielę o czwartej po południu Lucienne założyła swoją najładniejszą sukienkę, wyszła z domu, przebiegła deptak i odnalazła właściwą ławkę. Usiadła i czekała ze wzrokiem utkwionym w morze. Chłopak się nie pojawił. O wpół do dziewiątej ludzie poskładali parasole, zwinęli stragany sprzedawcy słodyczy. Gdy słońce zaszło, a plaża całkiem opustoszała, Lucienne wstała i wróciła do domu. Następnego dnia, kiedy bawiła się z dziećmi na plaży, chłopak wyrósł przed nią jak spod ziemi. „Przepraszam za wczoraj – powiedział. – Wypadło mi coś ważnego". Lucienne patrzyła na niego z zachwytem. Był taki przystojny i miły. Nie wiedziała, co odrzec, i gdyby nie dzieci, rzuciłaby się do ucieczki.

Spotkali się w kolejną niedzielę, i w następną. Víctor, bo tak miał na imię, opowiadał jej o swoich interesach w mieście. Lucienne słuchała, oszołomiona: ktoś tak młody i tak bardzo nią zajęty prowadzi własne interesy! Co prawda nie rozumiała z tego ani słowa i na zadane przez panią pytanie, co robi jej przyjaciel, nie potrafiła udzielić zadowalającej odpowiedzi.

Pod koniec lata, gdy pani musiała wracać z dziećmi do domu, Víctor zaproponował Lucienne, by z nim została. Powiedział, że się z nią ożeni. Wiał lekki wietrzyk, wrześniowe słońce grzało jeszcze mocno. Pocałowali się: pierwszy (i ostatni) pocałunek Lucienne na długie lata.

Rozmówiła się z panią. Poprosiła o zaległą wypłatę, tłumacząc, że zamierza wynająć pokój w jakimś tanim hotelu, dopóki jej narzeczony nie załatwi ostatniej ważnej sprawy. Pani próbowała odwieść ją od tego zamiaru. Przekonywała, że w gruncie rzeczy nic o Victorze nie wiedzą. Lucienne nie chciała jej nawet słuchać.

W końcu pani odjechała, ona zaś została sama w hotelu z walizeczką. Víctor obiecał wrócić za trzy dni. Trzy dni minęły (wieczorem Lucienne wyjmowała z walizeczki koszulę nocną, by rano znowu ją starannie schować), potem jeszcze jeden i jeszcze jeden, a on nie dawał znaku życia. Początkowo pocieszała się, że widać interesy Víctora są bardzo skomplikowane, a przecież nawet notariuszowi, u którego pracowała, wypadało czasem coś nieprzewidzianego. Słońce zachodziło, a ona zastanawiała się, co też tym razem stanęło ukochanemu na przeszkodzie. I rozmyślała o swojej miłości. Nie wiedziała, że cierpi. To przekraczało zdolność jej pojmowania. Szóstego dnia Víctor wreszcie się zjawił. Śmierdział alkoholem i miał tygodniowy zarost. Zażądał pieniędzy, a kiedy mu odmówiła, przewrócił ją na łóżko. Obmacywał jej piersi i próbował rozewrzeć zaciśnięte uda. Wyrwała się i uciekła.

Przez cały dzień błąkała się po plaży, nękana obrazami wielkich byków, które sprzedawał jej ojciec, brutalnie pokrywających krowy. Miała mdłości, zawroty głowy i dziwne wrażenie, że zstępuje po niekończących się schodach. Po zmroku przysnęła na zapomnianym przez kogoś leżaku. Spędziła na plaży dwie noce, żywiąc się znajdowanymi tu i ówdzie resztkami, aż wreszcie usłyszała od kogoś, że w Maison Lewis w Paryżu jest praca.

Pewnego popołudnia, tydzień po wizycie Isadory Duncan, Coco, przygotowując Erny'emu zupę-krem z kabaczków, znowu wyczuła jej obecność. Gdy popadała w nerwowy stan, potrafiła przeszukiwać dom przez pół nocy. Ostatnio odnosiła wrażenie, że Amerykanka ukrywa się pod klapą fortepianu: bosa, wciąż w swojej tiulowej sukni, wciska się do wnętrza fortepianu i wierci się tam, wywołując nieprzyjemny hałas.

Siekała cebulę i kabaczki, kiedy usłyszała delikatny stuk klawiszy, jakby skoczył na nie kot (albo zając). Odłożyła nóż i nadstawiła uszu. Nic. Wróciła zatem do przerwanej czynności. Wrzuciwszy cebulę na rozgrzany olej, znów coś usłyszała. Tym razem nie było to pojedyncze stuknięcie, lecz dziki harmider, jakby po klawiaturze hasało stado oszalałych owiec. Przestraszyła się. Z nożem w dłoni przeszła do salonu, bo uznała, że wszystko jest lepsze niż nie wiedzieć lub dowiedzieć się zbyt późno, że tamta – czyli Isadora Duncan – właśnie tego dnia schowała się w fortepianie. Erny mógł się zjawić w każdej chwili, ale to akurat nie miało żadnego znaczenia. Wiedziała przecież, że ją okłamuje, że toleruje obcych w swoim domu. Nie rozumiała, dlaczego wiecznie się tego wypiera. A policja trzyma jego stronę. Z fortepianu wydobył się hałas. Podeszła bliżej i zebrawszy się na odwagę, zapytała: „Kto tam?".

W tym momencie w drzwiach stanął Erny. Znalazł ją z głową wetkniętą pod klapę, w oparach śmierdzącego cebulą dymu. Musieli wezwać strażaków do ognia w kuchni (i nie tylko w kuchni). Oczywiście Amerykanka skorzystała z zamieszania i wymknęła się przez okno.

Tej nocy Erny długo nie mógł zasnąć. Bez przerwy prychał zirytowany.

Sklep z kapeluszami działał naprawdę dobrze. Stopniowo można było zacząć sprzedawać również inne dodatki: sznury sztucznych pereł, paski w formie łańcuszków, bransolety i naszyjniki ze stopów rozmaitych metali, sznurowane buciki na obcasie, zamawiane u szewców z placu Pigalle. Coco realizowała każdy projekt, jaki przyszedł jej do głowy, i natychmiast odnosiła sukces. Pracowała dużo, ze świadomością, że wreszcie robi to, co powinna. Tworząc stroje, tworzyła samą siebie.

Erny śledził jej postępy z umiarkowanym zainteresowaniem, coraz bardziej pochłonięty swoimi sprawami. Jego przyjaźń z Georges'em Clemenceau wyraźnie się zacieśniała. Starszy pan, jako członek senackiej komisji do spraw zagranicy i wojska, bardzo się niepokoił nadciągającym konfliktem w Europie. Chcąc ostrzegać na bieżąco o posunięciach Niemiec, założył nawet gazetę pod tytułem „L'Homme Libre".

Czasem, wracając do pustego domu, Coco myślała o tym, jaką kobietą mogła i zapewne powinna być, a nie była: dobrą matką, przykładną żoną hodowcy świń, piekarzową albo wiejską szwaczką. Czuła, że te nieistniejące wcielenia szamoczą się w jej wnętrzu, kopią i gryzą. Nie chciała ich. Myślała też o ludziach, których znała: o Długiej Meg, o sklepikarce-z-metalową-ręką, o pani Desboutin, o znajomych z „La Fronde". Bardzo rzadko wspominała rodzinę, swoją „prawdziwą" rodzinę. Antoinette, pozostałe rodzeństwo, ojca. Nawet matkę. Bo gdy to robiła, czuła niejasną przykrość, dziwną niewygodę, jakby kamyk w bucie. Dźwięczące w głowie słowa postukiwały jak kamienie.

Matka. Słowo pozbawione sensu. Matka, matka, matka, matka, matka. Papierowe słowo, absurdalny dźwięk bez znaczenia.

Kiedyś, latem 1914 roku, podczas wakacji, które spędzała w położonym nad kanałem La Manche Deauville, pojechali z Ernym do Paryża na ostatnią wystawę Salonu Niezależnych. Picasso i Braque, niepowtarzalna okazja. Chudzina chciała udowodnić prasie, że interesuje się kubistami, i pokazać się gdzieś z kochankiem. Dlatego ściągnęła go niemal przemocą z Londynu, gdzie bawił w interesach. Zagroziła zerwaniem i wyjawieniem prasie jego najtajniejszych biznesowych sekretów. Wrócił więc i zawiózł ją, dokąd chciała. Bez słowa komentarza. Ale w drodze powrotnej musiała przyznać sama przed sobą, że nie jest zadowolona.

Założyła na tę okazję elegancką suknię ze złotej lamy na koronkowym spodzie, aksamitny brązowy płaszcz z błyszczącą satynową podszewką i takiż kapelusz. Wyglądała naprawdę pięknie i jej obecność nie przeszła niezauważona. Przechadzając się od obrazu do obrazu, czuła na sobie męskie spojrzenia i bardziej niż kiedykolwiek rozumiała, że uroda jest potężną bronią. W pewnej chwili, gdy stała samotnie przed jednym z płócien, zbliżył się do niej jakiś mężczyzna (jak się potem dowiedziała od Erny'ego – sam minister gospodarki) i zaprosił ją na kawę. „Nie – odpowiedziała bezczelnie. – Nie przyszłam tu sama. Poza tym nie jest pan w moim typie".

Na wystawie spotkała Antoinette i jej notariusza. Nie widziały się od dwóch lat, czyli od czasu, kiedy Coco zamieszkała u Liébarda. Dwa lata to dużo. Wystarczająco dużo, by odnieść zawodowy sukces albo urodzić dziecko, które mówi „mama" i „tata" i wydaje się istnieć w życiu rodziców od zawsze.

Antoinette była szczuplejsza, bardziej elegancka i milcząca niż kiedyś. Notariusz wyglądał dokładnie tak samo jak tego dnia, gdy ujrzały go po raz pierwszy w wagonie pierwszej klasy. Nie zostawił żony, bo mogłoby to zaszkodzić jego praktyce, ale właściwie mieszkał z Antoinette. Ponieważ mieli spędzić tę noc w Paryżu, zaprosili Coco i Erny'ego na kolację do Saint-Germain. W pewnej chwili Antoinette powiedziała, że jest w drugim miesiącu ciąży.

Podczas posiłku rozmawiali o sklepie z kapeluszami. Mieścił się on teraz pod numerem dwudziestym pierwszym przy ulicy Cambon, krótkiej, ale kipiącej handlem uliczce, która zaczyna się przy Rivoli, przecina Saint-Honoré i kończy się przy Boulevard de la Madeleine. „Nie wiecie, gdzie to jest?". Mówili (a raczej mówiła Coco) o znakomitych wynikach sprzedaży, o nowych pomysłach, o roli, jaką odgrywa dobre zarządzanie, i o klientkach, od których nie można się wprost opędzić. Dzięki zarobionym w ten sposób pieniądzom ona i Erny otworzyli butik w Deauville, z odzieżą o bardziej sportowym kroju, płaszczami przeciwdeszczowymi wzorowanymi na męskich, żakietami z dzianiny, koszulowymi bluzkami i lekkimi spódnicami, odpowiednimi na popołudniową herbatkę na tarasie. Kiedy temat się wyczerpał, przyszła kolej na rozpoczynające się właśnie Tour de France, Grand Prix w Longchamp oraz sojusz rosyjsko-francuski i cesarsko-niemiecki, a w ogóle co to za czasy, człowiek ma uczucie, że nawet drobny incydent może zaowocować nieprzewidzianymi skutkami.

W końcu zapadła cisza, która zdawała się zapraszać do podjęcia jeszcze jednej kwestii, ale tej właśnie kwestii Coco wolałaby wcale nie poruszać. „Och, Antoinette – westchnęła w końcu – tak się cieszę, że cię widzę! Chciałabym, żebyśmy wybrały się we dwie do teatru i na kolację! Mogłybyśmy pospacerować pod rękę po Lasku Buloński, opowiedziałabyś mi wszystko o tym dziecku, które ma się urodzić w kwietniu..." „W styczniu" – sprostowała Antoinette. „W styczniu?". Coco odniosła wrażenie, że chodziło o kwiecień.

Antoinette i notariusz zbierali się do wyjścia. Coco i Erny postanowili jeszcze chwilę posiedzieć. Chudzina była rozdrażniona („Nie jestem rozdrażniona – zaprotestowała, bawiąc się kulkami z chleba – tylko oburzona"), bo jej siostra w ogóle się przez te dwa lata nie zmieniła. „No – wtrącił Erny – coś się w niej jednak zmieniło, jest w ciąży...". „W ogóle się nie zmieniła – kontynuowała Coco, nie zwracając na niego uwagi. – Wciąż jest z tym tandeciarzem, który ciągnie ją za sobą w przeciętność".

Nad stołem latała mucha. Dłoń w powietrzu. Mucha rozpłaszczona na stole.

„A przecież – dodała Coco – przez dwa lata tyle można zrobić. Ja na przykład założyłam dwa sklepy i dostałam się do gazet. Potrafię zwietrzyć interes. Jeśli wyczuję okazję, nie namyślam się długo. Za dwa lata sklep w Deauville stanie się maszynką do robienia pieniędzy. A wszystko dzięki mojej inicjatywie, wytrwałości i uporowi". „I moim pieniądzom" – mruknął Erny, ze wzrokiem utkwionym w posadzce.

Coco zamilkła. W jego słowach, uprzejmych i tak cichych, że prawie niedosłyszalnych, kryła się nagana. „Co powiedziałeś?" – warknęła. „Że dzięki moim pieniądzom" – odparł Erny. „Jak to: dzięki twoim pieniądzom?".

Przez dłuższy czas Erny się nie odzywał. Zazwyczaj w obliczu sporu wolał milczeć, wychodząc z założenia, że mniej w ten sposób ryzykuje. Tym razem miał jednak do powiedzenia coś ważnego. „Myślisz, że każdy musi być taki jak ty? – rzucił. – Sądzisz, że wszyscy powinni mieć te twoje drapieżne oczy, łakome usta, ten twój uroczy dołeczek w brodzie, twoją charyzmę, energię, bezpośredniość, inteligencję?". „Ale przecież..." – zaczęła Coco. Erny nie dał sobie przerwać. „Pozwól mi skończyć. Wydaje ci się, że twoja siostra ma obowiązek założyć sklep i zakochać się w kimś takim jak ja? Że kobietom nie wolno rodzić dzieci, bo przeszkadza im to w pracy? Że cały świat jest zobowiązany pulsować twoim rytmem, mieć te same manie prześladowcze co ty, te same depresje? Że nie istnieje lepszy sposób na życie niż awans z krawcowej na projektantkę? Więc przyjmij wreszcie do wiadomości, że rzeczywistość jest prawie zawsze brzydka, wulgarna, prostacka, a każdy radzi sobie, jak umie".

Po jego czole spływały kropelki potu. Od kiedy się znali, Coco nie widziała go nigdy tak wzburzonego i elokwentnego. Twarz mu poczerwieniała, wykrzywiła się, napięła. Splecione palce nie przestawały nerwowo drgać. „Sądzisz, że cały świat powinien się kręcić wokół twoich kaprysów?". „Nie" – zaczęła Coco, czując, że coś się jej przewraca w żołądku. „Cicho bądź – powiedział Erny. – Daj mi skończyć. Potem będziesz mogła mówić do woli. Pewnie masz gust i to szczególne wyczucie w sprawach mody, ale za to nie masz zielonego pojęcia o interesach. Jak sądzisz, dlaczego bank udzielił ci pożyczki? Myślisz, że banki dbają o gust? Że się przejmują fatałaszkami? Albo fasonem kapeluszy? Nie, banki dbają o zysk. O pieniądze. Lloyd dał ci tyle kasy, bo podpisałem odpowiednie gwarancje. W ogóle nie rozumiesz, jak to wszystko działa. Gorzej: w ogóle nie rozumiesz, jak działa samo życie. Twoja siostra będzie miała dziecko – dziecko, na Boga! – a ty uważasz, że się wcale nie zmieniła".

Coco poczuła nagle, że to, co tliło się gdzieś w jej wnętrznościach, wybucha na dobre. Poczuła, jak przez jej ciało przewalają się ciemne, gorzkie rzeki, a w najmniej spodziewanych miejscach otwierają się niezgłębione otchłanie. Żołądek podszedł jej do gardła. Serce pulsowało gniewem, krew napływała do twarzy.

„Dosyć! – krzyknęła. – Nic już nie mów. Mówisz tylko po to, żeby mi przyłożyć. Jesteś złym człowiekiem. Argumentujesz, dobierasz słowa, żeby doprowadzić mnie do płaczu. Nie, nie jesteś zły. Jesteś zadufany w sobie. Ciągle się wywyższasz. Popatrz czasem na siebie. Jesteś zadufany w sobie i ciągle się wywyższasz. Nie zamierzam być taka sama. Jestem pogodną, bezproblemową kobietą. – I próbując się opanować, dodała: – Po prostu boli mnie to, co się dzieje z moją siostrą". „Wcale cię nie boli – zaprotestował Erny. – Drażni cię i tyle".

Słysząc to, upokorzona do głębi, cisnęła w niego torebką i wybiegła z restauracji. Na zewnątrz lało jak z cebra. Erny dogonił ją pod domem.

Pięćdziesiąt dziewięć lat później, kiedy kula nadlatuje ku niej z wielką szybkością, Coco przypomina sobie, że tamte słowa posłużyły jej za najlepszą życiową lekcję. Żadne studia, żadna szkoła biznesu (ani życia) nie dałyby jej aż tyle. Żadne, choćby najbogatsze doświadczenie nie doprowadziłoby do takich samych wniosków. Nic nie natchnęłoby jej równą ochotą do życia, do pracy. Bo nic nie mogło zastąpić pracy. Ani tytuły, ani zapał, ani szczęście.

Obok windy w hotelu Ritz, na chwilę przed śmiercią, Coco myśli o synu, a może o córce, którą mogła mieć z tamtym mężczyzną. Pewnego dnia Erny powiedział: „Może byśmy postarali się o dziecko?". A ona odparła: „Nie mam czasu na dzieci". Teraz jednak przygląda się swojemu życiu pod innym kątem i samą możliwość istnienia tego dziecka odczuwa jak bolesny cios w żołądek.

I myśli też o tym, jak bardzo kochała Erny'ego: zawsze cała mokra, rozgrzana jak kotka.

Potem, w domu, gdy pogodzeni już i pogodni zaśmiewali się ze swojej dziecinnej bieganiny po deszczu, Erny zaczął niespodziewanie mówić o podświadomości, snach, popędzie seksualnym i o tym, że ma w Paryżu przyjaciela psychiatrę, pioniera w stosowaniu psychoanalitycznych metod Zygmunta Freuda. „Kto to jest Zygmunt Freud? – spytała Coco. – I dlaczego mi o tym wszystkim teraz opowiadasz?". Erny nabrał powietrza w płuca i rzucił: „Bo uważam, że nie zaszkodziłoby, gdyby ten mój przyjaciel zamienił z tobą słówko". „Nie jestem szalona" – odpaliła Coco. I poszła do swojej sypialni, przebrała się w piżamę, zmyła makijaż, położyła się do łóżka, zwinęła w kłębek i zacisnęła zęby na poduszce.

Po dłuższym czasie, nie mogąc zasnąć, wstała i wróciła do salonu, gdzie wciąż siedział Erny.

„I wiedz – powiedziała od progu – że nigdy nie byłam krawcową. Nigdy nie nauczyłam się dobrze szyć. Wiecznie się kłułam, krwawiły mi palce. Półślepe staruszki szyją tysiąc razy lepiej ode mnie".

Erny wybuchnął śmiechem. Coco była taka zaskakująca, uparta i pełna wdzięku, tak inna od zwykłych ludzi, a zwłaszcza kobiet, z którymi się wcześniej stykał, że w głębi duszy nie potrafił zrozumieć, jak Liébard mógł z niej zrezygnować, potraktować jak towar.

Następnego dnia Coco od rana krzątała się w swoim butiku przy ulicy Cambon.

„Lucienne – powiedziała do pomocnicy – robię to wszystko nie dla zabawy, ale po to, żeby zarobić pieniądze, bardzo dużo pieniędzy. Dlatego od dziś będę skrupulatnie kontrolowała finanse".

Dwudziestego trzeciego lipca 1914 roku miała umówione na plaży spotkanie z dziennikarzami (zdjęcia *en face* i z profilu – myślała, przygotowując się przed wyjściem z domu – włosy obcięte na chłopaka i ubrania o sportowym kroju, z dzianiny i flaneli, takie same, jakie sprzedawała w swoim butiku w Deauville). Zjawiło się ledwie kilku fotoreporterów. Reszta została w redakcji, bardzo tego dnia zajęta. Coco, wściekła jak rzadko, chciała wiedzieć, co takiego mogło się zdarzyć, żeby przeszkodzić ponad dwudziestu panom w dotrzymaniu złożonej jej obietnicy. „Rząd austriacki – usłyszała w odpowiedzi – wystosował do Serbii ultimatum".

Nazajutrz, podczas gdy panie w czepkach i kostiumach kąpielowych z falbankami moczyły swoje tłuste ciała w morzu, Austria wypowiedziała Serbii wojnę. Wieczorem z 29 na 30 lipca Coco, obojętna na całe to światowe zamieszanie, ubrana w kaszmirową suknię z wysokim kołnierzem, wybrała się do opery na *Peleasa i Melizandę* Debussy'ego. O dwudziestej trzeciej dziesięć huk austriackich armat, które otworzyły ogień w stronę Belgradu, mieszał się w jej głowie z akordami orkiestry.

Bałkański konflikt ogarniał całą Europę jak pożar.

Erny spotkał się ze swoim przyjacielem Clemenceau, który doradził mu, by na jakiś czas wrócili do Paryża. „Nie przesadzaj! – wykrzyknął Erny. – Przecież nas to nie dotyczy".

Jednakże Clemenceau mówił poważnie. Francja miała zobowiązania wobec Rosji i musiała interweniować. Długo się nad tym zastanawiano, ale nie było wyboru.

Coco zamknęła butik w Deauville i posłuchała wskazówek Erny'ego, który wziął sobie do serca słowa Clemenceau. W głębi duszy uważała jednak, że stary polityk chciał jej po prostu zrobić na złość. „I to teraz, kiedy wreszcie zaczęły się sprzedawać te marynarskie sweterki" – mruknęła, tupiąc nogą. Dwa dni później oficjalne źródła niemieckie podały, że francuskie samoloty zbombardowały Norymbergę i ta nieprawdziwa wiadomość posłużyła za pretekst do wypowiedzenia wojny. Wielka Brytania, ku konsternacji Erny'ego, ociągała się z reakcją: świat finansjery nie popierał uczestnictwa w konflikcie, a premiera Asquitha zajmowała przede wszystkim kwestia irlandzka. Sytuacja zmieniła się dopiero po inwazji na Belgię.

Trzeciego sierpnia Erny postanowił napisać list do Clemenceau, który przebywał poza Paryżem. Z informacji docierających z Londynu wynikało, że Wielka Brytania przystąpi do wojny, i choć przyjaciel zapewne już o tym wiedział, należało go na wszelki wypadek ostrzec. Ponieważ zabrakło mu kartek, Erny zajrzał do sekretarzyka Coco i przy okazji znalazł list z internatu – ten, w którym zakonnice powiadamiały byłą wychowankę o samobójstwie Długiej Meg. Kiedy zaczął go czytał, weszła Coco. Wystarczyło, że spojrzał na nią i od razu domyślił się, że to, czego się dowie, nie spodoba mu się.

Powiedziała to, co pierwsze przyszło jej na myśl: że Włochy właśnie ogłosiły neutralność. Erny czytał dalej. Dopiero gdy skończył, podniósł na nią wzrok.

I tak stali, bez słowa. Erny pokręcił głową, ale nic nie powiedział.

W ciągu zaledwie dziesięciu dni po raz pierwszy od ponad stu lat prawie cała Europa znalazła się w stanie wojny. Inicjatywę Austrii i Niemiec ochoczo podjęły Rosja i Francja.

Erny i Coco nigdy więcej nie rozmawiali o Długiej Meg.

8

Kula zbliża się nieubłaganie, ze świstem przecinając ciepłe powietrze hotelowego korytarza. Coco rozmyśla o tych wszystkich, którzy stali się bezwolną masą i pozwolili się pociągnąć (z entuzjazmem bądź rezygnacją) w odmęty wojny. Kobiety rwały się do palenia papierosów, głosowania i walki, powoli wyzwalając się z przesądów minionego wieku. Całymi dniami pracowały w polu, na budowach i w fabrykach, kierowały ciężarówkami i karetkami, zwijały bandaże, pielęgnowały rannych w lazaretach i szpitalach i nie chciały nawet słyszeć o gorsetach, fiszbinach, krynolinach ani mankietach, od których puchną dłonie, o trenach, cudacznych kapeluszach czy warkoczach wkręcających się w mechanizmy fabrycznych maszyn. Nadal jednak ukrywały swoje defekty, zamiast przekuwać je w atuty (i na tym właśnie polegała – na tym polega – ich tragedia).

Ludzie, znudzeni monotonią codzienności, postrzegali wojnę jako ekscytującą odmianę, mającą nadać sens ich egzystencji. Zmianie uległ styl życia i – w konsekwencji – również moda. Górę wzięło to, co wygodne i praktyczne. Długa Meg zgorszyłaby się zapewne, widząc, że jej mnisi habit, prosty jak dusza nowicjuszki, staje się wzorem dla najbardziej rewolucyjnych strojów. Popularność zyskały luźne marynarki i obszerne spódnice.

Coco wiodła prym w tym dziele. Wojna, o dziwo, okazała się jej sojuszniczką. Paul Poiret został powołany w szeregi armii. Jego dom z zadbanym ogrodem i szwajcarem w bramie zamknął podwoje, a zanim znowu je otworzył, sytuacja ekonomiczna w kraju uległa radykalnej zmianie. Madeleine Vionnet, przyszła mistrzyni ukośnego cięcia, zamierzała właśnie otworzyć własny dom mody, ale musiała odłożyć swoje plany na później, aż do stycznia 1918 roku. Również Jeanne Lanvin, słynna później dwudziestowieczna minimalistka, na pewien czas zamknęła swój warsztat w Le Vésinet.

Niedostatek tkanin, zwłaszcza tych najwyżej cenionych, takich jak jedwab, satyna czy tiul, sprawił, że kobiety nosiły teraz krótsze sukienki, a brak metalu przyspieszył rezygnację z więżących dotąd ciało fiszbinów. Coco zaczęła używać futer. Ponieważ skończyły się dostawy południowoamerykańskich szynszyli i rosyjskich soboli, sięgnęła po skóry królików. Odrzuciła krzykliwe kolory lansowane przez Poireta, zamawiając u dostawców materiały w bardziej naturalnych tonacjach. Od dawna nie robiła próbnych szkiców. Teraz pracowała z żywymi modelkami.

Stopniowo jej projekty coraz dokładniej odzwierciedlały rosnącą swobodę kobiet. Nie ulegała kaprysom klientek. Czekała, aż one dostosują się do niej. W miarę możliwości unikała reklamy, uważając ją za fałszywą i pustą. Mawiała, że dobry towar obroni się sam.

Z wielu stron, także ze środowiska „La Fronde", dochodziły wezwania, by w zastępstwie nieobecnych mężczyzn kobiety bardziej angażowały się w sprawy społeczne. Podczas wojny spadł wskaźnik urodzeń. Niektórzy obwiniali o to emancypantki. Te z kolei podnosiły problem ciągłego braku zabezpieczeń socjalnych dla młodych matek. A Coco, słysząc, że Marguerite Durand wywalczyła wreszcie wprowadzenie ustawy, zgodnie z którą pracodawcy zatrudniający ponad setkę pracownic w wieku powyżej piętnastu lat zobowiązani byli do zapewnienia im godziwych warunków karmienia, wzruszała tylko ramionami.

Nie potrafiła powiedzieć, czy jest za, czy przeciw. Tak czy owak czasy emancypacyjnego zaangażowania miała już za sobą. Latem 1918 roku skończyła trzydzieści cztery lata i na tym etapie życia, będąc właścicielką pracowni i butiku przy ulicy Cambon oraz dwóch innych modnych sklepów w Deauville i Biarritz, nie interesowała się karmieniem noworodków.

Czym się zatem interesowała? Odnosiła wrażenie, że dryfuje bez celu, i uparcie wierzyła, że to, co najważniejsze, jest dopiero przed nią. Mam to, o co tak walczyłam, ale czy jestem szczęśliwa? – zastanawiała się popołudniami, siedząc sama w domu. Czekała. Jak zawsze. Na co? Na kogo? Na nic. Po prostu czekała. (Może na kulę, która nadlatuje teraz korytarzem hotelu Ritz). Patrzyła na słońce. Lato mijało. Mijał kolejny rok, a ona czuła, że nie o to jej przecież chodziło.

Któregoś dnia wsiadła do tramwaju z silnym postanowieniem, że wreszcie obejrzy Paryż ze szczytu wieży Eiffla. Kupiła bilet, ale przed wejściem do windy zadarła głowę do góry i zamyśliła się. A potem oddała komuś zadrukowany kartonik i wróciła do domu.

Erny tymczasem dorabiał się milionów na handlu węglem. Przyjaźń z Clemenceau i z brytyjskim ministrem wojny zapewniała mu wyjątkową pozycję wśród dostawców floty Trójporozumienia. Założył firmę Ernest Capel & Company i służył teraz za pośrednika między dwoma mężami stanu. Pewnego razu próbował opowiedzieć o tym wszystkim Coco, która malowała się właśnie przed lustrem. „Dostałem nadzwyczaj szerokie pełnomocnictwo" – oświadczył rozpromieniony. Była to naprawdę jedyna w swoim rodzaju okazja, szansa, na którą czekał od dawna i którą zawdzięczał tylko sobie. Nie ulegało wątpliwości, że w tej radosnej chwili gotów jest puścić w niepamięć wszystkie nieporozumienia, jakie kiedykolwiek wynikły między nim a kochanką. Coco jednak nie wiedziała, co znaczy w tym przypadku „szerokie pełnomocnictwo", a poza tym – bardzo się spieszyła. Czekał na jej odpowiedź dwie minuty, potem uśmiechnął się lekko i wyszedł z pokoju.

Po tylu przeżytych wspólnie latach Coco znała każdy centymetr jego ciała, jego mydlano-skórzany zapach, brodawkę za uchem, melancholijne oczy, lśniące włosy, odrobinę niezdarne, choć silne i opalone nogi, dźwięczny głos, z pojawiającą się czasem lekką nutą przygany. Doceniała jego inteligencję i talent do interesów. Pewnego dnia przyjrzała mu się, gdy spał, i zrozumiała, że mimo wszystko jest jej obcy. Leżał z rozrzuconymi rękami, jak dziecko. Oddychał równomiernie, jego klatka piersiowa unosiła się i opadała, powieki ani drgnęły. Policzki miał zaróżowione, twarz nieobecną, z wyrazem ironicznego rozbawienia. Chudzinę ogarnęło niemiłe, trudne do wyjaśnienia uczucie. To nieruchome ciało. (Śpiąca Królewna – pomyślała. Nigdy nie lubiła tej bajki). Ciało wyjęte z kontekstu, coś, czego można tylko doświadczyć, nigdy zrozumieć.

Przez dłuższą chwilę obserwowała go od progu. Potem

zbliżyła się powoli, jakby zmniejszając fizyczną odległość, pragnęła skrócić dystans duchowy. Dotknęła jego ramienia, sprawdzając, czy żyje. Ale czemu właściwie miałby nie żyć? Zimny dreszcz przebiegł jej po plecach. W tym momencie Erny poruszył się i zmienił ułożenie dłoni. Między wargami błysnęły olśniewająco białe zęby.

Coco odniosła wrażenie, że patrzy na nieznajomego. Po raz pierwszy dostrzegła w nim tę arogancję, o której mówili kiedyś goście państwa Mercy-du-Pont. Chwyciła go za rękę, wpiła w nią paznokcie i uciekła.

Erny oddalał się, a ona czuła się samotna. Początkowo odwiedzała ją Antoinette. Chodziły razem do teatru, na kawę do Maxima albo na spacer do Lasku Bulońskiego. Wspominały dzieciństwo, kolczaste kasztany zbierane razem z matką, żółte liście, na których można było zasnąć i być szczęśliwym. Bo były szczęśliwe, nawet potem, w klasztorze, oddane na łaskę zakonnic i Boga. O Bogu też rozmawiały. Coco nieodmiennie dochodziła do wniosku, że w życiu liczy się sukces. Siostra patrzyła na nią wtedy w milczeniu. Przestały się widywać, gdy Antoinette poroniła, a Coco nie umiała dzielić z nią smutku („Cóż, to jak z sukienką – raz ci nie wyjdzie, próbujesz znowu" – powiedziała, poklepując siostrę po ramieniu).

Przez kilka tygodni słyszała hałasy w domu. Kiedy wracała wieczorem i otwierała drzwi frontowe, dobiegał ją szelest sukni. Wchodząc pospiesznie do salonu, widziała rąbek koronki znikający za fortepianem. Erny był taki jak zawsze („Witaj, nie spodziewałem się ciebie tak wcześnie, jak minął dzień?"). Coco, tłumiąc napływające do oczu łzy, umykała do swojej sypialni („Jestem zmęczona, jutro pogadamy").

Odgłos oddalających się kroków stopniowo cichł. Następnego dnia nie miała już pewności, czy sobie tego wszystkiego nie wymyśliła.

Kiedy Erny był w Paryżu, a wieczorem długo nie wracał do domu, szalała z niepokoju i wszędzie go szukała: zaglądała do kawiarni, pytała znajomych. Wracała koło północy, rozczochrana, przybita i upokorzona. Brzydka. Żeby podnieść się nieco na duchu, kazała przysyłać sobie róże, pachnące bukiety z bilecikiem: „Twój O.". Szastała pieniędzmi, kupowała wszystko, co wpadło jej w oko: ubrania, najnowszy model rolls-royce'a – przepiękny silver ghost z niebieskimi oponami – biżuterię, książki, które ustawiała na półkach, nawet ich nie otwierając. Wszystkie te przedmioty, zanim stały się jej własnością, budziły dzikie pożądanie, gdy jednak należały już do niej, traciły cały swój urok. Nie potrafiła się nimi cieszyć.

W ciągu dnia, w butiku, oszukiwała samotność, rozmawiając z klientkami. Sklep w Biarritz przynosił w tym okresie największe dochody, ponieważ w Hiszpanii, która nie przystąpiła do wojny, wciąż dbano o elegancję. W Hôtel du Palais nikt nie mówił o walkach na froncie – wszyscy tańczyli tango. Sklep mieścił się naprzeciw kasyna, po drodze na plażę. Coco poprosiła Lucienne Rebaté, żeby na jakiś czas przeniosła się do Biarritz: była taka uczciwa i przede wszystkim pracowita. Ale Lucienne odmówiła. Właśnie zaczęła się spotykać z pewnym mężczyzną. Gdy miała wolne, spacerowali alejkami Ogrodu Luksemburskiego – zwierzyła się Coco. „Jak pani sądzi, może nie powinnam mu ufać?". Coco posadziła ją w jednym z foteli dla klientek. Od jakiegoś czasu dużo ze sobą rozmawiały. Była to dziwna, nierówna przyjaźń – przyjaźń grubego z chudym, karła z olbrzymem – która wszakże doskonale się sprawdzała. Coco wiedziała o młodzieńczym rozczarowaniu Lucienne i uważała, że pomocnica powinna sobie kogoś znaleźć. Zawsze było tak samo: Lucienne pytała, Coco radziła. Jedna dawała, druga brała. Jedna mówiła, druga słuchała. A może na odwrót?

(Bo przecież ona ofiarowała mi zdecydowanie więcej niż ja jej – pomyślała Coco pięćdziesiąt cztery lata później).

Tamtego popołudnia ujęła dłonie Lucienne, by jak zawsze tłumaczyć jej, że nie wszyscy mężczyźni to dranie, że trzeba patrzeć w przyszłość. I właśnie wtedy Rebaté powiedziała jej o swoim nowym przyjacielu. Któregoś dnia siedziała na ławce w Ogrodzie Luksemburskim, gdy podszedł do niej nieznajomy mężczyzna i poczęstował ją lodami truskawkowymi. Od tego dnia zaczęli się spotykać. „Czyż to nie urocze?". Jeszcze nigdy jej nie pocałował. I nie pocałuje, dopóki się nie pobiorą.

Jednakże Coco naciskała w sprawie przeprowadzki do Biarritz i po kilku tygodniach Lucienne w końcu się poddała. Starała się robić dobrą minę do złej gry, świadoma, jak trudno będzie jej w tych warunkach utrzymać nową znajomość, która dla czterdziestosześcioletniej kobiety mogła już być ostatnią okazją do zamążpójścia. Życie nie daje zbyt wielu szans.

Podobnie jak w przypadku butiku w Deauville to Erny wyłożył gotówkę na otwarcie sklepu. Choć telefon wciąż jeszcze stanowił rzadki luksus, Coco kazała zainstalować osobną linię, żeby Lucienne mogła ją o wszystkim informować na bieżąco. Rozmawiały o zamówieniach, klientkach, o jakości tkanin, tunikach z dzianiny i blezerach z flaneli. Na linii trzeszczało. Na koniec Coco pytała o sprawy osobiste. Lucienne promieniała: ukochany pisał do niej co tydzień i nawet składał obietnice! „Widzisz, mówiłam, że nie wszyscy mężczyźni są tacy sami" – rzucała Coco na pożegnanie.

Do pracy w sklepach w Deauville i przy ulicy Cambon zgłosiło się sporo chętnych. W większości były to dawne modelki, kobiety o wydatnych ustach i długich nogach opalonych w blasku fleszy. Dla Coco liczyło się przede wszystkim to, czy potrafią słuchać. Bo to właśnie wyróżniało dobrą ekspedientkę: umiejętność wysłuchiwania gadatliwych, niezmordowanych klientek. Jak się od nich uwolnić? Ucząc się słuchać.

Tak więc na początku 1918 roku Coco zatrudniała trzysta kobiet. Trzysta! Połowa z nich szyła, pięćdziesiąt obsługiwało księgowość, pięćdziesiąt zajmowało się importem tkanin, a reszta słuchała. W czasie krótkiej rozmowy wstępnej Coco pytała o doświadczenie. „Doświadczenie? Oczywiście – odpowiadały kandydatki. – Pracowałam tu i tam...". „Nie, nie chodzi mi o ten rodzaj doświadczenia – przerywała Coco. – Chodzi mi o to, czy umie pani sobie radzić. Z oszustkami. Z klientkami, które nigdy (»Nigdy« – powtarzał Erny) nie płacą gotówką".

Coco uwielbiała zajeżdżać pod swój sklep przy ulicy Cambon (który, tak się składało, sąsiadował z Ritzem) swoim olśniewającym rolls-royce'em i prosić szofera, by wrócił po nią w porze obiadu. Dzięki temu czuła się kobietą aktywną i kochaną, miała złudzenie, że ktoś o nią dba, że nie jest sama. Klientki czekały przed bramą, obserwując, jak dotyka stopą chodnika. Wysiadając, wznosiła oczy do nieba i robiła minę niedosiężnej, wzgardliwej księżniczki. Sprzedawała ubrania, wygodne, ponadczasowe, dobrze leżące ubrania, kapelusze, fantazyjną biżuterię, naszyjniki i broszki ze sztucznymi perłami, ale przede wszystkim sprzedawała rady.

Sprzedawała też wdzięk, młodzieńczy wygląd i zgrabną sylwetkę. („Co pani je na śniadanie?" – spytała kiedyś pewna dama. „Kamelie i orchidee. Nie sądzi pani chyba, że żyję powietrzem").

Tym, które obnażały swoje nieładne ciała w przebieralniach, sprzedawała pewność siebie. „Pod żadnym pozorem nie wolno odwracać wzroku – tłumaczyła sprzedawczyniom. – Przeciwnie, musicie wpatrywać się klientce w oczy, udawać zainteresowanie i przytakiwać. A jeśli trzeba, to i pomrukiwać z aprobatą". Biegając ze sklepu do domu i z domu

106

do sklepu, nie musiała się odchudzać, jak to czyniły inne panie, by dorównać jej szczupłością. W głębi duszy nienawidziła tych wszystkich kobiet – „lalek", jak je nazywała – które tak się jej podlizywały. Uważała je za przeciętne, godne pogardy, bezużyteczne pasożyty. Zamawiały suknię o drugiej po południu i domagały się, by była gotowa na wieczór. Ponieważ Erny wciąż podróżował, rzadko wychodzili razem na kolację czy do teatru. Któregoś wszakże dnia znajoma aktorka, Cécile Sorel, zaprosiła ich na wieczór do swojego mieszkania z kasetonowym, niemalowanym sufitem, przy Quai Voltaire. Wśród gości byli między innymi wysoki urzędnik z Quai d'Orsay, ekstrawagancki fizyk, dwoje pisarzy oraz niejaka Maria Zofia Olga Godebska Natanson Edwards, dla przyjaciół Misia, która miała się już wkrótce stać jedną z najważniejszych osób w życiu Coco.

9

Są ludzie z natury wścibscy i tacy, co – przeciwnie – czują się lepiej, nie wtykając nosa w cudze sprawy. I najczęściej – myśli Coco na hotelowym korytarzu (gdy kula nadlatuje, mierząc w sam środek jej czoła) – ci wścibscy rzadko kiedy mówią o sobie. To tak jak ze spóźnialskimi, którzy nie tolerują dwóch minut zwłoki u innych. Albo ze skąpcami, oczekującymi od bliźnich hojności.

Ludzi wścibskich interesuje wszystko, nawet to, co nie ma najmniejszego znaczenia. Pytają, a słuchając odpowiedzi i potakując, obmyślają już następne pytanie. Gdy jednak rozmówca ośmieli się pójść za ich przykładem, natychmiast chowają się jak ślimaki w skorupie. Taka właśnie była Misia.

Znaczna większość ludzkości nie docieka, o której godzinie ten czy ów zwykł chodzić do wychodka. Misia dociekała. Gorzko jednak żałował ten, kto chciał jej odpłacić podobną monetą.

Wnuczka słynnego wiolonczelisty Adrien-François Servais'go, córka polskiego rzeźbiarza Cypriana Godebskiego i rosyjskiej Belgijki, urodziła się jedenaście lat wcześniej niż Coco, w Sankt Petersburgu. Wzrastała wśród zbytków, lecz bez miłości. Gadatliwa i niespokojna, jak wszyscy egocentrycy, przez cały dzień, a często do późnej nocy, rozmawiała z każdym, kto się nawinął. Zanim spotkała Coco, zdążyła poznać wszystkich ważniejszych artystów swojej epoki (z niektórymi wiązała się dla pieniędzy). Powiadano, że serca tych, którzy ulegli jej urokowi, wysychały na wiór. Powiadano też, że urodziła się i wychowała wśród artystów, ale bynajmniej nie nauczyło jej to kultury.

Pozowała Toulouse-Lautrecowi, Renoirowi, Vuillardowi, Odilonowi Redonowi, Signacowi i Bonnardowi. Romansowała z Picassem, Strawińskim i Diagilewem, kochając ich samolubną, podporządkowującą miłością. Była nieprzewidywalna – raz rozbawiona, po chwili wściekła. Miała dar wywoływania potężnych awantur, po których opadała z sił, i całymi tygodniami dryfowała bez celu, bezbronna, albowiem pod jej żelazną maską skrywał się duch słaby i wrażliwy. W epoce, kiedy poznała Coco, romansowała z Josem Marią Sertem, hiszpańskim malarzem muralistą.

(Czy to ona mnie dziś zabije? – zastanawia się Coco pięćdziesiąt lat później. I natychmiast odpowiada: nie).

Nagle przypomina sobie właściwe Misi upodobanie do podstępów, jej azjatycką naturę, która kazała niszczyć, a potem zapadać w odrętwiający sen. Pamięta też jej niezdecydowanie w sprawach sercowych, niezdolność do podejmowania decyzji. Pamięta tamto pierwsze spotkanie, tę kolację, w czasie której Albert Einstein mówił o ogólnej teorii względności, a ona, Coco, bała się odezwać, by nie zdradzić się ze swoją ignorancją.

Stojąc już przy drzwiach wyjściowych w obszytym futerkiem czerwonym palcie, usłyszała od Misi komplement. Zdjęła je więc i z radością podarowała nowej znajomej. Od tej pory zostały przyjaciółkami. Spotykały się u Serta, który bawił je okrutnymi i dziwacznymi historyjkami. Czasem Coco odwiedzała ją w domu, pełnym skarbów i zwykłych śmieci, obrazów, nierozpakowanych walizek, nocników z masy perłowej, na wpół obranych pomarańczy i osiemnastowiecznych włoskich rycin. Przy takich okazjach jadły egzotyczne, polskie albo włoskie potrawy, obśmiewając i krytykując kogo popadło.

Misia została jej powiernicą. Z zasady lubiła słuchać o cudzych nieszczęściach, więc Coco roztrząsała przy niej swoje nowe uczucie względem Erny'ego.

Kilka tygodni po kolacji u Cécile Sorel poprosiła szofera, by zawiózł ją do sklepu godzinę wcześniej niż zwykle, mając nadzieję, że w ten sposób uniknie wielbicielek, które czatowały na nią zwykle na ulicy Cambon. Miała powyżej uszu tych wszystkich uprzejmości! Kiedy jednak dotarła na miejsce, przed butikiem sterczało już, a jakże, kilka dam. Jedna z nich zwróciła jej uwagę. Bez makijażu i pieska w ramionach wyglądała bardziej niż skromnie: po prostu biednie. „Przyjechałam, żeby się z panią zobaczyć" – powiedziała, gdy Coco wysiadła z samochodu.

Dobiegała chyba sześćdziesiątki. Niezbyt zadbana, staroświecka, w sposób skądś dobrze Coco znany. Jednakże dopiero po głosie poznała panią Desboutin. Co ona robi w Paryżu?

Zaprosiła ją do środka i posadziła w fotelu. Dawna opiekunka postarzała się, włosy jej zrzedły. Bez swojego ukośnego spojrzenia, które zawsze dawało jej przewagę, była strzępem kobiety. Z ożywieniem wyznała, że wciąż słyszy o Coco od swoich klientek, czyta o niej w gazetach, widziała nawet jej zdjęcia z jakiejś plażowej sesji. Wie też o związku Coco z Ernym Capelem – „Co za elegancki mężczyzna!" – i o nowo otwartym sklepie w Biarritz, w którym zaopatruje się hiszpańska rodzina królewska. Potem umilkła, by po chwili powiedzieć: „Zbankrutowałam. Mieszkam teraz w Paryżu". „To przez wojnę" – odezwała się Coco. „Tak – potwierdziła pani Desboutin – ale nie przez tę, o której myślisz. Przez wojnę z klientkami. Pewnego dnia po prostu przestały przychodzić. – Podniosła głowę i wlepiła oczy w Coco. – Mówię ci o tym, bo i tobie może się kiedyś zdarzyć coś podobnego".

Pan Desboutin ją opuścił. „Pewnego dnia oświadczył, że wyjeżdża w podróż po Europie, i już nie wrócił „Może po stępowałam z nim trochę zbyt... Jak by to powiedzieć? – Odchrząknęła. – Surowo? Jak myślisz?". Coco wcale tak nie sądziła, ale naprawę musiała się już zająć klientkami. „Jeśli pani chce – zaproponowała – proszę przyjść jutro. Zwykle czeka na mnie przed sklepem spory tłumek" – dodała w nadziei, że pani Desboutin nie skorzysta z zaproszenia.

Przez cały dzień była roztrzęsiona, raz pełna euforii, a za chwilę smutna. („To przez hormony" – zawyrokowała Misia, gdy rozmawiały przez telefon). Dopracowywała nową kolekcję: mankiety, guziki, kieszenie. Zadzwoniła też do Biarritz. „Wszystko doskonale, sprzedaż idzie świetnie – raportowała Lucienne. – Szczególną popularnością cieszą się marynarskie kostiumy i koszulowe bluzki". Po drugiej stronie linii na chwilę zaległa cisza, a potem Lucienne oświadczyła, że musi wracać do Paryża, aby widywać narzeczonego częściej niż dwa razy na miesiąc. (Narzeczonego – pomyślała Chudzina. – Proszę, proszę). Coco odparła, że rozumie, ale chwilowo to niemożliwe.

Przed wieczorem musiała jeszcze stawić czoło pewnej klientce, która często wydawała u niej duże sumy. Dama ta była szwagierką księżnej Mont-Berry, miała mnóstwo pieniędzy i obsesję na punkcie wiecznej młodości. Poddała się ostatnio kosztownej terapii snem i całymi godzinami leżała bez ruchu w ciemnościach, ale niestety, nie powstrzymało to procesu starzenia się i zmarszczki, niczym ohydne robactwo, rozpełzały się po jej twarzy i szyi. Od Coco – tak świeżej z wyglądu i młodej – oczekiwała skuteczniejszych środków. Otrzymana rada niemile ją zaskoczyła: „Nic tak nie postarza jak ciągłe myślenie o swojej urodzie, proszę pani. Zmarszczki biorą się z egoizmu". „Cóż – westchnęła z rezygnacją szwagierka księżnej Mont-Berry. – W takim razie proszę mi uszyć suknię dla starszej pani". „Starsze panie to pojęcie z poprzedniej epoki, w naszych czasach nikt taki nie istnieje" – brzmiała riposta Coco.

Załatwiając te codzienne sprawy, Chudzina nie potrafiła jednak odegnać wspomnienia pani Desboutin. Upadek sklepu Grampayre, jeszcze do niedawna największego magazynu mód w Paillers, wywoływał w niej dziwną, okrutną radość. Wieczorem zadzwoniła do Misi i opowiedziała jej całą historię. Wyznała, że martwi się, bo po raz pierwszy w życiu cieszy ją myśl o cudzej niedoli. „Nie ciebie jedną – odrzekła Misia. – Każdy czasem tak czuje, zwłaszcza wtedy gdy cudza klęska uwydatnia jego zwycięstwo. Tyle że niewiele osób potrafi się do tego przyznać".

Na wieść o ekscentrycznych zwyczajach pani Desboutin (o jej młodziutkich kochankach, zdjęciach z cynowej puszki i mężu, który miał zwyczaj przymierzać ukradkiem staniki) Misia poddała przyjaciółce niezwykły pomysł: zaproponowała mianowicie, nie bez pewnej złośliwości, by Coco zaprosiła byłą chlebodawczynię na jakiś czas do siebie. Chudzina uznała to za kolejny absurdalny wybryk nieobliczalnej Polki (wiedziała zresztą, że w jej przypadku słodycz dobrych intencji skrywa często pokłady żółci), ale już następnego dnia, widząc panią Desboutin przed sklepem, pośród tuzina wytwornych dam, szarą i desperacko uczepioną mizernej torebki, zmieniła zdanie. Mogłaby dotrzymywać mi towarzystwa i zajmować się domem – pomyślała.

Pani Desboutin zamieszkała więc w jednym z pokoi w apartamencie Erny'ego. Miała ze sobą jedną walizkę, a w niej: wełnianą sukienkę, buty, grzebień i szczoteczkę do zębów, a także nieśmiertelną cynową puszkę wypełnioną zdjęciami. „Czy ja śmierdzę? – zapytała Chudzinę, układając swoje rzeczy w komodzie. – Czy śmierdzę potem? Czasem mi się to zdarza, ale poza tym nie stwarzam żadnych problemów. Czy dzisiaj śmierdzę?". Nie, nie śmierdziała. Coco postawiła jej tylko jeden warunek: nie będzie się pokazywała na oczy panu Capelowi.

Co pani Desboutin, zamknięta w mieszkaniu, robiła po całych dniach? Niewiele, a przynajmniej tak to wyglądało na pierwszy rzut oka. Wąchała się pod pachami, żeby sprawdzić, czy nie śmierdzi, łaziła z kąta w kąt, gotowała i obserwowała paryskie światła i cienie. Dwoje oczu zą szybą

Gdy w perspektywie ulicy pojawiał się rolls-royce, opuszczała żaluzję i mówiła przez zaciśnięte zęby: „No, już jest". Potem dreptała do kuchni, wracała do salonu z tacą i podawała obiad. Coco zastawała ją zazwyczaj przy stole, sztywno wyprostowaną, równie mdłą jak potrawy, które przyrządzała, ze wzrokiem utkwionym w ścianie, ramionami zwisającymi bezwładnie po bokach i pończochami zrolowanymi na wysokości kostek, całkowicie nieruchomą. Nieruchome były jej oczy, usta, a nawet fałdy spódnicy i tafla tłustej zupy w talerzu.

„Mam dość" – mówiła Coco po półgodzinnym milczeniu.

„Dość? Czego?" – pytała zatrwożona pani Desboutin. „Tej zupy. A przede wszystkim ciebie".

Czasem wspólnie z Misią zapraszały ją na herbatę. Ekscentryczna przyjaciółka uwielbiała grzebać w życiu nieszczęsnej kobiety (nawet nie tyle w nim grzebać, ile rozwałkowywać je na miazgę). Pani Desboutin była taka jak zawsze, czyli pełna uprzedzeń, trudna do zrozumienia i przeciętna, co wzbudzało w Misi gwałtowną fascynację. Dolewając biednej przybłędzie herbaty, muza Serta wypytywała ją o przekonania religijne, stosunek do małżeństwa i równouprawnienia kobiet. Stopniowo wgryzała się w jej skorupę jak robak w soczyste jabłko i odsłaniała to, co kryło się pod świętoszkowatą maską: wyuzdaną, bezwstydną cielesność. Pani Desboutin odpowiadała na pytania głębokim, nosowym głosem, nie podnosząc powiek. Misia próbowała ją czasem podstępnie zagadywać o młodziutkich oficerów z Paillers. Coco, dusząc się ze śmiechu, wychodziła wtedy do kuchni, a po powrocie zastawała biedną panią Desboutin spoconą jak mysz.

Gdy zaczynała je męczyć albo gdy nabierały ochoty na pogawędkę w cztery oczy, odsyłały ją jak dziecko do sypialni („No, do łóżka, szybciutko, Gertrude"), a ona powoli, z rezygnacją wchodziła po schodach, tak jak robiła to przez wiele lat we własnym domu. Dotarłszy na podest, przystawała i odwracała się, jak gdyby chciała coś powiedzieć, ale z jej uchylonych ust nie wydobywało się nic oprócz oddechu. W swoim pokoju otwierała cynową puszkę po ciasteczkach i wzdychała, oglądając gromadzone przez lata zdjęcia oficerów, którzy walczyli teraz zapewne na którymś z frontów, mieli żony, dzieci, a może i wnuki. Na koniec namiętnie całowała ich podobizny.

W tym czasie Misia i Coco kłóciły się zażarcie. „Prosiłam cię, żebyś nie była dla niej tak okrutna". „To ty jesteś okrutna.

I brzydka. Prowincjonalna krawcowa". „A ty kim niby jesteś? Ignorantką. Arystokratycznym pasożytem". Zapalały się coraz bardziej, popychały, padały na podłogę jak długie, zmieniając się w kłąb młócących powietrze ramion i nóg. Przez długą chwilę tarzały się po dywanie niczym dyszące bestie. Potem wstawały, Misia spokojnie przygładzała spódnicę i bez słowa wychodziła, by zaczerpnąć tchu i zebrać myśli. Agresja ustępowała miejsca czułości. „Kocham cię, mimo wszystko cię kocham".

Do tego czasu, a był rok 1917, wojna przybrała rozmiary ogólnoświatowego konfliktu; nie było narodu, który by bezpośrednio lub pośrednio w niej nie uczestniczył. Wydajność w przemyśle i rolnictwie spadała. Brakowało artykułów pierwszej potrzeby, drożała żywność, ludziom zaczynał zaglądać w oczy głód. Byli jednak tacy, którzy żyli jak dawniej. Pewnej nocy, kiedy bombardowania szczególnie dawały się Paryżowi we znaki, kierownictwo Ritza poprosiło gości, by zechcieli schronić się w podziemiach. Damy zjechały więc na dół w koronkowych koszulach nocnych, niedbale okryte olśniewającymi szalami, każda w towarzystwie małżonka z wyraźną erekcją. Ponieważ sytuacja ta powtórzyła się kilkakrotnie, kilka pan wpadło na pomysł, by zamówić u Coco koszule uszyte specjalnie na takie okazje. Chudzina skorzystała ze sposobności i wcisnęła im całą partię męskich piżam, które uchodziły potem za szczyt elegancji.

Obecność pani Desboutin nie chroniła Coco przed głosami. Głosami stworzeń przycupniętych w cieniu, nieruchomych i cierpliwych. Któregoś wieczoru, gdy Erny wrócił do domu, Chudzina oświadczyła, że ktoś pomazał pianino. I że wszędzie roi się od mrówek, złotoskrzydłych much i pająków. I od pluskiew, które wpadają jedna na drugą z nieznośnym chrzęstem. „Doprawdy? – zdziwił się uprzejmie kochanek. – A skąd się one wszystkie wzięły?". „Znosi je ta Desboutin" – odparła Coco. „Pani Desboutin? – powtórzył zdumiony. – A po co miałaby to robić?". W nocy długo przewracał się na łóżku. Nazajutrz odwołał przewidziane na ten dzień spotkania i wybrał się na ulicę Cambon. Coco poprawiała akurat suknię, układając ją na modelce.

Pierwszy raz widział Chudzinę przy pracy: klęczała skupiona, z błyszczącymi oczami i rozwianymi włosami. Jej niezwykle zręczne palce o obgryzionych paznokciach poruszały się z niesłychaną szybkością jak w transie. Taka właśnie była w podobnych momentach: niepowstrzymana, rozpalona i chłodna zarazem. Już od progu ujrzał jej usta pełne szpilek, które lśniły jak miecze i posłuszne dłoniom właścicielki morderczo wbijały się w tkaninę. Dostrzegł błysk nożyczek i wężowaty zygzak nici, usłyszał szczęk uderzających o siebie ostrzy i wreszcie podniesiony głos – to Coco zerwała się na równe nogi i krzyczała na pracownice, że szwy przy kołnierzu nie są, wbrew jej oczekiwaniom, całkiem niewidoczne. Na koniec znów padła na kolana przed modelką. Wykrój był tu źródłem życia, ścieg nieskończonością, poprawka – śmiercią.

W pewnej chwili Coco podniosła głowę i zobaczyła go. Wyglądała pięknie z burzą czarnych lśniących włosów, ale zdradzała ją twarz. Twarz prowincjonalnej krawcowej – pomyślał Erny. Te usta pełne szpilek, palce posiniałe od ściskania nożyczek... „Sprawiasz wrażenie chorej" – rzekł zaniepokojony. „Jestem głodna" – odpowiedziała.

Poszli na obiad do małej restauracji mieszczącej się na drugim piętrze kamienicy w Saint-Germain-des-Prés. Nie była to najbardziej elegancka dzielnica Paryża, ale właściciel lokalu zaopatrywał się na czarnym rynku i dobrze karmił swoich gości. Czasem podawano tam nawet mięso i świeże owoce. Usiedli przy stoliku w głębi i pogrążyli się w milczeniu. Erny wyglądał przez okno. Tam, na dole, wrzało życie.

Uliczni malarze, śmierdzące kotami bramy, majtki rozwieszone na słońcu, dyskretny szum samochodów, głosy, nagła fala zapachu pomarańczy, kroki przechodniów. Wtem zauważył cztero- czy pięcioletnią dziewczynkę bawiącą się z rudym kociakiem. Obserwował ją przez chwilę w zamyśleniu, dopóki nie pojawiła się matka. Chwyciła córkę za rękę i obie znikły w bramie. Wtedy Erny zwrócił się w stronę Coco. Bardzo powoli. A ona, obserwując go uważnie, poczuła gniew. Gniew na samą siebie za to, że się złości, wiedząc, iż nigdy nie da Erny'emu tego, czego on by sobie życzył: świetnego małżeństwa, konwencjonalnej rodziny, arystokratycznych koneksji, dziecka. Erny skupił się na menu. Był blady, zamknięty w sobie. Potem podniósł wzrok znad karty i zaczął mówić jednostajnym głosem.

Mówił o zaburzeniach emocjonalnych, o psychoanalizie, o zepchniętych w podświadomość epizodach z wczesnego dzieciństwa, o stłumieniach i lękach. Mówił o Zygmuncie Freudzie i o swoim przyjacielu Julianie Jurié, który miał gabinet na Île Saint-Louis. Czemu by nie spróbować? Coco przyznała, że ostatnio nie czuje się dobrze i może dobrze by jej zrobiła rozmowa ze specjalistą.

Powiedziała Erny'emu, że jej siostra, mimo utraty dziecka, zamierza wyjść za mąż i że Misia doradza, aby w imię poprawy stosunków dać jej posadę w butiku w Biarritz. Lucienne, niestety, obstaje przy powrocie do Paryża i trzeba znaleźć kogoś zaufanego na jej miejsce. „Dlaczego tak na mnie patrzysz – spytała. – Uważasz, że się zmieniłam?". „Nie" – odparł.

10

Była sobie raz krawcowa, młoda i piękna. Spała w swoim hotelowym apartamencie i już wkrótce miała zginąć z ręki mężczyzny. Nie, inaczej. To nie była wcale krawcowa, bynajmniej już nie spała, a ręka, z której miała zginąć, na pewno nie należała do mężczyzny. Więc była sobie raz projektantka mody, stara projektantka mody, legenda *haute couture*, kobieta, która tanie uczyniła drogim, a teraz, skurczona jak wróbelek, wyszła na korytarz i stanęła twarzą w twarz z inną kobietą – bo nie ulegało już wątpliwości, że to kobieta, zabójczyni w koku i eleganckim kostiumie. Kto to był? Kto mógł nienawidzić jej do tego stopnia, by chcieć ją zabić?

Pod koniec 1917 roku, kiedy Coco wybrała się wreszcie z wizytą do Juliana Jurié, wojna wkraczała w ostatnią i najokrutniejszą fazę. (W bramie wróbel, ledwie widoczny wśród migotliwych plam światła, dziobie skorupkę jajka, która wypadła z pojemnika na śmieci).

Na początku konfliktu, wobec masowej mobilizacji mężczyzn w wieku poborowym, wszyscy sądzili, że całe to zamieszanie potrwa kilka tygodni, najwyżej miesięcy. Jednak po trzech latach nadal nie było widać końca koszmaru. W armii francuskiej wybuchały bunty. Żołnierze dezerterowali, odmawiali walki, zdarzały się wręcz napaści na oficerów. Zniechęcenie rozlewało się jak fala oleju, obejmując kolejne oddziały. Dziennikarze nabrali wszakże wody w usta: liczyło się przede wszystkim morale i bezpieczeństwo narodu. Poza tym żaden pokój nie wchodził w rachubę, bo Niemcy wciąż mieli przewagę. Jak człowiek, który tłumi dziecięce traumy i cierpi w związku z nimi na zaburzenia emocjonalne, tak Francja zepchnęła w nieświadomość utratę

Alzacji i Lotaryngii, ale dla własnego spokoju musiała je odzyskać.

Tak przynajmniej uważał Jurié, psychoanalityk, przyjaciel Erny'ego i uczeń Freuda, przyjmujący w luksusowym gabinecie na Île Saint-Louis, z widokiem na topole przy Quai d'Orléans i wspaniałą absydę katedry Notre Dame, która, jego zdaniem, przewyższała urodą fasadę główną. „No, ale do rzeczy" – powiedział. Było to ich drugie spotkanie.

Podczas pierwszego Coco opowiedziała mu o swojej rodzinie. Kłamiąc przy tym jak najęta. Nie wspomniała o bezzębnej matce w ośmiomiesięcznej ciąży ani o ciągłych wyjazdach zawsze pijanego ojca. Choćby chciała się z tego zwierzyć, nie potrafiłaby. A nie chciała. Ostatecznie to nie ona ponosiła winę za utratę rodziny, tylko jej pamięć. To jej pamięć została osierocona. I lepiej w tym wszystkim nie grzebać, bo wspomnienia przypominały zamarzniętą, przerażającą w swej martwocie tundrę. Nie zająknęła się też o klasztornej szkole, Długiej Meg ani o siostrzyczkach zakonnych.

Dużo natomiast mówiła o swoich złych ciotkach: przed nimi nie było nic, zupełna pustka. Zamieszkiwały jej pamięć, choć nigdy nie istniały. Pojawiały się, gdy tylko je przywołała, całe w czerni, kościste, znoszone w swojej rozpaczy. Mościły się w jej gardle, potem na języku. Łaskotały ją w usta.

„Złe, wąsate ciotki – wyjaśniła. – W wiecznej żałobie. Mama umarła, a ja z siostrą zamieszkałam w ich wielkim domu pośród dzikich pastwisk, doskonałych dla koni, ale dla krów już nie. Ciotki przyjęły nas obojętnie. Oglądały nas w świetle świecy, jakby miały do czynienia z królikami zamkniętymi w klatce. Siostra i ja byłyśmy głodne, bardzo głodne. Podróżowałyśmy przez cały dzień bez jedzenia. Ale one nie zamierzały łamać swoich zwyczajów: ostatecznie pora kolacji minęła. Siostra zaczęła krzyczeć. Że chce jeść. Krzyczała i krzyczała, a one miętosiły pod stołem suknie.

W końcu jedna wstała z krzesła i zaczęła nas wyzywać, cicho, nie podnosząc głosu. A potem poszła do kuchni. Przygotowała nam jajka na miękko. Ja nie miałam ochoty. Powiedziałam, że moje śmierdzi kurą i pierdami. Że cały dom śmierdzi kurą i pierdami, one też. Spojrzały na mnie w mroku, tymi swoimi obłąkanymi oczami osadzonymi w kościstych twarzach. Przez długą chwilę obserwowały mnie w milczeniu, słychać było tylko ich urywane oddechy. Moja siostra włożyła jajko do buzi i połknęła je, prawie nie gryząc. Ciotki patrzyły, strzygąc wąsami. A potem poszły spać. Spod łóżek, z komód i wypchanych prześcieradłami szaf wypełzło tysiąc uśmiechów. Nie dały nam ani odrobiny czułości – ciągnęła Coco. – Tym lepiej. Pocałunki, pieszczoty, dobrzy nauczyciele i witaminy zabijają w dzieciach całą siłę, robią z nich mięczaki. Złe ciotki pomagają w życiu zatryumfować".

„Tak pani sądzi?" – wtrącił Jurié. „Jestem o tym całkowicie przekonana". „Nie wydaje się pani, że troska też może stymulować?". „Tym, co stymuluje człowieka najskuteczniej, jest egoizm". „A miłość?". „Miłość wynika z pragnienia, żeby ktoś nas kochał. A to znowu egoizm".

Słowa. Więc rzeczywistość nie istniała, wspomnienia znaczyły tyle co słowa, poza słowami nie było nic. Ona sama mówiła z dna werbalnej studni. Cała jej przeszłość składała się ze słów, zdań, które trzeszczały jak uschnięta winorośl.

„Robi im pani czasem wymówki, że źle panią przygotowały do życia? Mam na myśli ciotki".

Odparła, że nie wie.

„Proszę opowiedzieć mi o swojej rodzinie" – zażyczył sobie Jurié na początku drugiego spotkania. „Jak to: o rodzinie – zdziwiła się Coco. – Przecież zajmowaliśmy się nią poprzednim razem. To nie będziemy dziś mówić o moich uczuciach? O mojej rodzinie wie pan już wystarczająco dużo: może pan wskazać osoby winne moich neuroz. Teraz przyszła pora pomówić o uczuciach". „Opowiedziała mi pani – przerwał Jurié – zresztą bardzo dokładnie, przyznaję, o swoich ciotkach. Ale ciotki mnie aż tak bardzo nie interesują. Wolałbym posłuchać o pani rodzicach i rodzeństwie".

Niepodobieństwo. Dlatego przez pół roku, przed pracą, pod uważnym spojrzeniem doktora, Coco udawała z całych sił. Gdy tylko otwierała usta, kłamstwo wystrzeliwało z nich niczym kula (kula, która zbliża się teraz, by ją zabić), przelatywało nad jej głową, przez gustownie umeblowany pokój o ścianach obitych wytłaczaną skórą, obok oprawnych w srebro dyplomów i lamp w kształcie tulipana, podnosząc kurz znad nawoskowanych stołów, aż wreszcie wracało do niej. Ciotki, fikcyjna matka, brat, którego nigdy nie miała – wszystko zamieniało się w słowa. Zmyślała z takim przekonaniem, że czasem sama zaczynała w to wierzyć. „Na dziś wystarczy" – mówił Jurié.

Któregoś listopadowego dnia, po wyjściu od doktora, zauważyła grupę ludzi z kolorowymi chorągiewkami w dłoniach. Wesołe okrzyki i patriotyczne piosenki rozchodziły się czysto w chłodnym, nieruchomym powietrzu. „Co się stało?" – spytała. „W Rethondes został podpisany rozejm kończący wojnę" – usłyszała w odpowiedzi. Wsiadła do rolls-royce'a i kazała się zawieźć na plac Maubert, do sklepu z alkoholami, gdzie kupiła butelkę muszkatu, żeby uczcić zwycięstwo w towarzystwie swoich panien sklepowych.

Wiele ulic zamknięto dla ruchu, trzeba więc było okrążyć Hôtel des Invalides i przedzierać się lewym brzegiem Sekwany. Zostawili za sobą kościół Saint-Louis, Szkołę Wojskową, Pola Marsowe i wyjechali – niemal znienacka – na wieżę Eiffla. Coco czuła, że wraz z zapachem rzeki i rozkwitłych magnolii zalewa ją fala najczystszego szczęścia. Wokół roiło się od ulicznych malarzy i nienasyconych par. „Proszę się tu zatrzymać!" – zawołała do szofera. Otworzyła drzwi, posta-

wiła stopę na ziemi i zatrzymała wzrok na olbrzymiej trzystu-
metrowej konstrukcji ze stali. Już myślała, że tym razem jej
się uda, że w końcu dotrze na górę, ale właśnie wtedy jakiś
głos (jej własny?) powiedział: wracaj, wracaj natychmiast do
samochodu. Cofnęła nogę i zastygła. Kierowca, widząc, że
siedzi bez ruchu, powiedział, że widok z wieży najlepiej podziwiać o zmierzchu. I ruszył.

W butiku dowiedziała się, że pytał o nią jakiś mężczyzna.
Przedstawił się podobno jako narzeczony Lucienne Rebaté
i chciał mówić z *mademoiselle*. Panny sklepowe nie pozwoliły mu zaczekać w środku. „Dobrze zrobiłyście – oświadczyła Coco, wychylając swój kieliszek muszkatu i zakładając
z powrotem płaszcz. – Nie mam czasu rozmawiać z każdym,
kto się nawinie, zwłaszcza jeśli jest to mężczyzna. Gdyby się
znowu pokazał, wezwijcie policję".

Postanowiła odszukać Erny'ego w siedzibie Czerwonego Krzyża, gdzie urzędował podczas pobytów w Paryżu. Od
dawna nie mieli okazji spokojnie porozmawiać, a wiadomość
o rozejmie mogła sprzyjać pojednaniu. Coco wiedziała, że
kochanek coraz bardziej się od niej oddala. Często przejawiał
zniecierpliwienie. I to nie tylko z powodu jej przyjaźni z Misią,
którą uważał za prostaczkę z pretensjami do lepszego towarzystwa. W gruncie rzeczy najbardziej doskwierała Erny'emu
świadomość, że Coco oddała mu w końcu te trzysta tysięcy
franków, które pożyczył jej na otwarcie butiku w Biarritz.
Któregoś dnia oświadczyła: „Mam dla ciebie niespodziankę".
Umówiła się z nim w luksusowej restauracji i podczas posiłku, kiedy Erny poszedł do toalety, wyjęła z torebki kopertę
z pieniędzmi i położyła mu ją na talerzu. Myślała, że się ucie-
szy. Nie, nie z pieniędzy, ostatecznie trzysta tysięcy franków
to dla niego drobnostka, ale z tego, że ona, kobieta, odniosła
sukces w biznesie.

Ile kobiet w Paryżu, ba, w całej Francji, potrafiło się w tym czasie samodzielnie utrzymać? Zupełnie mimochodem Coco przerosła wszystkie emancypantki, które w czasach jej młodości krzykliwie domagały się równouprawnienia. Co pomyślałyby o niej znajome z „La Fronde", gdyby mogły ją teraz zobaczyć?

Erny otworzył kopertę i wydobył z niej banknoty. „Rachunki wyrównane – powiedziała Coco. – Teraz każde z nas rozlicza się osobno".

Odtąd w ich stosunki wkradło się coś w rodzaju rywalizacji. W głębi duszy Erny odczuwał bowiem jako osobistą obrazę, że jego ukochana, jego „utrzymanka", może pod koniec dnia tak jak on lecieć z nóg ze zmęczenia (a on powinien szanować jej potrzebę odpoczynku i samotności), skarżyć się na przepracowanie, dźwigać ciężar odpowiedzialności, a nawet wyprowadzić się od niego, kiedy tylko zechce. Nie był zadowolony, że to ona zapłaciła za kolację tamtego wieczoru. Źle znosił jej sławę. Przestał bywać na większości pokazów, bo dość miał aplauzów, które schlebiając Coco, w jakiś sposób podważały jego pozycję. Talent i sukces – świetnie, znakomicie. Ale jeśli dotyczy kogoś obcego, takiego Picassa czy Cocteau, a nie kobiety żyjącej z nim pod jednym dachem. Jednym słowem Erny nie radził sobie z tym, że jego kochanka przestała od niego finansowo zależeć.

Wiadomość o rozejmie już się rozeszła i w Czerwonym Krzyżu wznoszono toasty szampanem. Erny gawędził z kilkoma mężczyznami w białych fartuchach. Coco ujrzała od progu, jak rzucił żart w stronę jakiejś pielęgniarki. Podszedł do niej. Była piękna, młoda, elegancka. Mówiąc, zabawnie krzywiła usta. Erny śmiał się razem z nią, a potem szybkim, prawie niedostrzegalnym ruchem założył jej kosmyk włosów za ucho. Gdy się odwrócił, by zebrać swoje rzeczy, dostrzegł Coco, nieruchomą, niezdecydowaną, niemą. Podbiegł do niej z szerokim uśmiechem. „Słyszałaś?".

Uścisnęli się. Dobrym, czułym uściskiem, jakby chcieli w ten sposób skwitować los dziesięciu milionów poległych, wdów, sierot i inwalidów, naiwnych biedaków, którzy dali się wystrychnąć na dudka właścicielom kapitału i handlarzom armat. Uściskiem bogatym w obietnice. A jednak na twarzy Erny'ego malował się dziwny, wymijający wyraz.

Gdy siedzieli już w samochodzie, trzymając się za ręce, Erny kilkakrotnie zakasłał: był przeziębiony. Coco poczuła niepokój, głuchy lęk. Rodził się w dole brzucha i boleśnie rozpływał po całym ciele. Wbiegła do mieszkania, rzuciła klucze na komodę i zamknęła się w łazience. Siedząc okrakiem na sedesie, czuła wbijające się jej w żołądek miliony szpilek, takich samych, jakimi upinała suknie w pracowni. Wtedy dostrzegła sweter Erny'ego. Podwinęła rękawy, wzięła mydło i zabrała się do prania.

Czy chodziło o pielęgniarkę z Czerwonego Krzyża? O to, że Erny założył jej włosy za ucho? Nie. Takie rzeczy zdarzają się codziennie. Mocniej potarła wełnianą tkaninę. Cóż, może nie codziennie, ale... (Do łazienki dobiegł odgłos szurania. To pani Desboutin zamiatała podłogę w salonie). Ani nawet o bliskość, która zdawała się łączyć tamtych dwoje, bliskość, która nie rodzi się ot tak, w kilka minut, lecz jest owocem wielu, bardzo wielu rozmów.

Tarła i tarła, coraz gwałtowniej. W powietrzu unosiły się mydlane bańki. Z salonu dał się słyszeć szczęk metalowego kubełka, mokre pacnięcie ścierki o podłogę, jakiś hałas. Pani Desboutin przesuwała meble. Ostatnio zrobiła się niezwykle usłużna, uległa w nieznośny, odrażający sposób. Zbierała brudne ubrania, które Coco rozrzucała po całym mieszkaniu, staniki, majtki, bluzki, i rozkładała przed łazienką dywanik, żeby Chudzina nie przeziębiła się, stawiając mokre stopy na zimnej podłodze.

„Masz ochotę na kawę, kochanie? – spytała teraz, stając

w swoim obrzydliwym szlafroku na progu łazienki. – Co ty robisz? Pierzesz? Zostaw, ja to zrobię!".

Bliskość zrodzona z rozmów i chwil spędzonych sam na sam – myśli Coco, ignorując intruza. Choć z drugiej strony nieśmiałość gestu, jakim Erny odgarnął włosy pielęgniarce, mogła świadczyć o tym, że ich znajomość nie zaszła jeszcze za daleko. Wciąż była jakaś nadzieja. Coco zaczęła uderzać swetrem o brzeg wanny i ten ruch, z każdą chwilą silniejszy, sprawił jej dziką rozkosz. Jednak nie, wcale nie o to chodziło. Pani Desboutin pochylała się tak nisko, aż brała chęć, by skręcić jej kark... „A może wolisz herbatkę?".

Erny znów zakasłał. Coco wstała. O, właśnie! To mnie naprawdę martwi – pomyślała, wyżymając sweter: przeziębienie Erny'ego.

Powoli odwróciła się ku pani Desboutin. „Zamknij się, idiotko, i wynos się stąd! – krzyknęła. Nie widzisz, że pan Capel źle się czuje? Nie słyszysz, że kaszle? Jest chory! Bardzo chory! Popatrz na siebie, na ten swój satynowy szlafroczek, przepocony i śmierdzący, myślisz, że jesteś u siebie, co?". I cisnęła w nią mokrym swetrem.

Zadzwonił telefon. Pani Desboutin skurczyła się, zapadła w siebie, a potem nadęła jak żaba, okoploduąc całym powietrzem z płuc. „Ty mnie nienawidzisz!" – krzyknęła, zrywając mokry sweter z twarzy. „Chyba nie wydaje ci się, że mam czas na takie głupstwa" – odparła lodowato Coco.

Telefonowała Misia z zaproszeniem na pojutrze, na kolację, żeby uczcić rozejm. „A poza tym... Ale to niespodzianka" – rzuciła tajemniczo. Tymczasem pani Desboutin znikła w swoim pokoju. Coco przytknęła ucho do jej drzwi. Ze środka nie dochodził żaden dźwięk. Co ona tam robi? – zastanawiała się.

Nazajutrz stawiła się jak zwykle u doktora Jurié. Usadowiwszy się naprzeciw niego, powiedziała, że chciałaby odnależć piękno minionych poranków, bliskość, którą zyskuje się wyłącznie dzięki pieszczotom i bliskości ciał. Dodała, że czuje się naprawdę fatalnie. „Doskonale – odparł Jurié. – Proszę mówić. Proszę mi udowodnić, że nabrała pani do mnie wystarczająco dużo zaufania, by zacząć mówić". Ułożyła się więc wygodnie na kanapce i wyrzygała duszę (tak się jej przynajmniej zdawało). Wyjaśniła, że jest osobą nadzwyczaj niezależną – życie ją do tego zmusiło – i że czasem, cóż, nawet często, przeszkadza jej obecność innych ludzi. Mogłaby się bez nich obyć. Natomiast oni nie potrafią obyć się bez niej. Wolałaby, żeby te wszystkie kobiety przestały się zajmować tym, co ona robi w wolnym czasie i dokąd wychodzi z kochankiem.

Pogardzała nimi, choć ją tak podziwiały i codziennie od rana wystawały przed sklepem na ulicy Cambon, nieruchawe jak ryby w stawie. Nie potrafiły uszanować jej zmęczenia i potrzeby samotności. Uśmiechała się do nich szeroko, owszem, ale w skrytości serca głęboko ich nienawidziła. Tym trudniło się jej serce.

Czego się zatem bała? Nie samej nienawiści, tylko tego „głęboko". „Głęboko". Jak dobrze to znała! Wszystko było „głęboko" i ona też była „głęboko". Chciała tylko samotności. I żeby ludzie przestali się zastanawiać, co ona właściwie robi. „Głęboko", *profondement*. Niektórzy z tym żyją, *profondement*, i *alors profondement*, i *allons enfants de la patrie le jour de la gloire profondement*, i *le jour profondement de gloire*, i *profondement est arrivé, profondement, contra nous la tyrannie**, choć bez nienawiści, rzecz jasna, nikt nie obaliłby Bastylii.

---

* ...*alors*... (franc.) – „...więc głęboko i hej do broni, ojczyzny dzieci, czas wieńcem głęboko, i czas wieńcem chwały głęboko, i czas wieńcem chwały ubrać skroń głęboko, patrzcie, jak krwią ten sztandar świeci" (fragment Marsylianki, przyp. tłum.).

„Nie mogę ciągle ze sobą walczyć, rozumie pan? Obalać mojej własnej Bastylii. Dlatego nakrzyczałam na biedną panią Desboutin, choć doskonale rozumiem, że bardzo potrzebuje ciepła. Z tego samego powodu nie zdobyłam się na to, by powiedzieć jej, że wcale nie śmierdzi potem, mimo że wiem, jak się tym przejmuje".

I dlatego przez ostatnie miesiące zaniedbywała Erny'ego, świadoma, że on błaga ją spojrzeniem o trochę czułości, trochę łaskotek o poranku, trochę śmiechu, może nawet o pocałunek, przed którym uparcie uciekała, może o uścisk, może o pieszczotę. Nawet teraz nie poświęcała mu uwagi, nawet teraz, kiedy był przeziębiony, ba, chory! Ale nie umiała inaczej, to leżało w jej naturze. „Nie mogę się wiecznie buntować przeciw własnej naturze, doktorze Jurié".

Mówiła przez ponad godzinę. Opowiedziała mu też, że czasem robi dziwne rzeczy, na przykład buduje domki z poduszek i chowa się w środku albo szuka ludzi pod klapą pianina, albo podejrzewa Erny'ego o zdradę. A kiedy powiedziała już wszystko, zamilkła. Z niepokojem czekała na komentarz, który nie nastąpił. Wiedziała, że za milczeniem psychoanalityka wiele się kryje, nie wiedziała jedynie – co. Julian Jurié popatrzył jej tylko w oczy, a potem zerknął na zegarek.

„Dlaczego pani tu przychodzi?" – zapytał znienacka, gdy już się zdawało, że wizyta dobiegła końca.

Coco podskoczyła na kanapie. Nie spodziewała się takich uwag. Rozmyślała chwilę nad odpowiedzią. Pytanie dotykało sedna sprawy. Jurié zmieszał ją z błotem, upokorzył. Postanowiła pokonać go inteligencją (a może i wrodzoną bezczelnością).

„Przychodzę tu, żeby zapomnieć" – odparła. „Zapomnieć o czym?". „Zapomnieć o tym, jak mi wstyd, że tu przychodzę".

Jurié poruszył się nerwowo w fotelu.

„A właściwie to chciałam panu opowiedzieć, co robiły moje złe ciotki w wyjątkowo gorące popołudnia" – dodała, już rozluźniona.

Długo rozwodziła się nad pastwiskami, znakomitymi dla koni, ale już nie dla krów, i nad hodowlą wierzchowców na użytek armii.

„Po południu, jeśli było gorąco, ciotki wychodziły na przechadzkę po łąkach, ciągnąc za sobą treny czarnych, wielowarstwowych sukni. A wie pan, co nosiły pod spodem? Nic. Ich majtki suszyły się na sznurze przed domem. Wielkie, poprzypalane żelazkiem majtki. One zaś kucały, wypatrując w napięciu, czy nie ma w pobliżu jakiegoś chłopa, i rozkoszowały się wilgotnym dotykiem trawy na udach. W końcu jedna mówiła z zatroskaną miną do drugiej: »Słuchaj, chyba już czas«. Wtedy ta druga mlaskała, zrywała kłos zboża i opuszczała pośladki na ziemię. I tak siedziały, gryząc pszenicę, a źdźbła trawy gładziły je po cipach. To była ich największa przyjemność: te popołudnia, gdy trawa pieściła im cipy. Niech pan pomyśli: czasem warto żyć dla czegoś takiego".

Jurié nie tylko się nie roześmiał, jak tego oczekiwała, ale w ogóle nie skomentował jej opowieści. Znów spojrzał na zegarek. „To nieprawda – stwierdził – że pani ich nienawidzi: tych wszystkich kobiet, pani Desboutin czy Erny'ego. Przeciwnie: pani ich kocha. Cóż, jeśli to już wszystko, to do jutra".

Wychodząc z gabinetu, Coco wzruszyła ramionami. Ależ on jednak jest bezczelny – pomyślała. Teraz, gdy mógłby mi coś powiedzieć, milczy. Że niby miałabym kochać panią Desboutin? Słuchać to taki słucha, ale za pięćdziesiąt franków na godzinę powinien się chyba zdobyć na więcej.

W zamkniętym samochodzie było nieznośnie gorąco. Na ulicy Cambon jak zawsze warował wierny tłumek. Widząc, jak jej uśmiechnięte admiratorki wspinają się na palce, drepczą i machają rękami, pomyślała, że może jednak nie nienawidzi ich aż tak bardzo. Nie, jednak nienawidzi.

W sklepie dowiedziała się, że narzeczony Lucienne znów się pojawił i nalegał na rozmowę z szefową. Zostawił swój adres – jedna z dziewczyn podała jej karteczkę – na wypadek gdyby *mademoiselle* wolała spotkać się u niego. Coco niedbale wsunęła papierek do kieszeni i zapytała, czy nadeszło zamówienie od Rodiera.

Po powrocie do domu przygotowała Erny'emu gorącą herbatę. „Musisz się wypocić – powiedziała – to podstawa". Przekonywał, że to nic takiego, zwykły katar, ale zdawała się go nie słyszeć. Zaproponowała natomiast, żeby następnego wieczoru poszedł z nią na kolację do Misi. Zgodził się tylko dlatego, że miał tam być również José María Sert, którego znał i bardzo lubił.

Ponieważ od dawna nigdzie się razem nie pokazywali, Coco założyła bardzo wydekoltowaną suknię z gazy, wokół szyi owinęła sznur sztucznych pereł. Wyglądała olśniewająco – przyznał Erny. Poza tym jednak (pomijając zagadkowe: „Musimy porozmawiać, musimy znaleźć chwilę i porozmawiać") ani w czasie drogi, ani na miejscu nie odezwał się do niej nawet słowem.

Zanim wyszli, zadzwonił telefon. Lucienne Rebaté. Coco wyjaśniła jej uprzejmie, że właśnie idą na kolację. Jeśli to nic pilnego, oddzwoni rano. Zresztą cokolwiek to jest, może przecież poczekać. Ale Lucienne nie zamierzała czekać. „Chcę wrócić do Paryża, *mademoiselle*, mój narzeczony się niecierpliwi. Nie mogę z tym zwlekać ani dnia dłużej. Jeśli się pani nie zgodzi, będę musiała... poszukać sobie innej pracy". Coco obiecała się tym zająć i poprosiła o tydzień na znalezienie zastępstwa.

Odwiesiwszy słuchawkę, oświadczyła Erny'emu, że ludzie nie potrafią docenić tego, co mają. „Ta idiotka uparła się i chce wracać do Paryża. Cóż, jeszcze zobaczymy, kto postawi na swoim".

Sert przyjął ich z szerokim uśmiechem. Dłonie miał pobrudzone farbą, na nosie wielkie okulary w szylkretowej oprawie. Usiedli, gdzie się dało – mieszkanie było zagracone neorokokowymi meblami, wszędzie walały się pędzle, gąbki i ściereczki, barwione szyby i próbki do muralu zamówionego przez francuski rząd. Przez ponad pół godziny, czekając na pozostałych gości („Uwaga! Niespodzianka już jedzie" – rzuciła Misia ze złowróżbnym uśmiechem), José Maria dawał popis wiedzy i obycia. Ponieważ wszystkim się interesował, potrafił mówić ciekawie na każdy temat. W tym względzie stanowił zupełne przeciwieństwo Misi, która, według Erny'ego, była pozbawionym zainteresowań pasożytem. Kiedyś, na samym początku znajomości, zapytał ją, czy poza mówieniem lubi jeszcze coś robić. Po dłuższym namyśle odparła, że owszem – tańczyć nago przed lustrem i patrzeć, jak podskakują jej cycki.

Coco również potępiała próżniactwo przyjaciółki i na tym tle często dochodziło między nimi do kłótni. Misia lekceważyła pieniądze (nigdy nie nosiła ich przy sobie, utrzymując, że są ciężkie i śmierdzą) i gdyby nie lokaj, który płacił rachunki za jej plecami, od dawna nie miałaby prawa wstępu do sklepów, teatrów i kawiarni. Świetnie grała na fortepianie, ale w wieku trzydziestu lat postanowiła nagle skończyć ze żmudnymi ćwiczeniami. Nie wyrzuciła instrumentu przez okno, jak Długa Meg; po prostu przestała go używać. Gardziła wytrwałością i uporem, sens życia sprowadzając do plotek, swobodnej żonglerki banałami i wsłuchiwania się we własny głos.

Właśnie w tym celu potrzebowała przyjaciółek. Chadzała na lekcje charlestona, na wystawy niemieckich ekspresjonistów i do domu handlowego Printemps, aby obejrzeć nową pralkę z elektrycznym silnikiem i okrągłym okienkiem z przodu, „cudo, które oszczędza czas i pieniądze". Życie, jej zdaniem, było serią bezładnych i pozbawionych sensu zdarzeń: wojna, pralka z elektrycznym silnikiem czy *Taniec życia* Muncha – co za różnica. Coco powtarzała, że z takim talentem ma obowiązek grać i że życie to ciągłe wyzwania, nawet jeśli z przyczyn finansowo-rodzinnych nie trzeba się zbytnio wysilać.

Za każdym razem, gdy zbaczały na ten temat, dochodziło do wyzwisk. Niemal do rękoczynów. W ruch szły ręce, usta wykrzywiała złość. Leń! Zakompleksiona prowincjuszka! Flądra! I pac otwartą dłonią. I chrapliwy szloch. Na koniec padały na ziemię, jęcząc i sapiąc. A następnego dnia witały się serdecznym uściskiem, jak gdyby nigdy nic. Taka właśnie była ich przyjaźń.

No tak, ale tamtego wieczoru Sert mówił o wszystkim po trosze: o żywotach świętych, cenie pomarańczy, wschodnim wybrzeżu Hiszpanii i kolażu. Po jakimś czasie, przedzierając się przez gąszcz mebli w salonie, nadeszli inni goście: troje Rosjan, dwóch Francuzów i jeden Hiszpan. Wszyscy wrócili właśnie z Rzymu, gdzie pracowali nad baletem *Parada*. Misia przedstawiała każdego po kolei: ten pretensjonalny erudyta to Jean Cocteau, poeta. Ten tu ekscentryczny muzyk nazywa się Eric Satie. A to Massine, choreograf. Potem przyszła kolej na Siergieja Diagilewa, rosyjskiego impresaria w pelisie z foczej skóry, z naszywkami. Czarniawego Hiszpana o żabich oczach Misia zwyczajnie zignorowała. Wzięła tacę z plastrami arbuza (Sert przywiózł go z rodzinnej Katalonii – niesłychany luksus jak na owe czasy) i zaczęła częstować nim gości. Usiedli wokół marmurowego stołu, wgryzając się w soczysty miąższ Hiszpanii, czując, jak owoc wybucha im w ustach niczym bomba z krwi i wody, naszpikowana drobniutkimi nasionkami. Bezimienny Hiszpan ciągle zerkał na Coco. Miał wielkie, czarne, władcze oczy: jak jastrząb gotów runąć na swą ofiarę.

Gawędzili o tym i owym, spierając się, czy Rasputin wyleczył carewicza z hemofilii, czy Lenin, który rozpętał rewolucję, to wariat i czy dekoracje do *Parady* się udały. Rozmawiali też o wspaniałościach Rzymu i o planach na przyszłość, w związku z zakończeniem wojny. W pewnej chwili Sert przeskoczył na temat kubizmu i Coco, dotąd siedząca w milczeniu, poczuła, że oto nadarza się szansa, by zabłysnąć. Zaczęła więc mówić o widzianym kiedyś obrazie. Przedstawiał prostytutki w taki sposób, że zdawały się dotykalne, ciężkie, trójwymiarowe. Tytuł płótna sugerował, że pochodziły z Awinionu, ale to nieprawda – tłumaczyła gościom – w gruncie rzeczy artysta miał na myśli ulicę Aviñón w Barcelonie. Misia poszła do kuchni po kolejną porcję arbuza. Gdy wstawała, zapachniało zwiędłymi różami. Coco zwróciła się wtedy do Hiszpana o wyłupiastych oczach, który gapił się na nią bezczelnie z drugiego końca stołu, i chcąc go przyłapać na niewiedzy, zapytała: „Zna pan ten obraz?".

Picasso nie tylko go znał, ale wręcz namalował. „Znam – odpowiedział – ale chyba nie tak dobrze jak pani". Przyszedł w towarzystwie Olgi Chochłowej, która była w owym czasie jego kochanką – kobiety dobrze urodzonej, pięknej, silnej i upartej (i smutnej – pomyślała Coco, gdy ją zobaczyła). Zaczynał właśnie zarabiać na swoich obrazach. Niedługo przed wybuchem wojny sprzedał na aukcji w Paryżu *Rodzinę linoskoczków*. Monachijska galeria Tannhäuser dała za nią rekordową cenę. W prasie pojawiły się głosy, że oto nieprzyjaciel próbuje zdestabilizować rynek sztuki, spekulując na absurdalnych obrazkach obłąkanych cudzoziemców. Cocteau i Satie też uważali, że źle zrobił, sprzedając się Niemcom. Coco natomiast była zdania, że w takich sprawach wojna nie ma nic do rzeczy, liczy się tylko to, że artysta dzięki swojemu talentowi zyskuje środki do życia i może nadal tworzyć. Zwróciła się w stronę Erny'ego, żeby sprawdzić, czy podziela jej pogląd, ale kochanek zniknął. I gdzie właściwie podziewała się Misia? Jak długo można kroić arbuza?

Tego wieczoru Picasso, zachowujący się wobec wszystkich wyjątkowo opryskliwie, dla Coco zrobił wyjątek i zaprosił ją do swojej pracowni. „Mogłaby mi pani wyjaśnić jeszcze kilka kwestii związanych z moimi obrazami" – rzucił ze złośliwym uśmieszkiem.

Następnego ranka, leżąc w łóżku z Ernym, Coco otworzyła oczy: wyczuła zapach zwiędłych róż. Zapach był zbyt intensywny, by mogły to być perfumy Misi pozostawione na skórze lub włosach Erny'ego. Obejrzała się przez ramię: kochanek spał. Czy to on wydzielał ten zapach? Nie. Wstała. Erny był przecież przeziębiony, bardzo przeziębiony, chory. Trzeba mu przygotować filiżankę gorącego mleka z miodem. Otóż to. Aż do tej chwili nie myślała o słowach rzuconych w samochodzie, ale teraz powracały jak natrętna mucha: „Musimy porozmawiać, musimy znaleźć chwilę i porozmawiać". Porozmawiać? O czym? Erny zakasłał. Był chory, bardzo chory, powinna się nim opiekować.

Odgłosy krzątaniny wywabiły z pokoju panią Desboutin, która wpadła do kuchni jak burza właśnie w chwili, kiedy Coco zamierzała podgrzać mleko. Nieszczęsna kobieta miała na sobie czarną suknię z białym, wykrochmalonym fartuszkiem. Wyrwała filiżankę z rąk Chudziny i zaczęła przepraszać za swoją dwudniową niedyspozycję. Ale teraz to się zmieni, będzie sprzątać i usługiwać, zaraz przygotuje śniadanie. („Jestem taka niewdzięczna, mieszkam tu na cudzej łasce i jeszcze ośmielam się stroić fochy"). A przede wszystkim chciała przeprosić za swój zapach („Wiem, że ciągle śmierdzę, sama czuję ten pot pod pachami, ale nic na to nie poradzę, choćbym się myła i myła, tak już mam"). Coco obrzuciła ją obojętnym spojrzeniem: co za wulgarne brzydactwo. „Pod pachami", jak można się tak wyrażać. „Podaj mi płaszcz, torebkę i rękawiczki. Pospiesz się!" – powiedziała.

Zadzwoniła po szofera i kazała mu podjechać pod dom kwadrans po siódmej. Gdy wsiadała do rolls-royce'a, poczuła na ramieniu czyjąś dłoń: na chodniku stała pani Desboutin. „Czego znowu chcesz?" – zniecierpliwiła się Coco. Tamta milczała przez długą chwilę. „Trzeba uważać z tą przyjaciółką" – szepnęła. „Jaką przyjaciółką – szarpnęła się Chudzina. – O czym ty mówisz, pokrako?".

Kiedy samochód znikał za zakrętem, Erny chrapał w najlepsze, a pani Desboutin znowu wtykała nos pod ramię. Coco postanowiła, że wracając, wstąpi do apteki i kupi Erny'emu jakieś lekarstwa. Otworzyła torebkę, wyjęła pomiętą karteczkę, rozprostowała ją i powiedziała do kierowcy: „Ulica Saint-Placide czterdzieści siedem".

O tej porze cisza dzwoniła w uszach. Synkopowana, agresywna, niemal dzika cisza. Nad dachami unosiły się delikatne dymy. Nie mgła, tylko szarawy dym, przez który prześwitywało słońce. Nierówny oddech szofera. Kiedy dotarli na miejsce, limuzyna miękko wyhamowała. „To tutaj, proszę pani" – rzekł szofer. Trzypiętrowy ubogi dom przy wąziutkiej, mrocznej uliczce. Weszła w bramę. Ustęp, kilka czerwonych kur i staruszek na wiklinowym krześle. Przecięła podwórko (stary ścigał ją wzrokiem) i wspięła się po schodach. Dalej był ciemny korytarzyk. Za nim jeszcze jeden. Śmierdziało gotowanym kalafiorem. Odezwały się dzwony na pobliskim zrujnowanym kościółku. Niecierpliwie zapukała do drzwi, odganiając kurę, która plątała się jej pod nogami.

Otworzył mężczyzna najwyraźniej gotowy do wyjścia. Przyjrzała mu się z ciekawością. Źle ubrany, niski. W nieokreślonym wieku: równie dobrze mógł mieć czterdzieści, jak pięćdziesiąt lat, ale czy to ważne? Kopnęła kurę i weszła. „Jestem *madame de*... – powiedziała. – Przyjechałam, żeby porozmawiać z panem o mojej ekspedientce Lucienne Rebaté".

Marcel Mercy odwiesił marynarkę na oparcie krzesła i głosem potężniejszym, niż można się było spodziewać po jego posturze, zaprosił ją do mrocznego, wilgotnego pokoiku z zaśmieconą glinianą podłogą. „Miło mi panią poznać" – rzekł. W tym momencie zagdakała kura.

Coco chciała rozgryźć intencje człowieka, który zadawał się z jej panną sklepową. Nie pozwoli, żeby powtórzyła się historia z chłopakiem z plaży. Tak powiedziała Marcelowi, stojąc na środku saloniku. „Musi pan wiedzieć – oświadczyła, przesuwając spojrzeniem po nadgniłych belkach sufitu, odrapanych ścianach i wypaczonych oknach – że mam wielu wpływowych przyjaciół, także w policji, i gdybym uznała, że Lucienne dzieje się krzywda, natychmiast wylądowałby pan w więzieniu".

Mercy, wciąż nierozumiejący celu tej dziwnej wizyty, przypomniał, że Lucienne chce wrócić do Paryża.

„Tak. Ona może i chce" – przyznała Coco, wpatrując się w odblask lustra na podłodze. „Cóż – rzekł Marcel Mercy – decyzja należy chyba do niej, prawda?". „Myli się pan – uśmiechnęła się niemądrze Coco. – To raczej sprawa między mną a panem".

Kierując się do wyjścia, rozejrzała się dookoła i przesunęła palcem po zagrzybionej ścianie, z której płatami odpadała farba. „Przydałoby się ją odmalować. Zresztą nie musi pan tu mieszkać. Jest tyle nowych domów w Paryżu. Mam na oku kilka dobrych lokali. Tylko że są raczej... jednoosobowe".
„Pani nie przyszła do mnie z troski o przyszłość Lucienne – powiedział Mercy. – Przyszła pani, żeby mnie przekupić".
„Czy nie wszystko jedno, jak to ujmiemy?" – spytała Coco.

Przez cały dzień pracowała, bez ustanku rozmyślając

o Ernym i jego katarze (chorobie, chorobie, nie – katarze). Akurat dostarczono materiał na sukienkę koktajlową. Wspaniałą, luksusową tkaninę. Coco odrzuciła ją jednak. „Im bogatsza suknia, tym skromniej powinna wyglądać" – powiedziała swoim pracownicom.

O trzeciej piętnaście zrobiła sobie krótką przerwę na herbatę we Fleurs na Faubourg Saint Honoré. Na ulicach panował ścisk, cały Paryż zdawał się wywrócony do góry nogami.

„Co się tu dziś dzieje?" – spytała, wchodząc do kawiarni. „Nic pani nie wie, *mademoiselle*?".

Na zwołaną właśnie Radę Czterech przybył premier Wielkiej Brytanii Lloyd George, prezydent Stanów Zjednoczonych Wilson, szef rządu włoskiego Orlando, no i oczywiście Clemenceau.

We Fleurs Coco spotkała jedną ze swoich „lalek", hrabinę Chevigné, kobietę o zachrypniętym od papierosów głosie i zakrzywionym nochalu, który przydawał jej profilowi ptasiego wyrazu. Hrabina uparła się, by zaprosić ją na przekąskę („Niech pani coś je, u licha! Od tej ciągłej pracy wygląda pani jak wróbelek"). Zanim się pożegnały, stojąc na ulicy, Chevigné powiedziała: „Byłam na herbacie z tą pani Polką". „Moją Polką?" – zdziwiła się Coco. „Tak. I muszę wyznać, że nie spodobała mi się. Wcale, ale to wcale. Wiem z dobrego źródła, że to specjalistka od rozbijania małżeństw. Wypytywała mnie o panią, ale powiedziałam:»Proszę pani, czy ja wyglądam na agencję detektywistyczną?«".

W drodze powrotnej do butiku, stukając obcasami po bruku, Coco pomyślała z nagłą ulgą: Erny zamierza poprosić mnie o rękę. Tak, na pewno o tym chciał porozmawiać w samochodzie. Nie wywodziła się wprawdzie z arystokracji, nie była ani zbyt inteligentna, ani zbyt głupia, ale z pewnością nie była też przeciętna. W przeciwnym razie Erny nie zrezygnowałby z marzenia o żonie z dobrze brzmiącym nazwiskiem.

Wyobraziła sobie, jak mówi jej, siedząc w fotelu i przesadnie gestykulując: „Tak, mimo wszystko kocham cię". Poczuła się lekka. Szczęśliwa. Zgodzi się. Biedny Erny, taki przeziębiony, taki chory. Wprawdzie małżeństwo jest głupią instytucją, ale ona się zgodzi. Przez resztę popołudnia rozmyślała o swoim ślubie, sukni, przyjęciu, gościach i o tym, co powie Misia. O szóstej zadzwonił Erny. „Dobrze się czujesz?" – spytała pospiesznie. „Dobrze – odparł. – Mówiłem ci, że to zwykły katar". Nalegała: „Naprawdę?". „Chciałem się tylko upewnić, że wracasz zaraz po pracy. Musimy porozmawiać".

Przyjęcie urządzimy skromne – postanowiła, usadowiona na miękkim fotelu rolls-royce'a, wyglądając z uśmiechem przez okno.

W domu zastała Misię pogrążoną w rozmowie z panią Desboutin. „Och, kochanie, jak ci się podobał Picasso?!" – wykrzyknęła przyjaciółka na jej widok. Zapaliła ciemnego francuskiego papierosa i kilka razy krótko się zaciągnęła, wypuszczając cienkie smużki dymu, wyraźnie widoczne w ostrym, elektrycznym świetle. Nie czekając na odpowiedź Coco, zwróciła się do pani Desboutin, która wydawała się jakaś nieswoja, albo raczej zmrożona, pozbawiona wyrazu. Brzydka. Obłudna. Piły alkohol (właściwie piła Misia, kieliszek pani Desboutin był pełny) i rozmawiały (właściwie mówiła Misia, pani Desboutin nie odzywała się ani słowem) o mężczyznach. Nie ulegało wątpliwości, że to Misia wybrała ten temat i że świetnie się bawi.

Coco zostawiła swoje rzeczy i poszła się przebrać. W sypialni stało zdjęcie Erny'ego. Małżeństwo – pomyślała. „Pani Capel – powiedziała na głos, z lekkim uśmiechem. – Brzmi nieźle". Rozbierając się, słuchała dobiegającej z salonu paplaniny. Doszła do wniosku, że Misia jest w gruncie rzeczy milczkiem. Milczkiem bojącym się ciszy. I że te dwie – Misia i pani Desboutin – są wbrew pozorom bardzo do siebie podobne, choć to wydaje się nieprawdopodobne. Krańcowo różne, czerpały jednak niezaprzeczalną, perwersyjną przyjemność ze swoich spotkań. Misia nacierała uzbrojona w kpinę, nieprzyzwoitość, tupet i dwuznaczne aluzje. Pani Desboutin broniła się milczeniem.

Coco zatrzymała się w pół kroku. Na komodzie leżały łańcuszki i bransoletki, które nie należały do niej. Należały do Misi. Nie miała czasu się zastanowić. W tym momencie z salonu dobiegł bowiem głos przyjaciółki, która pytała panią Desboutin, jaką stosuje metodę, czy używa rąk, czy raczej języka, dopóki nie poczuje, że „ta rzecz" flaczeje. Po krótkiej ciszy (Coco, zastygła metr od komody, nie spuszczała wzroku z łańcuszków i bransoletek) odezwała się pani Desboutin: „Flaczeje?". I zaraz potem, jakby straciła całą samokontrolę, jakby obłuda i brzydota opadły z niej niczym kostium, odsłaniając tę inną, uszminkowaną i rozpaloną od żądz, dorzuciła: „Ma pani na myśli...?". Coco przycupnęła na łóżku. Siedziała tak przez chwilę ze skamieniałą twarzą i rękami złożonymi na kolanach. Tego już za wiele – pomyślała. Skąd się wzięła u niej w pokoju biżuteria Misi? I dlaczego musi wysłuchiwać takich świństw we własnym domu? Chciała krzyczeć, wezwać policję, donieść, że ukrywa się u niej bardzo zła kobieta, ale siedziała dalej, z potarganymi włosami, nasłuchując.

Potem wzięła łańcuszki i bransoletki z komody i wyszła na korytarz.

Z ust prawdziwej pani Desboutin wylewały się potoki wstrząsająco obscenicznych słów. Teraz milczała Misia.

Coco wkroczyła do salonu. Bez słowa, ale też bez zajadłości, schwyciła panią Desboutin za kok i wyrzuciła ją za drzwi jak worek kartofli. Misia zauważyła swoje ozdoby i wyszarpnęła je Chudzinie z rąk. („Och, widocznie zostawiłam je w łazience, gdy myłam ręce"). Nie dopuszczając Coco do słowa, poprosiła: „Wykradnij dla mnie kiedyś tę puszkę ze zdjęciami z pokoju starej. Muszę je koniecznie obejrzeć".

Coco chciała zaprotestować, przypomnieć, że biżuteria leżała na komodzie, a nie w łazience, kiedy wszedł Erny. W korytarzu bezwładnie leżała pani Desboutin. Wpatrywała się w ścianę i szczękała zębami. Misia rzuciła: „Cześć, kochanie" – i umknęła jak szczur. Zapadło pełne napięcia milczenie.

„Masz zapalenie płuc – powiedziała pospiesznie Coco. – Widać, że nie jesteś zdrowy. Nie męcz się, nie ruszaj, najlepiej się połóż. A przede wszystkim nic nie mów". „Nic mi nie jest. Już ci mówiłem, że to zwykły ka...". „Jesteś chory! – krzyknęła. – Bardzo chory. Nic nie mów, na litość boską, nic nie mów!".

Ale Erny nie musiał nic mówić. W jego oczach Coco wyczytała to, co w głębi duszy wiedziała od spotkania w Czerwonym Krzyżu.

11

Wiedziała i oszukiwała samą siebie jak dziecko. Tak jak wie, że kula prędzej czy później (prędzej czy później?) nadleci.

Tamtej nocy oczy Erny'ego krzyczały: nie chcę cię stracić, ale mam zamiar ożenić się z córką angielskiego lorda, bo ty nie masz dość klasy ani takiej pozycji, żeby zostać moją żoną.

Na wysłanym dywanami korytarzu Ritza (1, 3, 7...), obok windy, która nie nadjeżdża, twarzą w twarz z niezidentyfikowaną jeszcze zabójczynią (kula nadlatuje z ogromną prędkością), Coco znów widzi tamte oczy (zwężone źrenice w otoczeniu zielonych tęczówek wznoszących się ku niebu i krzyczących, krzyczących).

W owym czasie na ulicach Paryża widywało się coraz więcej kobiet z płaskim biustem i psem na smyczy, samodzielnych i swobodnych jak nigdy wcześniej. Ona, *madame de...*, cieszyła się ogólnym podziwem jako twórczyni nowego stylu w modzie damskiej. Rysy twarzy wyostrzały jej się stopniowo, z każdym dniem mocniej ujawniała się jej duma i sarkazm, twórczy geniusz i niszcząca złość skierowana przeciw całemu światu.

Kobiety dawały się uwieść prostocie, nosiły spódnice bez zapięć (przynajmniej prawdziwych zapięć – myśli Coco pięćdziesiąt trzy lata później), kopertowe sukienki, takie same z przodu i z tyłu. Stary kontynent, Francja, Paryż – wszyscy byli wycieńczeni, ale łaknęli rozrywki, odmiany, lekkomyślności. Ludzie chcieli zapomnieć o wojnie, chcieli się bawić.

W domach stopniowo pojawiały się miksery, lodówki, suszarki do włosów, do łask wracały wachlarze z piór, na salonach królowały fifki, wieczorowe szale obszyte futrem leoparda lub małpy, radio, jazz i charleston, a oczy Erny'ego nie przestawały krzyczeć. Fowiści epatowali wściekłymi kolorami. Zebrani pod egidą Cocteau, weseli i pomysłowi młodzi ludzie: Raymond Radiguet, Jean Hugo, Satie, Aragon, Breton, Tzara, Brancusi, Picasso, Paul Morand i Picabia, biesiadowali co sobota w restauracji na placu Madeleine. Tam dyskutowali o pomysłach, które potem miały wzbudzić tyle emocji, tam też pewne studenckie pisemko założone przez Marcela Ravala zamieniło się w słynne „Les Feuilles Libres". Tu i ówdzie napomykano już o futuryzmie i o piżamach z chińskiej krepy, a oczy Erny'ego krzyczały: Diana. Diana Lister Wyndham, dwadzieścia cztery lata, wdowa, słodka, pogodna kobietka – całkowite przeciwieństwo Coco – pielęgniarka, córka lorda Ribblesdale'a.

Pięćdziesiąt jeden lat później Chudzina grzebie w swojej pamięci jak w starym zakurzonym kufrze. Co poczuła, gdy dowiedziała się o zaręczynach? Prawdę mówiąc – nic. W kufrze pamięci nie ma gniewu, zdumienia, goryczy, zazdrości czy strachu. Nie poczuła się zdradzona, odepchnięta, nic nieznacząca, pomniejszona. Zwyczajnie nic nie poczuła. A może jednak? Tak, poczuła coś jak pękanie łamanych przez wiatr gałęzi – mówi sobie na korytarzu Ritza, podnosząc na chwilę wzrok, by przejrzeć się w ściennym lustrze (skurczona, prawie łysa, z wychudłymi rękami, straszna i wspaniała), coś jak kruszenie się liści pod butem, dalekie falowanie podziemnej rzeki, może ciepło ziemi.

Mieszkała z Ernym od ośmiu lat, a kiedy usłyszała, że jej ukochany żeni się z inną kobietą – prawie dzieckiem – którą poznał w czasie wizyty na froncie pod Arras, poczuła tylko tyle. Czasem Misia krytykowała tę jej surowość, obojętność (raczej dystans) w stosunku do ludzi i świata. Mówiła: „Płacz, popłacz sobie czasem, dobrze ci to zrobi. Płacz oczyszcza". Ale Coco nie płakała. I nie zamierzała już nigdy kochać nikogo na tyle, by jego utrata mogła ją zaboleć. Zamiast kąpać się we łzach – budowała tamy, zapory. Kiedy Erny powiedział jej, że żeni się z inną, wyszła na korytarz. Pani Desboutin wciąż tam leżała, szczękając zębami. Coco pomogła jej wstać. Powiedziała: „No, już po wszystkim".

Całe szczęście był Julian Jurié, któremu mogła opowiedzieć o pękających gałęziach i ciepłej ziemi. Całe szczęście słuchał, gdy mówiła o swoich naiwnych podejrzeniach, że Erny romansuje z Misią, podczas gdy on myślał o małżeństwie z córką lorda. Biedna Misia, najlepsza przyjaciółka, skrzywdzona złą myślą. „Jak to: nic pani nie czuje – dopytywał się Jurié. – Zobaczymy. Na razie zostawmy to i wróćmy do początku. Proszę mi opowiedzieć o swojej matce. Tym razem prawdę. Proszę sobie wyobrazić, że to jest nasze pierwsze spotkanie".

„Tylko co ma z tym wszystkim wspólnego moja matka?".
Matka, matka, matka – papierowe słowo. Wspominanie, patrzenie wstecz nieodmiennie wiązało się z odkrywaniem, wydobywaniem na światło dzienne pocerowanych ubrań i niemowlęcych smarków, skołtunionych włosów, dziurawych garnków i wyszczerbionych guzików – tego przenośnego straganu z kłótniami i kuksańcami, śmierdzącego kurzem i przypalonym mlekiem.

Tamtego dnia zadzwoniła do Juliana Jurié i poprosiła o pilne spotkanie. Nie potrafiła ani sekundy dłużej znieść swojego odrętwienia, poczucia, że nie jest panią samej siebie. Jednak o matce nie mogła mówić. Nie umiała. Usta nie chciały się otworzyć, przez głowę przelatywały bolesne obrazy. Wiedziała – bo usłyszała o tym od „wujka", który przyszedł odwiedzić je kiedyś u sióstr – że matka zeszła wtedy w dół rzeki Lot, przez lasy, sady i winnice, przeskakując ogrodzenia, do sąsiedniego miasteczka Bort-du-Cogny, żeby odszukać tego drania, swojego męża, a ich ojca. Była w ósmym miesiącu ciąży i musiała na piechotę pokonać wapienne wąwozy, całkowicie odludne, odwiedzane jedynie przez drapieżne ptaki. Zanim dotarła na miejsce, zapadła noc. Stopy Jeanne krwawiły, ubranie zwisało w strzępach. Las trzeszczał.

Stanęła przed tawerną. W progu jakaś kobieta skubała starą kurę. Nie odrywając się od swego zajęcia, powiedziała: „Jest tam" – i wskazała na wnętrze. Jeanne stała przez chwilę w księżycowym świetle, próbując opanować bicie serca.

O tym wszystkim opowiedział im „wujek": o księżycowym świetle, czerwonych kurzych piórach i biciu serca.

Teraz jednak te powtarzane po wielekroć słowa były jak zasłona oddzielająca córkę od matki. Matka, matka. Matka ukryta w sztucznym pejzażu wapiennych wąwozów i winnic, pod przebraniem z poszarpanych o gałęzie sukien.

Dopiero pięćdziesiąt jeden lat później, czekając w korytarzu luksusowego paryskiego hotelu, aż kula uderzy w jej czoło, Coco pojmuje w pełni, jaką odwagą wykazywała się przez całe życie jej matka. Ojciec był kretynem, nieuleczalnym, skończonym kretynem i nawet tego nie ukrywał, w przeciwieństwie do Ernesta Capela, jej ukochanego, angielskiego dżentelmena. Ten ukrywał. Jeszcze jak! Bo w gruncie rzeczy niczym nie różnił się od reszty. On, taki w jej oczach dobry i solidny, runął ze swego piedestału w błoto trywialnego romansu i jeszcze bardziej trywialnego małżeństwa z rozsądku. On, taki zawsze godny i nienaganny, zagrał jak zwykły oszust. On, który tak starannie unikał wszelkiego brudu (fizycznego i duchowego), siedział teraz po uszy w bagnie. W rzeczywistości nie był w niczym lepszy od jej ojca, wioskowego pijaczyny. Może właśnie to ją w nim tak pociągało.

Powiedział, że się żeni, ale nie chce jej stracić i ma nadzieję, że wszystko zostanie po staremu. I wszystko zostało po staremu, choć teraz Coco wiedziała już, co znaczy nic nie czuć.

Równie mało czuła na myśl o swoim skandalicznym zachowaniu wobec pani Desboutin. Następnego ranka, pomna na prośbę Misi, odwiedziła dawną opiekunkę w jej pokoju. Pani Desboutin siedziała nieruchomo, z dłońmi splecionymi na podołku, oczami wbitymi w ziemię i surowo zaciśniętymi ustami, a ona krążyła po sypialni, wzgardliwie roztrącała przedmioty, otwierała szafy i komody, kartkowała książki z sekretarzyka, sprawdzała palcem, czy na meblach nie ma kurzu. Jak gdyby szukała pretekstu, by jeszcze bardziej ją upokorzyć. Na koniec, w teczce leżącej na nocnym stoliku, odkryła gruby plik wycinków z gazet i magazynów: „Marie Claire", „Vogue", „Harper's Bazaar". We wszystkich była mowa o Coco. I jej zdjęcia: z Ernym w restauracji, przy pracy, na pokazie mody wiosenno-letniej. Wskazując je palcem, powiedziała (mogła powiedzieć cokolwiek, nie o to chodziło): „Żądam wyjaśnień".

Pani Desboutin spuściła głowę jeszcze niżej i siedziała w milczeniu, szukając odpowiednich słów. Potem, ze ściśniętym gardłem, wyznała, że trzyma te wycinki, bo ją podziwia, zawsze ją podziwiała. Już wtedy, gdy pracowały razem w sklepie Grampayre, czuła, że Chudzina ma niezwykły talent i potencjał, rzadko spotykaną charyzmę i przekonanie o własnej wartości. Wszystko, co się z nią wiązało, było doskonałe. Nawet jej zapach. ("Żadnego smrodu potu spod pach!"). Mówi to teraz, bo wcześniej nie miała okazji. Zresztą może i miała, ale... Cóż, prawdę mówiąc, nie potrafiła. Nie potrafiła, bo zawiść, skrywana za fasadą powściągliwości, zawiść i żółć zaklejały jej usta jak plaster. Ona, Gertrude, też marzyła o tym, żeby się wybić, zostać słynną projektantką, zrewolucjonizować modę, zwrócić wolność kobiecemu ciału, ale teraz, na starość, zrozumiała, że talent nie spływa z nieba, nie można go w sobie wyhodować, trzeba się z nim urodzić. Sukces osiągamy dzięki temu, czego nas nigdy nie uczono.

Dlatego nie mogła się powstrzymać i kolekcjonowała te zdjęcia, od samego początku, od kiedy Coco odeszła ze sklepu. Miała jakieś pięćset wycinków, w razie czego może je wszystkie pokazać, niektóre są z pewnością bardzo rzadkie...

Coco słuchała tych wynurzeń z obraźliwą obojętnością (ale z rozdętymi nozdrzami i zmarszczonym czołem). Na zakończenie, kiedy pani Desboutin za swoją gorzką spowiedź oczekiwała co najmniej uścisku, wymierzyła jej mocny policzek.

Nie czuła też nic – no, może poza odrobiną lęku – gdy u wyjścia z Gaieté Lyrique po raz drugi spotkała się z Marcelem Mercy, narzeczonym Lucienne. Był wiosenny wieczór, ciepły i aksamitny. Razem z Misią i brzydalem Sertem wybrała się na *Paradę* – spektakl, którym Diagilew chciał udowodnić, że rosyjski balet nie jest sztuką skostniałą. W muzyce skomponowanej przez Satiego obok stukotu maszyny do pisania, wystrzałów i buczenia syren okrętowych dało się wychwycić coś, co bardzo przypominało ragtime. Picasso namalował kurtynę, w interesujący sposób łącząc elementy kubistyczne i tradycyjnie figuratywne. Ogromny obraz przedstawiał widoczną na tle ozdobnych kulis grupę ludzi: arlekina, torreadora, parę zakochanych, marynarza, Maura i akrobatę. Choć był płaski, widzowie odnosili wrażenie trójwymiarowości.

Teatr pękał w szwach, dobre towarzystwo mieszało się z gorszym, małżonka księcia Sixta Burbon-Parma i hrabina Doudeauville sąsiadowały z dziewczętami podejrzanej konduity, a mieszczańscy dorobkiewicze – z wodewilowymi artystami. Misia, Coco i Sert bili brawo na stojąco. Wtedy wśród widowni rozszedł się głuchy pomruk, ktoś zagwizdał i krzyknął: „Picasso, ty szwabska świnio!". Tak karano go za sprzedaż *Rodziny linoskoczków* monachijskiej galerii.

Marcel Mercy ujrzał Coco, gdy wchodziła do budynku ubrana w czarny kostium z białym kołnierzykiem, z zamotanym wokół szyi sznurem pereł. Czekał na nią przez półtorej godziny, paląc papierosa za papierosem. Podszedł, korzystając z okazji, że Misia i Sert zajęci są rozmową z Diagilewem. Rozpoznała go od tyłu. Rozejrzała się dyskretnie i szepnęła: „Co pan tu robi?".

Mercy nie owijał niczego w bawełnę: wspominała coś o jakimś mieszkaniu, prawda? Obrzuciła go taksującym spojrzeniem. „Widzę, że nabiera pan rozumu. Proszę przyjść jutro na ulicę Cambon" – powiedziała i odwróciła się do niego plecami.

Odszukała Diagilewa, który czekał na nią z nadzieją w oczach, uśmiechnięty i wyświeżony; na jego krawacie w grochy połyskiwała wytworna spinka. Coco wyznała, że jej przykro, ale niestety, nic nie rozumie z tego baletu.

I nie poczuła nic – no, może odrobinę słodkiego żalu –

również trzy dni później, gdy Lucienne Rebaté zadzwoniła do niej z wiadomością, że za pieniądze z jakiegoś spadku narzeczony kupił nowe mieszkanie i za tydzień mają się do niego wprowadzić. Postanowili się pobrać. Coco złożyła jej gratulacje, przestrzegając jednak, by uważała, bo chociaż intencje pana Mercy wydają się dobre, porzucanie dla niego domu i pracy może okazać się ryzykowne. „Oby nie powtórzyła się tamta historia" – dodała. „Niech się pani nie martwi – odparła Lucienne. – Tym razem wszystko będzie dobrze".

Nic. Nawet litości, pogardy czy odrazy, kiedy Lucienne zjawiła się w butiku przy ulicy Cambon w przejrzysty wiosenny poranek 6 marca – cała we łzach. Coco przyszywała właśnie guziki do żakietu. Podniosła wzrok i zobaczyła ją przez okno: brzydką, czerwoną od płaczu, uczepioną walizeczki jak brzytwy. Zwilżyła nitkę śliną i podjęła przerwaną pracę.

Po chwili miała Lucienne na krześle przed sobą. Jej pierwsze słowa brzmiały: „Historia się powtarza, proszę pani. Wróciłam do Paryża, zostawiłam wszystko, co pani zawdzięczam, a on wystawił mnie do wiatru. Wszyscy mężczyźni są tacy sami". Coco przytuliła ją, a potem wzięła za rękę.

Okazało się, że Lucienne pojechała na ulicę Saint-Placide, tak jak to ustaliła z narzeczonym. Zapukała do drzwi dwa albo trzy razy. Sąsiadka wyjaśniła jej, że Marcel przeprowadził się dzień wcześniej do nowego mieszkania (słysząc te słowa, „nowe mieszkanie", Coco coś jednak poczuła: dziwną i okrutną satysfakcję, tak, właśnie to: satysfakcję) i nie zostawił dla nikogo żadnej wiadomości.

„Cóż – stwierdziła Chudzina – znajdziesz sobie kogoś lepszego niż ten łajdak".

Lucienne poderwała głowę. „Nie – powiedziała powoli. – Minęło dwadzieścia dziewięć lat. Teraz minie pewnie kolejne trzydzieści, Bóg jeden wie, czy nie więcej, wszystko jedno. Ja już nikogo nie szukam".

Coco wykazała nieskończoną wyrozumiałość – ona, istne ucieleśnienie wszelkich cnót – mówiąc, że znalazła wprawdzie kogoś na miejsce Lucienne w Biarritz, konkretnie swoją siostrę Antoinette, której notabene bardzo by się przydała zmiana powietrza, ale zobaczy, co da się zrobić. Potem poszły razem na obiad do Fleurs. Po zupie pomidorowej, kabaczkach i litrach łez Lucienne zapytała o jej związek z Ernym. Coco już zamierzała odpowiedzieć, że wszystko dobrze, doskonale (wobec ekspedientek zawsze zachowywała kamienną twarz, jakby nic jej nie dotykało, jakby nigdy nie zmoczył jej zimny prysznic życia), gdy niespodziewanie dla samej siebie przyznała, że wszyscy mężczyźni to dranie. Erny też, skoro żeni się z niedawno poznaną córką lorda.

Nazajutrz Lucienne wsiadła do tego samego pociągu, który przywiózł ją do Paryża, i z nosem przyklejonym do szyby rozmyślała nad tym, że już nigdy nie zaufa żadnemu mężczyźnie. Wracała do Biarritz. Coco przyjęła ją z powrotem do pracy, tyle że na gorszych warunkach, aby z jej pensji wykroić rekompensatę dla Antoinette. Dwa tygodnie później zadzwoniła z wiadomością, że Marcel był u niej i składał nowe obietnice, próbując ją podburzyć przeciw Coco, opowiadając absurdalną historyjkę o przekupstwie.

Misia, powiadomiona o tym, co zaszło, nie posiadała się z zachwytu. „Jesteś jeszcze gorsza niż ja" – zapiszczała.

Coco powiedziała jej, że choć między nią i Ernym wszystko zostaje po staremu, zdecydowała się od niego wyprowadzić.

Tak się złożyło, że jeden ze znajomych Misi zwalniał akurat mieszkanie, bo przenosił się do innej dzielnicy. Mieściło się na poddaszu domu, który od 1870 roku służył za magazyn herbaty, a na początku XX wieku, jako jeden z pierwszych w Paryżu budynków przemysłowych, został przerobiony na eleganckie apartamenty. Miało dwa poziomy i przepiękny widok na Sekwanę i Trocadero. Zanim zajął je obecny właściciel, przez kilka lat stało puste. Filary z lanego żelaza wznosiły się na wysokość dwóch kondygnacji. Na dole był przedpokój, kuchnia, schody, przeszklony taras i wspaniały, przestronny salon z kominkiem. Jednakże największe wrażenie zrobił na Coco urządzony w stylu *art nouveau* hol na parterze budynku. Umieszczone nad bramą stylizowane litery układały się w nazwę rezydencji, pod nimi zaś pysznił się zdobny w geometryczne i roślinne wzory tympanon. Barierki z kutymi żelaznymi liśćmi, malowane na oknach, ścianach i sufitach maki, lilie, wierzby płaczące, algi i trawy morskie, ważki i mewy – wszystko to sprawiało, że wchodząc tam, niemal czuło się gorzki, wilgotny zapach ziemi.

Również Misi zawdzięczała Coco nową polską pokojówkę, sumienną, godną zaufania dziewczynę ze wsi, Marie, która służyła u niej potem przez lata. Teraz, w Ritzu, musiała się bez niej jakoś obyć. Ale Misia nic nie robiła za darmo. Było coś, czego zażądała w zamian. Czego chciała, skoro miała wszystko? Ni mniej, ni więcej, tylko cynowej puszki pani Desboutin. Pragnęła choć raz obejrzeć zatłuszczone zdjęcia oficerów. Potem oczywiście je zwróci, właścicielka nie musi o niczym wiedzieć.

Prawdę mówiąc, na tym etapie swojego życia Coco nie miała pojęcia, co począć z panią Desboutin. Przeprowadzkę zaplanowała za dwa tygodnie i nie wyobrażała sobie tak uciążliwego gościa w nowym miejscu.

Ulegając namowom Misi, odszukała puszkę, co zajęło jej zresztą dobre pół godziny, ponieważ stara spryciula ukryła swój skarb w podwójnym dnie walizki, razem z kolekcją koronkowych majtek i staników. Coco wyjmowała je po kolei i odkładała na łóżko – wszystkie pogryzione przez mole.

Zdjęcia wypożyczyła przyjaciółce tylko na jedno popołudnie. Misia przez kilka godzin oglądała podobizny brodaczy i gołowąsów, młodzików i staruszków, grubasów i chudzielców – w sumie ze dwadzieścia fotografii brudnych od pocałunków – świetnie się przy tym bawiąc. Pani Desboutin niczego nie zauważyła.

Terapia u psychoanalityka biegła swoim trybem. Coco nie opowiadała już o złych ciotkach, właściwie skupiała się teraz tylko na upływie czasu i na motylach. W końcu pewnego dnia wiecznie milczący doktor Jurié przemówił. Odzywał się tylko wtedy, gdy uważał, że jego słowa będą cenniejsze od ciszy. „To, co pani czuje do ludzi, to nie jest nienawiść, jak pani kiedyś stwierdziła, tylko strach. Strach, że straci pani w ich oczach. Pani serce potrzebuje ciepła jak każde inne. – I dodał: – Może wstydzi się pani być kobietą, czuć po kobiecemu?".

„Ciepło – prychnęła Coco na ulicy. – Sam potrzebujesz ciepła, mazgaju".

Tego samego dnia, wszedłszy do mieszkania, znalazła panią Desboutin siedzącą na sofie ze swoją skórzaną walizeczką przy boku. Prawy kącik jej ust lekko drgał. O co chodziło tym razem? Coco rozejrzała się dookoła. Mieszkanie było nieposprzątane. W powietrzu nie unosił się, jak zazwyczaj, zapach środków czyszczących wymieszany z wonią pieczonego mięsa. Porozrzucane ubrania, śmieci na podłodze. Na stole resztki kolacji. Coco natychmiast przystąpiła do ataku, mówiąc, że tak dalej być nie może, że się starała, ale nadeszła pora zmian. „Skoro już się spakowałaś, to świetnie, możesz się wynosić od razu. Dziś, natychmiast!" – zażądała. „Brakuje jednej" – powiedziała pani Desboutin, nie zwracając uwagi na jej słowa.

Coco chodziła po mieszkaniu, szukając pewnego magazynu, w którym widziała inspirującą tweedową marynarkę. W końcu znalazła go na podłodze w łazience. Rzuciła się na łóżko w sypialni i przez chwilę kartkowała czasopismo. Kiedy wróciła do salonu, pani Desboutin siedziała w tym samym miejscu, bez ruchu, z rękami splecionymi na podołku, wydzielając okropny zjełczały zapach.

„Brakuje jednej" – powtórzyła. „Nie rozumiem" – rzuciła Coco niedbale.

Pani Desboutin otworzyła walizkę, wyrzuciła z niej jakieś szmatki i wyjęła cynową puszkę. „Brakuje jednej fotografii" – oświadczyła.

Na widok puszki Coco wzdrygnęła się mimo woli. Co za idiotka z tej Misi! Po co jej było to cholerne zdjęcie? Pani Desboutin patrzyła groźnie. „Było dwadzieścia – stwierdziła spokojnie. – Teraz jest dziewiętnaście. Brakuje pułkownika z siódemki. Z siódmego pułku lekkiej jazdy" – wyjaśniła drżącym głosem.

Coco odparła, że pewnie coś jej się pomyliło, może sama zgubiła to zdjęcie, a może w ogóle nie istniało, tak jak nie istniał ten jej pułkownik z siódemki. Ale pani Desboutin twardo obstawała przy swoim. Z wykrzywioną twarzą powtarzała, że fotografii było równo dwadzieścia, że liczyła sto razy i przeszukała każdy kąt. Nie ulegało wątpliwości, że to dla niej sprawa życia i śmierci. Co najmniej. I że nie popuści. Niespodziewanie zamknęła puszkę, schowała ją do walizki, wstała i ruszyła do drzwi. „Nienawidzisz mnie – powiedziała od progu. – Nawet jeśli starasz się nie mieć czasu na takie głupstwa. – I dodała: – Teraz i ja cię nienawidzę".

Znikła za drzwiami ze swoją walizeczką, nie mówiąc nic więcej i szukając po kieszeniach chustki do nosa.

Coco odwróciła się na pięcie. Idąc do sypialni, w lustrze w korytarzu dostrzegła swoje odbicie. Miała siwy włos, na Boga! Wyrwała go bez zastanowienia.

Gdzie się podziało to zdjęcie? Wieczorem pojechała do Misi. Po dłuższym czasie przyjaciółka niechętnie przyznała, że nie potrafiła oprzeć się pokusie i przywłaszczyła sobie zdjęcie wyjątkowo przystojnego pułkownika z siódemki.

Coco zażądała zwrotu fotografii. Bała się, że pani Desboutin po nią wróci. „Nie mam jej – powiedziała Misia. – Przysięgam na prochy ojca, że ją zgubiłam. Schowałam do szuflady z majtkami, ale znikła".

Stosunki z Ernym, podobnie jak kiedyś z Liébardem, nie uległy większej zmianie. Coco oświadczyła, że znalazła mieszkanie, a on pomógł jej w przeprowadzce. Po perfumach albo butach poznawała, czy widział się ze swoją pielęgniarką, ale nigdy nie poruszali tego tematu. Było tak, jakby życie tego człowieka, bogatego przedsiębiorcy, przyjaciela Clemenceau, gracza w polo, pachnącego końskim potem i płynem do czyszczenia siodeł, zaczęło się dopiero po zaręczynach. Erny Capel znalazł wreszcie swoje miejsce w życiu i społeczeństwie. Nadszedł właściwy moment: należało ożenić się z odpowiednią kobietą, co najmniej córką lorda, założyć rodzinę. W jakiś sposób Coco czuła, że go rozumie.

Pewnej niedzieli, gdy zadomowiła się już w nowym mieszkaniu, odebrała telefon. Dzwoniła Antoinette z wiadomością, że postanowili z notariuszem postarać się o dziecko, gdy tylko on rozwiedzie się z żoną, która już wiedziała o trwającym wiele lat związku męża z kochanką. Pogoda w Biarritz była przepiękna, plaże zatłoczone, Antoinette myślała nawet, żeby zamówić dodatkową partię materiału na kostiumy kąpielowe. A potem, po krótkiej ciszy, wyrzuciła z siebie to, co tłumiła w sobie od piątku: Lucienne Rebaté odeszła. Zrobiła to po rozmowie telefonicznej, chyba z jakąś kobietą. Odłożywszy słuchawkę, rozpłakała się, a następnego dnia zabrała swoje rzeczy. „Wzięła też wszystkie pieniądze, dochód z ostatnich sześciu miesięcy, przygotowany do wpłaty na konto".

Bezinteresowna, trzeźwo myśląca Lucienne zabrała swoje rzeczy i odeszła? Okradając ją? Chudzina powiedziała siostrze (choć sama w to nie wierzyła), że Lucienne przemyśli sobie wszystko i na pewno niedługo wróci. Ale nawet Antoinette wiedziała, że to nieprawda. Coco zakończyła rozmowę i wzruszyła ramionami: cóż, z Bogiem. Utkwiła wzrok w Sekwanie i głęboko westchnęła. Przez chwilę wpatrywała się w nurt rzeki, zastanawiając się, kogo wysłać do Biarritz na miejsce Lucienne. Antoinette nie poradzi sobie sama.

Z mieszkania, położonego między mostem Sully, u wschodniego krańca Île Saint-Louis, a mostem Concorde, rozciągał się widok na ten odcinek Sekwany, gdzie rozlewa się ona szerzej i uspokaja. Na taras dobiegały odległe pokrzykiwania, z drugiego brzegu napływał zapach rzeki i kwiatów, w dole przesuwały się barki i łodzie. Coco patrzyła, jak kurtyna zmierzchu z czerwonej robi się żółta, potem szara i na koniec czarna. W tej chwili czuła się szczęśliwa. Dumna, że o własnych siłach doszła tak wysoko, rozsławiła swoje nazwisko, wypełniła misję. Ale trwało to jedynie ułamek sekundy. Szczęście zdawało się ją dusić jak sznur zaciągnięty na szyi. Podobnie jak rozpacz było trudne do zniesienia. Na rzece minęły się o włos dwie barki. W nagłym błysku przeczucia Coco pojęła, że wkrótce zdarzy się coś okropnego.

Nie pomyliła się. Choć gdyby wiedziała, co to będzie, zapewne nie siedziałaby tak spokojnie w fotelu na tarasie. Ruszyła się dopiero wtedy, gdy polska pokojówka przyniosła jej tacę z kolacją.

Erny i Diana Lister Wyndham pobrali się 7 września. Ślub odbył się w prywatnej kaplicy zamku Beaufort – w Invernesshire, sercu Szkocji. Jakkolwiek wiedziała, że nie zostanie zaproszona, Coco nigdy, nawet po upływie wielu miesięcy, nie wyzbyła się nadziei, że któregoś dnia do jej drzwi zadzwoni listonosz z ozdobną kopertą. („Przesyłki często giną" – powtarzała, wzruszając ramionami).

12

Podstępne zamiary. Złe pragnienia. Dojrzewają w samotności. Snują się wzdłuż lewego brzegu Sekwany. Jak dachowe koty karmią się resztkami, wygrzewają w słońcu przy dźwięku dzwonów z katedry Notre Dame. Wreszcie pewnego pięknego dnia przepływają ponad rzeką, niczym podmuchy wiatru zapowiadające burzę.

Początkowo niewyczuwalne. Coraz gęstsze. Poruszają zasłonami w oknach. Wciskają się w zagłębienia ścian. Głuche, nieubłagane. Pełzną po murach, piętrzą się na stołach. I już się nie da domknąć szafy. Wciskają się w szczeliny serca. Jak żółć zatruwają duszę. Moszczą się w brzuchu. Widoczne w spojrzeniu, słyszalne w słowach.

To właśnie przytrafiło się Coco. Pewnego wieczoru zaświtała jej w głowie myśl, która z dnia na dzień zaczęła przybierać konkretny kształt. Pragnienie, żeby Erny znów należał do niej, tylko do niej. Jak to osiągnąć? Oczywiście usuwając z drogi największą przeszkodę...

Po ślubie regularnie odwiedzał ją w nowym mieszkaniu. Siadali na tarasie do podwieczorku, jedli tosty z kawiorem, a potem spali. Spali bez względu na porę, bo dzięki temu mogli się budzić i zaczynać od początku. (Odetchnąć, zapomnieć). Erny brał w dłonie jej sterczące piersi, jej twarz, dotykał skóry, całował ją. Często opowiadał, jaki jest nieszczęśliwy: bogaty, wpływowy, elegancki – a jakby nie on. W świecie, w którym zamieszkał, rozdzielał się na dwie zupełnie różne osoby. Tak mówił. Potem milkł. Woleli zresztą porozumiewać się spojrzeniem, wiele mówiącym uśmiechem, bo słowa wprowadzały dystans, dysonans. W ich przypadku mówić znaczyło tracić.

Coco nie miała jeszcze okazji poznać Diany Lister Wyndham. Widziała ją raz, w siedzibie Czerwonego Krzyża. I oczywiście na zdjęciach. Wyglądała na nich jak doskonała młoda dama, elegancka i kobieca, nieodmiennie ubrana w zbytkowne, ale odpowiednie do swojego wieku suknie, z wyrazem tryumfującej szczęśliwości na wypielęgnowanej twarzyczce. Nikt ich sobie nie przedstawił i było wielce prawdopodobne, że pani Capel nawet nie wie o roli, jaką Coco odegrała w życiu jej męża. Chudzina uważała, że to niesprawiedliwe. Wiedziała, że Erny ją kocha: tylu wspólnych lat nie wyrzuca się ot tak, do śmietnika. Mimo to powtórzyła się sytuacja z Liébardem: ona, Coco, nie wyrosła na salonach, nie miała rodziny, fortuny ani nazwiska. Ba, nie miała nawet krawcowej: szyła sobie sama.

Nawet Misia, która była *au courant*, nie domyślała się, co kiełkuje w głowie przyjaciółki. Pomysł skrystalizował się pewnego dnia w butiku przy ulicy Cambon. Wyglądając przez okno, Coco ujrzała tego samego człowieka, który zawoził kiedyś jej listy do Długiej Meg. Teraz pracował jako dostawca i co wtorek zjawiał się rano z transportem materiałów, nici, guzików, igieł i bezrękich manekinów. Przypomniała sobie, że proponował jej różne usługi, oczywiście za odpowiednim wynagrodzeniem. Przyglądała mu się przez chwilę. Wyciągał z samochodu bele tkanin, silny jak byk... A gdyby tak... Nie, nie, nie – ucięła stanowczo. Zerwała się na nogi, przerażona i zawstydzona własnymi myślami. Zaraz jednak przyszło jej do głowy, że takie zło to nie słabość. To przejaw oporu, buntu.

Wyszła na zewnątrz porozmawiać z dostawcą. Był zachwycony, że szefowa znów zwraca się do niego osobiście. Nie poprosiła go o nic – każdy mógł ich w tym miejscu zobaczyć, zbyt duże ryzyko – jedynie o adres, pod którym mogłaby go zastać w najbliższych dniach. „Chodzi o »małe zleconko«" – powiedziała.

Tydzień później, przed wyjazdem do Cannes, gdzie miał spędzić święta z żoną i szwagrem, Erny powiedział Coco, że Diana jest w ciąży. Siedzieli właśnie na polance w Lasku Bulońskim i jedli przyrządzone przez Chudzinę kanapki i tortille, których zresztą nie mógł się nachwalić. Coco długo obracała kęs w ustach, zanim się wreszcie odezwała: „Jest jeszcze jedna kanapka. Masz ochotę?". Nie, Erny nie miał ochoty. A na odchodne weźmie kanapkę ze sobą.

Po południu, już w domu, obejmując kochanka na pożegnanie, czuła, jak krzepnie w niej decyzja. Erny wsiadł do swojego czerwonego bugatti (najnowszy model, świeżo wypuszczony z fabryki w Molsheim w Alzacji, leciutki i mimo małego silnika – 1,1 litra pojemności – rozwijający fantastyczną prędkość osiemdziesięciu kilometrów na godzinę) i zawołał: „Posłuchaj, jak pracuje!". Coco zapomniała o kanapce.

„Coś się wydarzy" – powiedziała na głos, wciąż stojąc na środku ulicy przed bramą i machając Erny'emu na pożegnanie. Czuła to – coś się zbliżało, obwąchiwało ją, okrążało jak wyżeł zwierzynę (czy umrę?). I zdarzyło się.

Dwie czy trzy godziny później wsiadła do rolls-royce'a z zamiarem złożenia wizyty dostawcy. Dotarłszy na miejsce, rozejrzała się z samochodu po okolicy. Była przed barem, w którym ten człowiek najwyraźniej spędzał wolne popołudnie.

Weszła do środka spocona. Lekko oszołomiona z wrażenia, skierowała się w stronę lady. „Tak – kiwnął głową barman – facet, którego pani szuka, pije piwo tam, w kącie".

Stojąc nad stolikiem, jednym tchem wyjawiła swoje „zleconko": „Diana Lister Wyndham, dwadzieścia cztery lata, wdowa, a obecnie znowu mężatka, córka lorda Ribblesdale'a (jej zdjęcia znajdzie pan w każdym kobiecym magazynie) – musi zniknąć". Dostawca nie wierzył własnym uszom. „Nie rozumiem" – powiedział. „Tu nie ma nic do rozumienia" – rzuciła Coco. „Oczekuje pani, że zostanę mordercą?!!".

Wypadła z baru, jakby ścigał ją sam diabeł, wskoczyła do limuzyny i kazała się odwieźć do domu. Tej nocy nie zmrużyła oka. O trzeciej czy czwartej nad ranem wyjęła z nocnej szafki lakier i zaczęła malować sobie paznokcie. Nuciła. Kilka minut później rozległo się pukanie do drzwi. Zamilkła. Nie wstała od razu. Przez kilka chwil siedziała jak sparaliżowana, z dłonią znieruchomiałą w powietrzu. Pomyślała: to Erny, zapomniał kanapki. (Tak pomyślała, wiedząc jednak, że to niedorzeczne).

I pomyślała też, że intuicja rzadko ją zawodzi. To coś, co krążyło wokół niej przez cały dzień, stało u progu. Pukanie powtórzyło się, ale ona nie poruszyła się. Nie miała odwagi schować lakieru z powrotem do szuflady, malować dalej paznokci ani wyskoczyć z łóżka.

W końcu zmobilizowała się i podeszła do drzwi. A właściwie przemieściło się tylko ciało: ręce, włosy, nogi, to, co między nogami. Serce zostało w sypialni. Na klatce schodowej, wśród stylizowanych lilii, pąków i łodyg z lanego żelaza, stała Misia z Sertem. Oboje bardzo poważni i dziwnie nieruchomi wśród wijących się roślinnych motywów. Kazali jej usiąść. „Nie chcę siadać!" – krzyknęła. „Usiądź". Potem, zacinając się, Sert zakomunikował, że Erny miał wypadek. Coco poczuła pustkę w żołądku. Popatrzyła na przyjaciół uważnie, najpierw na niego, później na nią. Wtedy Sert, który w trudnych momentach nie panował nad językiem, zaczął bezładnie opowiadać, że znaleźli go o drugiej trzydzieści pięć między Saint-Raphaël a Cannes, że w bugattim pękła opona, że obrażenia są poważne, bardzo poważne i... „Przestań – powiedziała Misia. – Coco rozumie".

Erny umarł i nie zabrał kanapki. Tyle rozumiała. Pomyślała o lodówce, że będzie ją musiała otworzyć, wyjąć pojemnik, podnieść wieczko, plum, lekko wypukłe wieczko, i poczuje zapach, zapach jajek na twardo, soczewicy i cykorii. Pomyślała ze smutkiem, że po tych kilku godzinach kanapka nie nadaje się już do jedzenia i trzeba ją będzie wyrzucić do śmieci. Nagle zachciało jej się śmiać. Przez chwilę siedziała w ciszy, walcząc ze sobą. To już nie była chętka, to była konieczność, żeby ryknąć dzikim śmiechem. „Płacz!" – usłyszała.

Misia. Trzymała ją za ręce i krzyczała, że ma płakać. Krzyczała, że raz wreszcie powinna zwolnić tamy i wypłakać wszystko, co ma w środku. „Płacz" – powtarzała, podczas gdy ona, Coco, dusiła się ze śmiechu. Wbiegła po schodach do sypialni, przeskakując po dwa stopnie, szybciej, zanim wybuchnie, żeby Misia i Sert nie pomyśleli, że jest wstrętną czarownicą, bo nie dość, że nie opłakuje Erny'ego, to jeszcze chichocze (chichocze!). Gdy zamknęła za sobą drzwi, pomyślała znowu o kanapce i nie wytrzymała. Śmiała się przez długą chwilę, a potem zadzwoniła po szofera, spakowała walizkę i zeszła na dół, przeglądając się po drodze w lustrze. Wyglądała strasznie. Wyrwała dwa następne siwe włosy.

Świtało, kiedy wyjeżdżali z Paryża. Po kilku godzinach kierowca zaproponował, by zatrzymali się na odpoczynek, ale Coco nie pozwoliła. Myślała: nic nie dzieje się bez przyczyny. Jechali dalej. W Monte Carlo, gdzie dotarli nocą, zatrzymali się w małym pensjonacie. Wszystkie miejsca w hotelach wzdłuż wybrzeża zajęli goście, którzy zjechali tu na święta. Coco całą noc przesiedziała na sofie. Myślała znowu: wszystko ma swoją przyczynę. Nawet przyczyny mają swoje przyczyny.

Następnego ranka kazała się zawieźć na miejsce wypadku. Mimo wybojów na drodze siedziała wyprostowana, patrząc na umykający w tył krajobraz – wybrzeże, sosnowe lasy, łyse pagórki, wąskie, głębokie doliny, skąd zdawał się promieniować dziwny spokój – wpatrzona w okno, zasłuchana w ten głos, który szeptał jej, że Bóg ma wobec każdego swój plan. Przyczyny zarówno wielkich, jak i małych rzeczy są ściśle ze sobą powiązane, jak ogniwa łańcucha. Czerwony bugatti wciąż leżał do góry kołami, wbity w barierkę na poboczu. „Zatrzymaj się" – powiedziała Coco. Wysiadła i rozejrzała się. Potem, oddychając szybko, jęła jak ślepiec obmacywać pogiętą maskę, otwartą walizkę Erny'ego, rozrzucone ubrania, brzytwę, klucze od domu. Przez długą chwilę szukała czegoś na ziemi.

„Nie ma – jęknęła i przysiadła na słupku, pochylona do przodu. – Nie ma kanapki".

Co ona tu robi? Po co przejechała tyle kilometrów bez snu i wytchnienia? Czy chodziło o zapomnianą przez Erny'ego kanapkę? A może chciała zobaczyć na własne oczy te wszystkie rozsypane na ziemi przedmioty, przekonać się, że wypadek wydarzył się naprawdę?

Nie. Nie tego chciała. Chciała się przekonać, jak wygląda jej teraźniejszość. Widząc przewrócony samochód, pomyślała, że jest, jak jest. Po prostu. Im dłużej patrzyła na wgniecioną maskę, popękane opony, rozwłóczone po asfalcie koszule, tym jaśniej rozumiała, że nie ma co lamentować. Odcinek między Saint-Raphaël a Cannes był taki jak wszystkie. Czyli pełen znaczenia. Uspokajającego fatalizmu. Teraźniejszości. Doskonałej teraźniejszości – jedynej, jaka istniała.

Coco podniosła głowę i odszukała kierowcę spojrzeniem.

„Wracamy" – powiedziała.

13

Kula przecinająca całe dotychczasowe życie. Czekająca na dopełnienie trajektoria. Ale czym jest życie? Mówi się, że przeleciało. Co to znaczy? – zastanawia się Coco, próbując odcyfrować znak nienawiści wpisany w oczy zabójcy. A raczej zabójczyni. Kim ona jest? Uzbierałoby się kilka kandydatek, nieprawdaż? Niejednej kobiecie zalazła za skórę. Lucienne pewnie od dawna wiedziała, jak to było naprawdę z jej narzeczonym. A pani Desboutin zawsze patrzyła na nią, Coco, krzywym okiem, by na koniec wyznać, że jej nienawidzi. Misia, Długa Meg... Nie, Meg rzuciła się z okna, umarła jak jej fortepian, jak jej talent. Talent oddany w służbę przyklasztornego ogródka.

I tam, w korytarzu Ritza, w wieku osiemdziesięciu ośmiu lat, z czołem porytym zmarszczkami (gęstą siatką rozczarowań), Coco myśli raz jeszcze, że życie to właśnie to: obejmować i być obejmowanym, nic więcej, choć zrozumienie tego faktu przychodzi czasem dopiero pod koniec. Nawet jeśli w głębi duszy nic się w nas nie zmienia.

Erny ożenił się z inną, ale już nie żył. Martwy znów należał do niej, bo miłość jest elegancka, elegancka i sprawiedli wa. Jest też gęsta i dziwnie pachnie, jakby wyprawioną skórą albo krowim nawozem. Potrzeba czasu, żeby to wszystko przemyśleć.

Po powrocie do Paryża Coco kazała pokojówce zebrać całą pościel, zasłony i koce i na znak żałoby zastąpić je czarnymi. Tak, pogrąży się w żałobie. Nie wytrzymała nawet dwóch tygodni. „Szybko, Marie – powiedziała. – Wyciągnij mnie z tego grobu".

Osobiście poskładała ponure materie i schowała je do kufra. Pewnego dnia wpadła do mieszkania jak burza. Pokojówka, która myła w kuchni podłogę, usłyszała, jak pani zrywa z okien zasłony, zwija dywany i szarpie się z ręcznikami w łazience. Przeszła do salonu i zobaczyła ją stojącą na taborecie i mocującą się z roletą.

Coco czuła się winna, brudna. Musiała zmyć z siebie to wrażenie. Wyczyścić mieszkanie. Czystość kojarzyła jej się ze szczęściem. Myśli sprawiały, że czuła się brudna w dwójnasób. Piorąc, wyzwalała się od nich. Co rano wypychała Marie z łazienki i brała się do pracy. Sznur na tarasie uginał się pod ciężarem szczęścia. Wilgotnego szczęścia w zasięgu ręki. Czym jest życie?

Wraz z żałobnymi zasłonami schowała do kufra wspomnienia: zapach hipodromów, elegancję, dobre maniery, słomiane kapelusze kupowane w Galerie Lafayette za franka, kapelusze dla nędzarek i dam, dla młodych i starych idiotek, dla kobiet z wąsami i bez, obojętnych na bieg historii. Kufer (albo pustka w jego wnętrzu) pochłaniał wszystko: nadzieję, kolacje w Pré Catalan, smażone jajka zapijane szampanem, sukces, śmiechy o trzeciej nad ranem.

To było jak usypywanie kopca z ziemi: najwięcej kłopotu sprawia pierwsza łopata, potem idzie jak z płatka.

Brodawka, którą Erny miał za uchem, podzieliła los innych wspomnień. („Okropność" – powiedziała do siebie Coco).

Kufer został zamknięty i wyniesiony na strych. Koniec.

Następnego dnia pojechała do butiku i kazała szyć wyłącznie czarne suknie. Narzuciła paryżankom żałobę, której sama nie mogła znieść. Tak, życie to właśnie to: obejmować i być obejmowanym. Nic ponadto.

Żałoba w Paryżu nie trwała długo, ale odcisnęła swój ślad. Kobiety chodziły w rozpinanych swetrach, krótkich spódnicach z zakładkami i niskim stanem, kapeluszach w kształcie dzwonka, całe w czerni, od stóp do głów, podobne do wierzb płaczących. Tak narodziła się *garçonne**.

Coco nie dbała już o nic, zwłaszcza od dnia, gdy żandarm przyniósł jej do domu część rzeczy po Ernym. Marynarski sweter, który zaprojektowała specjalnie dla niego, papierośnicę, książkę z dedykacją, kilka zegarków, kopertę ze zdjęciami... Przez długą chwilę głaskała odzyskane przedmioty.

---

* *Garçonne* (franc.) – chłopczyca (przyp. tłum.).

„Dlaczego nie zatrzymała ich wdowa?" – spytała. „Pani Capel powiedziała, że te rzeczy nie mają z nią nic wspólnego, i kazała oddać je pani" – odparł żandarm.

Gdy wyszedł, Coco podniosła sweter do nosa. Wciąż pachniał ciałem Erny'ego. Stajnią. Przekartkowała książkę i domknęła półotwartą papierośnicę. Na koniec wyjęła fotografie. Uśmiechnęła się. Byli na nich oboje, ona i Erny, dlatego Diana ich nie chciała. Na jednym ze zdjęć pozowali u wejścia do zamku, który stał się scenerią ich pierwszego spotkania. Miała wtedy zaledwie dwadzieścia parę lat... Na innym siedzieli nad brzegiem morza w Deauville, na jeszcze innym śmiali się z Misią i Sertem. Nagle zastygła, trafiła bowiem na nieznaną, nieco pożółkłą i bardzo brudną fotografię. W pierwszej chwili pomyślała, że to pomyłka. Miała przed sobą podobiznę oficera kawalerii, jednego z tych, w których gustowała pani Desboutin. Wpatrzona w zdjęcie, zadumała się, a potem schowała je wraz z innymi do koperty.

Dwa albo trzy dni później, porządkując rachunki w biurze, przypomniała sobie o dziwnym zdjęciu. Dlaczego znalazło się wśród rzeczy Erny'ego? Pomyślała o Misi.

Po śmierci kochanka przez kilka miesięcy oddawała się rozpasaniu. Nie chodziła już do Juliana Jurié, bardziej niż kiedykolwiek przekonana, że jest oszustem skrywającym się za zasłoną milczenia. Psychoanaliza wszakże zdobywała uznanie w coraz szerszych kręgach. Doktorom, między innymi René Allendy'emu czy Laforgue'owi, pozwalano badać niektórych pacjentów w szpitalach. Do języka potocznego zaczynały wchodzić takie słowa, jak: wyparcie, kompleks niższości. Wciąż jednak wielu lekarzy utrzymywało, że ta cała podświadomość to zwykłe świństwa.

Ale to nie Coco zdecydowała o końcu terapii. To Jurié odmówił dalszej współpracy do czasu, aż Coco ustali wreszcie, po co do niego przychodzi. Podczas ostatniej wizyty opowiedziała mu sen. Dwa dni po zamknięciu kufra ze wspomnieniami i odstawieniu go na strych śniło jej się, że o poranku obudził ją jakiś daleki hałas, jakby skrzypienie wozu ciągniętego przez woły. Wyjrzała przez okno i zobaczyła, że coś płynie z prądem Sekwany: był to jej kufer. Kazała pokojówce zbiec nad rzekę, wyłowić go i zanieść z powrotem na strych. Obserwowała z tarasu, jak Marie klęka na nabrzeżu, przyciąga kufer kijem od szczotki i wraca. Słyszała łomot na schodach i sapanie. Pokojówka stanęła wreszcie w progu i oświadczyła, że skrzynia nic nie waży, wydaje się pusta.

„Co było w środku?" – spytał Jurié. „Nie wiem – odparła Coco. – Po co miałabym tam zaglądać?".

Nie naciskał.

„Czy chce pani coś dodać?" – zagadnął po chwili. „Tak. Rozmawialiśmy kiedyś o moich ciotkach i tryumfie" – powiedziała Coco. „Owszem – przytaknął. – Przyszło pani do głowy coś nowego w tej sprawie?". „Tak" – skinęła głową. „Więc słucham". „One nie miały żadnej roli do odegrania". „Jak to?" – zdziwił się. „Nie mogłyby mi w niczym pomóc" – wyjaśniła. „Dlaczego tak pani uważa?". „Bo sukces osiągamy dzięki temu, czego nas nigdy nie uczono".

W owym czasie Coco zaczęła organizować przyjęcia. Chodziła też – czasem z Misią, czasem sama – do modnych lokali tanecznych, otwieranych wzdłuż Pól Elizejskich i na Montmartrze. Żyła w stanie apatii, której nie przełamywał ani sen, ani fizyczne zimno, ani obecność innych osób. Piła dużo mocnych alkoholi, nauczyła się palić papierosy. Całkowicie pijana, rzucała się w wir fokstrota. Słuchała jazzu, muzyki napływającej ze Stanów Zjednoczonych i wypierającej ragtime. Po powrocie z koncertu do rana towarzyszył jej pulsujący w skroniach rozkołysany rytm trąbki. Gdy zbierało jej się na płacz, biegła do łazienki i odkręcała krany, żeby Marie nie słyszała jej zwierzęcych skowytów.

Marie jednak wszystko słyszała, a wiedząc, co potem nastąpi, chowała się do szafy, za drzwi albo pod łóżko.

Wróciwszy do sypialni, Coco leżała bez ruchu, pogrążona w gorzkiej melancholii, ze sztywno wyprostowanymi, złączonymi nogami, z kołdrą podciągniętą pod brodę i białą jak kreda twarzą, powtarzając na głos: „Byliśmy tacy szczęśliwi, tacy szczęśliwi... Dlaczego umarł i zostawił mnie samą...?".

Potem stawała przed lustrem i wyrywała sobie jeden po drugim włosy, nie tylko te siwe, czasem całymi garściami. Z pękiem żałosnych kłaków w dłoni, wodząc dookoła oszalałymi oczyma, szukała służącej. „O, ty nic nie rozumiesz! – krzyczała. – Jesteś pusta! Wyłaź, wydrążona w środku grubasko, albo sama cię znajdę". Groźnie podciągała rękawy, chwytała wazon, książkę albo cokolwiek innego, co znalazło się pod ręką. „*Mademoiselle*" – jęczała pokojówka ze swojej kryjówki. „Liczę do trzech – mówiła Coco. – Raz, dwa i...".

Marie wyskakiwała zza drzwi i uciekała. „Niech mnie pani zostawi. To nie moja wina, że...". Gdy przebiegała przez korytarz, Chudzina ciskała w nią wazonem. „Milcz! Ty nic nie rozumiesz. Jesteś pusta w środku!" – wrzeszczała.

Czasem poświęcała trochę uwagi konkurencji. Jean Patou otworzył salon mody. Jego pokazy należały do najbardziej obleganych w Paryżu. Wśród publiczności nabywcy mieszali się z fabrykantami jedwabiu, dyplomaci z artystami. Lucien Lelong ożenił się z księżniczką Natalie Paley, zamieniając ją w żywą reklamę swoich najnowszych kolekcji.

Pewnego wieczoru w Bœuf sur le Toit Coco spotkała Paula Poireta. Znała go osobiście jeszcze sprzed wojny. Słyszała, że otworzył salon przy Polach Elizejskich. Na suficie kazał namalować gwiazdy w takim układzie, w jakim znajdowały się w dniu jego narodzin. Doszły ją słuchy, że przy jakiejś okazji skrytykował jej styl jako marną imitację luksusu. Przysiadła się do niego. Nie chciała rozmawiać o modzie, zagadnęła go więc o Original Dixieland Jazz Band („Podoba ci się ta muzyka?" – zapytała). Poiret, złożywszy jej kondolencje w związku ze śmiercią Erny'ego, odparł, że owszem, lubi te rytmy, choć zanadto pachną mu Afryką. Przez całą rozmowę zachowywał się z należytym szacunkiem.

Po kilku kieliszkach Coco (przyszła do restauracji z Misią) zaczęła mu ubliżać. Powiedziała, że jest wieśniakiem, że nigdy się nie wkręci w wytworne towarzystwo, które niby ubiera, i że nie rozumie jazzu, bo jest prostakiem. Mówiła coraz głośniej, więc Poiretowi nie pozostało nic innego, jak tylko się bronić: „A ty co? Może jesteś lepsza? Wszyscy wiedzą, skąd pochodzisz! Tyle że w przeciwieństwie do mnie nie potrafisz się do tego przyznać!" – wypalił.

W pracy zjawiała się późno, nierzadko dopiero po obiedzie. Wcześniej zjadała zupę pomidorową z chlebem, stojąc przy barze i gawędząc z bezpośrednim sąsiadem. Stołowała się teraz w innym lokalu, kilka przecznic od ulicy Cambon. Do Fleurs zachodziło zbyt wielu znajomych. Tamtejsze kelnerki wiedziały, że jest słynną projektantką mody, jej kolekcje pojawiają się w „Vogue'u", a kochanek zginął niedawno w wypadku samochodowym. Wiedziały też, że gdy puszczają jej nerwy, wrzeszczy na swoje pracownice, że lubi chłodną herbatę, a we wtorki odwiedza salon piękności i każe robić sobie manikiur.

Znużona odpowiadaniem na ciągle te same pytania i wystawianiem się na idiotyczne komentarze („Czas leczy rany", „Lepiej się pani czuje?") oraz nieznośne współczucie, postanowiła jadać gdzie indziej. W nowym miejscu spotykała pewnego Amerykanina, nieco starszego od niej, kulturalnego pana, który pracował w pobliskim biurze. Rozmawiali o pogodzie i innych głupstwach, ale Coco lubiła jego towarzystwo, tym bardziej że jako cudzoziemiec z niczym jej nie kojarzył.

Przy nim przeszłość nie istniała. W chwili gdy przekraczała próg restauracji, mogła być kimkolwiek: córką angielskiego arystokraty, przykładną żoną i matką trojga dzieci, z których najstarsze miało czternaście, a najmłodsze dziesięć lat. Stała się nią niepostrzeżenie, kiedy nowy znajomy zapytał ją o potomstwo. Nie o męża, tylko od razu o dzieci. „Mam – odrzekła, podnosząc filiżankę do ust – troje". Od tego dnia nazywała się lady Carnavon (z czymś mu się kojarzyło to nazwisko). Jej małżonek był kolekcjonerem antyków i archeologiem, pracował w Egipcie. (W Egipcie! Dlaczego właściwie wysłałam go tak daleko? – zastanawiała się któregoś dnia, wracając do butiku).

Amerykanin zjawiał się zazwyczaj, gdy jadła już swoją zupę. Najpierw spotykali się od przypadku do przypadku i nie wypatrywali się nawzajem. Stopniowo jednak codzienna pogawędka weszła im w nawyk.

Potem on zaczął przychodzić pół godziny później, bo, jak wyjaśnił, jest maklerem giełdowym i musi stosować się do rytmu pracy w biurze. Coco zorientowała się, że wypatruje jego sylwetki, niepotrzebnie przeciągając posiłek. W gruncie rzeczy nic ją nie obchodził. Obchodziły ją słowa, towarzystwo. Nigdy nie czuła się bardziej samotna niż teraz, nawet w dzieciństwie. Zdania wymieniane z nieznajomym stanowiły dla niej jedyną pociechę.

„Właśnie się dowiedziałem!" – wykrzyknął któregoś dnia już od progu.

Coco wystraszyła się, że on już wie, z kim rozmawia: ze słynną madame de... Wszedł do restauracji i zawołał na cały głos, z tym swoim okropnym amerykańskim akcentem: „Właśnie się dowiedziałem!". Dłużej nie ukryje swojego kłamstwa.

„Właśnie się dowiedziałem" – powtórzył spokojniejszym tonem, siadając obok niej.

Spuściła głowę i już chciała przyznać się do mistyfikacji, gdy powiedział: „Mówiłem, że z czymś mi się kojarzy pani nazwisko. No i przed chwilą przeczytałem w gazecie, że lord Carnavon odkrył komorę grzebalną w grobowcu faraona Tutenchamona w Dolinie Królów. Niesłychane! Moje gratulacje! A pani taka przez cały czas dyskretna! Wiedziała pani, że są na tropie, prawda? Czy pani wie, co to oznacza dla szanownego małżonka? Osobiście uwielbiam archeologię!".

Chudzina uśmiechnęła się skromnie. Wzięła ze stołu dziennik: „Po czterech latach poszukiwań angielscy badacze, lord Carnavon i Howard Carter, natrafili na komorę grzebalną faraona Tutenchamona, który rządził Egiptem około 1350 roku przed naszą erą. Wiadomość o tym niezwykłym odkryciu obiegła cały świat...".

„Tak – powiedziała z wymuszonym uśmiechem – mąż jest bardzo zadowolony. Ja również".

Zmieniła nie tylko restaurację, ale także salon piękności. We wtorki o piętnastej dziesięć szła na manikiur do Millat. Tam również, niemal bezwiednie, zaczęła opowiadać o mężu archeologu i trójce dzieci. Za każdym razem dodawała nowy szczegół. W tamten wtorek podzieliła się z manikiurzystką wieścią o grobowcu Tutenchamona. Klientki chciały wiedzieć, jakie skarby znaleziono przy mumii. „Złoto, wysadzane diamentami naczynia, cenne diademy" – wyliczała, przesadnie gestykulując. Ta odbywana co tydzień o piętnastej dziesięć wyprawa do Egiptu dobrze jej robiła. Bardzo dobrze.

W niektóre dni kac uniemożliwiał jej wyjście do pracy. („Dziś zostanę w domu, przejrzę rachunki" – mówiła). „Ciężko tak harować od rana do nocy" – odpowiadała Marie. Coco przytakiwała. W głębi duszy sądziła jednak, że ciąży jej nie praca, lecz powroty do domu, do zasłanego gładko łóżka, białego od samotności i odrętwienia. Odrętwienia, które przychodzi po długiej walce ze snem, bo tylko przytomni stanowimy jedność z samym sobą. Zostając w domu, nie przeglądała jednak rachunków, o czym Marie wiedziała równie dobrze jak o wielu innych rzeczach. Na zmianę spała i płakała, by wreszcie, zbrzydzona łzami i łóżkiem, powlec się do salonu. Pokojówka podawała jej wtedy herbatę i zimnego sandwicza („Zmęczyła się już pani pewnie tymi rachunkami" – mówiła), a ona dziękowała losowi za tę troskliwą, cichą obecność, za delikatność, z jaką niezgrabne z pozoru ręce stawiały tacę na stole.

Marie pachniała czystością, było w niej coś domowego, przytulnego i radosnego, co wywoływało ciepłe uczucia. Ze stoickim spokojem znosiła wybryki chlebodawczyni i w krótkim czasie poznała na pamięć jej zwyczaje: słysząc chrobot klucza w zamku, nastawiała wodę na herbatę, a potem szła do salonu, gdzie *mademoiselle* siedziała już w fotelu, czekając na zdjęcie pończoch. Marie przyklękała i zaczynając od ud, delikatnie je rolowała.

Rytuał ten miał w sobie niezwykłą zmysłowość. Coco zamykała oczy i słuchała dobiegających jej uszu szmerów. Czasem wyrywało jej się: „Ach, byliśmy tacy szczęśliwi, tacy szczęśliwi...". Odczuwała chęć porozmawiania z Marie, wypytania jej o dzieciństwo spędzone na polskiej wsi (która być może wcale się tak bardzo nie różniła od wsi jej dzieciństwa; Marie wyszła tam za mąż i urodziła dwoje dzieci), ale wstyd czy też próżność zamykały jej usta. Górę brała potrzeba wzbudzania szacunku i lęku, dominowania.

Wciąż widywała się z Misią, ale tęskniła za kimś innym: za Lucienne Rebaté, z którą kiedyś tak dobrze gawędziło się o miłości i rutynie. Nie słyszała o niej od czasu, gdy Lucienne uciekła z ukradzionymi z butiku pieniędzmi. Coco zawiadomiła policję w Biarritz, ale dziewczyna przepadła jak kamień w wodę.

Któregoś razu dotarła na ulicę Cambon wyjątkowo spóźniona. W głowie jej huczało, oczy wychodziły z orbit. Zamierzała podpisać jakieś dokumenty i wrócić do domu. Na miejscu usłyszała, że ma gościa. Weszła do gabinetu i od razu ją rozpoznała: z torbą na ściśniętych kolanach, trochę starsza, dobrze ubrana, skurczona jak karzełek, siedziała Lucienne. Coco poczuła, jak krew krzepnie jej w żyłach.

Lucienne wstała, przywitała się z dawną szefową i usiadła. Uspokojona jej zachowaniem, Coco ucieszyła się nagle i szaleńczo. Od jak dawna nie cieszyła się z czyjejś obecności? Od jak dawna w ogóle się nie cieszyła? Lucienne bardzo jej współczuła z powodu śmierci Erny'ego. Dowiedziała się z gazet. Słyszała też o ostatniej kolekcji spódnic: „Dwadzieścia dwa centymetry nad ziemią, tak jak pani zapowiadała, *mademoiselle*". Mówiła i mówiła. Wspominała stare czasy, rozmowy we Fleurs, dni wytężonej pracy przed pokazem, komentarze „Vogue'a", butik w Biarritz, hrabiny i ich zapach.

Coco obserwowała błysk w jej oczach i zadawała sobie jedno pytanie: po co ona przyszła?

Lucienne zamilkła niespodziewanie. Coco wykorzystała tę chwilę, by zaprosić ją do siebie, do nowego mieszkania. Potem mogłyby się gdzieś wybrać na obiad, może do Fleurs? Nie, Fleurs jest przecież w poniedziałki zamknięte. Nie będzie żądać zwrotu pieniędzy, teraz nie warto o tym mówić, może później. Zresztą w ogóle nie warto. Lepiej oddzielić przeszłość grubą kreską. Tak, ona, Coco, będzie miła i pojednawcza. Porozmawiają, pośmieją się. Znów się zaprzyjaźnią. Potrzebuje tego. Musi być bardziej praktyczna. Całe życie myślała tylko o innych, aż nawet Jurié pytał ją, czemu wreszcie nie skupi się na sobie. Teraz nadszedł ten moment.

Wtem Lucienne wstała. Wzięła torbę i płaszcz i ruszyła do drzwi. Nie otworzyła ich jednak, tylko odwróciła się w stronę kobiety, która przez wiele lat była jej szefową. Przez chwilę patrzyły na siebie ze łzami w oczach. Potem Coco przypadła do Lucienne i objęła ją. Pocałowały się. Lucienne otworzyła wreszcie drzwi i już na progu, ocierając łzy, powiedziała: „Zadzwoniła do mnie pani Desboutin". Coco, jąkając się, powtórzyła zdumiona: „Pani Desboutin? Za-zadzwoniła do-do ciebie?".

Lucienne powolnym ruchem założyła płaszcz, wygładziła brzegi i przewiesiła torbę przez ramię.

„Zadzwoniła do butiku i powiedziała mi parę rzeczy. Między innymi to, że pan Capel ożenił się z Polką imieniem Misia...".

Coco przełknęła ślinę.

„Cóż – powiedziała – to nie do końca tak. Ożenił się, ale nie z Misią". Lucienne splotła palce. „Widocznie – szepnęła – pani Desboutin pomieszała imiona. W takim razie Misia była jego kochanką...".

Coco zadumała się. Po chwili spłynęło na nią olśnienie.

„Podobno – ciągnęła Lucienne – jeździła pani na Saint-Placide, żeby porozmawiać z moim narzeczonym".

Nie. Z pewnością źle usłyszała. Miała ciężką noc, nie zjadła śniadania i czuła się słabo. Kręciło jej się w głowie. Nie. To nie mogło być prawdą. Misia kochanką Erny'ego? O, nie! Kiedy? Jak? Co za idiotyzm! To przez te zmysły, zawsze gotowe ją zwodzić. Nie trzeba pić tyle dżinu z tonikiem. Koniec z alkoholem i z nocnym życiem. W gruncie rzeczy wcale tego nie lubiła. Ci lepiący się faceci, mężowie księżnych, flirtujący z nią przy niegościnnym barze...

„Podobno przekupiła go pani, żeby mnie zostawił" – powiedziała Lucienne.

Lucienne, moja mała, posłuszna Lucienne. Mój błazen, mój lokaj w spódnicy. Luciennette, moja zdominowana, biedna, prowincjonalna brzydulka, Lucienne smakująca zwycięstwem i posiadaniem – zarzuca jej przekupstwo i mówi „nigdy więcej". Czy to jej własne słowa? Czy zasłyszane? Czy to ona mówi? Co się takiego stało, że znikła tamta łagodna kobietka, którą znałam? Lucienne, moja najwierniejsza pracownica, ze swoją torebką i przetłuszczonymi włosami z przedziałkiem pośrodku głowy. Luciennette, idiotka nad idiotkami. Lucienne, nagle taka potężna i władcza.

Tknięta nagłym porywem, Coco chwyciła ją za ręce i zaczęła przepraszać. „Wybacz mi – mówiła. – Wybacz mi, Luciennette". Pierwszy raz w życiu prosiła kogoś o wybaczenie. Pierwszy raz w życiu czuła, że od czyjegoś wybaczenia zależy jej przyszłość. Oddychała spazmatycznie, potem zaczęła szlochać, chrapliwie, jak świnia. Padła przed nią na kolana. Chciała się usprawiedliwić – nie potrafiła. Lucienne stała bez ruchu, zimna, lodowata. Zaciekawione ekspedientki zajrzały do gabinetu. Coco nie miała siły ich przepędzić. Musiała znieść to upokorzenie, musiała znieść, że pracownice widzą, jak szlocha i przeprasza swoją byłą podwładną.

Przed wyjściem Lucienne rzuciła jej ostatnie spojrzenie. Spojrzenie, w którym nie było nadziei ani strachu, ani pytań. Spojrzenie, które prześladowało potem Coco do wieczora. Powiedziała tylko: „Nic się pani nie zmieniła. No, może ma pani trochę mniej włosów, ale to pewnie kwestia jesieni". I odeszła, a Coco została w progu, łapiąc powietrze jak ryba.

Nigdy nie opowiedziała o tej rozmowie Misi. Oczywiście sama możliwość, że jednak byli z Ernym kochankami, budziła zgrozę, ale w tych warunkach Chudzina nie mogła sobie pozwolić na utratę ostatniej przyjaciółki. Nie teraz. Więc uraza pozostała: niewybaczona, niepomszczona, zabalsamowana w głębi duszy. Kiedyś, po latach, miała owrzodzieć i wybuchnąć strumieniem ropy. Na razie zadowoli się małymi aktami zemsty.

W czerwcu spełniło się wreszcie marzenie Misi: wyszła za Serta. Coco uszyła suknię: surowy jedwab, prawie bez ozdób. Zaprojektowała też stroje dla druhen, paziów, dziewczynek do niesienia welonu, ciotek, sióstr i przyjaciółek. Dyskusje na temat sukni ślubnej trwały do ostatniej chwili. Misia upierała się, by zmniejszyć dekolt, zbyt jej zdaniem odważny dla czterdziestoośmioletniej kobiety, dwukrotnie zamężnej i dwukrotnie rozwiedzionej. Coco odpowiadała, że to nie pora na wstydliwe krygowanie się, obowiązkiem panny młodej jest pokazać jak najwięcej. Jeśli zakryje jedną strefę erogenną, będzie musiała odsłonić inną. Jeszcze w dniu ślubu toczyły zażartą walkę, w końcu jednak doszły do porozumienia. Na pozór.

„Dobrze wyglądam?" – zapytała Misia. „Przepięknie" – odparła Coco.

I nagle, bez wyraźnego powodu, wymierzyła przyjaciółce mocny policzek. „Przepraszam – powiedziała – tak jakoś wyszło". Trzeba było poprawić makijaż – na szczęście ślad po uderzeniu łatwo dało się zatuszować.

Gdy nieco później znowu zostały same, Coco popchnęła Misię na łóżko. „Co ty wyprawiasz?!" – krzyknęła Misia. Coco złapała ją za włosy i szarpnęła. Staranna fryzura i zdobiące kok papierowe kwiatki rozsypały się. Robiła to z taką zawziętością, że w ciągu dwóch minut po uczesaniu nie został nawet ślad. Udało jej się też oderwać od sukni rękawy i dużą część przodu. „Jesteś kurwą – powtarzała – bezwstydną kurwą!".

Pogodziły się pół godziny przed ceremonią. Coco przyznała, że od jakiegoś czasu nie kontroluje swojego zachowania. „A to, co zrobiłam, od dawna chodziło mi po głowie" – dodała z przepraszającym uśmiechem. Miała dla Misi drugą suknię, więc nikt niczego nie zauważył.

Ślub odbył się w rodzinnych stronach Serta, na katalońskim wybrzeżu, w małym miasteczku o brukowanych ulicach, wzdłuż których stały solidne, nobliwie wyglądające domy z balkonami i drewnianymi okiennicami. Choć zjawili się liczni przedstawiciele rosyjskiej i hiszpańskiej arystokracji, a także niemal cały modny Paryż, uroczystość była skromna. Goście jedli *tomaca* – grube pajdy chleba maczane w sosie z dojrzałych pomidorów – pili lokalne kwaśne wino, a Misia beztrosko włóczyła swój tren po ziemi. Kąpali się też nago w morzu. Coco ponownie spotkała Picassa, który w owym czasie pracował nad cyklem obrazów z Olgą – brzydką, niezgrabną, wręcz straszną – którą zostawił dla kobiety o dwadzieścia lat młodszej od siebie.

Potem nastąpił tydzień wakacji. Coco była szczęśliwa jak dziecko. W czasie wesela zawarła znajomość ze Strawińskim, który pracował z Diagilewem i już wcześniej zaprezentował w Paryżu *Ognistego ptaka* i *Święto wiosny*. Poznała także innych białych Rosjan, którzy pili na umór, żeby zapomnieć o rewolucji. W ruchach Rosjanek, w sposobie, w jaki okręcały się szalami, było coś, co mogło jej się przydać do przyszłych projektów.

Tamtego lata odwiedziła Antoinette w Biarritz. Nawiązała kontakty ze swoją klientelą, złożoną głównie z cudzoziemców: Hiszpanów, Argentyńczyków, Brytyjczyków, Amerykanów, Egipcjan. I tu nie brakowało Rosjan, którzy zaśmiewali się do rozpuku, podczas gdy w ich kraju kolejne miasta zmieniały nazwy: Sankt Petersburg stał się Leningradem, Carycyn – Staliningradem, a Jekaterynburg – Swierdłowskiem. Pewnego dnia przedstawiono jej jednego z zabójców Rasputina, Dymitra Pawłowicza, przystojnego oficera gwardii carskiej, który chełpił się tym, że otruł świątobliwego ojczulka maderą i ciasteczkami nadziewanymi cyjankiem. Jako kuzyn cara Mikołaja II został zesłany na granicę z Persją, a po wybuchu rewolucji przeniósł się do Francji.

W towarzystwie nowych znajomych Coco śmiała się częściej niż kiedykolwiek przedtem. Byli autentyczni, nie dbali o to, czy przypadną innym do gustu, mieli klasę, zachowywali się z całkowitą swobodą i pełną wdzięku arogancją. Poza tym zdawało się, że zupełnie zatracili poczucie lojalności, jak gdyby wszystkie zaciągnięte zobowiązania przepadły wraz z dawną Rosją. Nie oczekiwali też za nic wdzięczności, co w oczach Coco stanowiło bezcenną zaletę.

Stosunki między siostrami układały się coraz gorzej. Ich aspiracje i pragnienia nie pokrywały się w najmniejszym nawet stopniu. Dla Antoinette życie było proste: kobieta poznawała mężczyznę, wychodziła za mąż, rodziła dzieci, patrzyła, jak rosną, i umierała w otoczeniu bliskich.

Po powrocie do Paryża Coco przypomniała sobie o albumie ze zdjęciami, który miała jeszcze w czasach Paillers. Gdzie się podział? Pamiętała, że przed wyprowadzką od Erny'ego co rusz natykała się na gruby tom o kartach z ryżowego papieru i aksamitnych niebieskich okładkach. Były w nim dwie albo trzy fotografie jej młodszego rodzeństwa, matki i wujów – podobizna ojca się nie zachowała – ale przede wszystkim zdjęcia jej samej i Antoinette, robione w Paillers: uśmiechnięte siostry przed sklepem Grampayre albo pochylone nad szyciem, państwo Desboutinowie, hipodrom, Antoinette z notariuszem... Sama myśl o tych fotografiach przynosiła uczucie szczęścia.

Przeszukawszy na darmo wszystkie szafy i szuflady w domu, Coco zrozumiała, że nie chodzi jej o zdjęcia, tylko o dawną Antoinette, pogodną i posłuszną Antoinette, o te wszystkie rzeczy, których już nigdy nie zrobią razem, o rozmowy, których nie odbędą, o siostrzaną więź.

Od czasu do czasu spotykała się ze Strawińskim. Mieszkał przy ulicy Rochechouart i ze swoim wąsikiem, w kapeluszu, wyglądał jak nudnawy urzędnik z opowiadań Czechowa. Podobała mu się, więc nie tylko opowiadał jej cuda o Wagnerze, Beethovenie i Rosji, ale również przynosił goździki i flirtował z nią w kafejkach Dzielnicy Łacińskiej. „Igorze, jest pan żonaty. Gdyby pańska żona wiedziała, że daje mi pan kwiaty..." A on: „Przecież ona wie, że panią kocham. Komu innemu mógłbym się zwierzyć z równie istotnej rzeczy?".

W butiku praca szła pełną parą. Coco rządziła swoim salonem jak królowa dworem, a harowała z takim zapamiętaniem, że niekiedy dochodziła do wniosku, iż staje się niewolnicą swojej własnej niepohamowanej pracowitości. Ciało, posłuszne nakazowi ducha, podporządkowywało mu się tak samo ulegle jak nożyczki, igła i tkanina. I jeśli duch mówił: tej nocy nie śpisz, Coco nie spała. Przyzwyczajenie do wydawania rozkazów nadało jej spojrzeniu stalowy błysk, poczucie odpowiedzialności wyostrzyło zarys szczęk. Musiała pracować. Żyć – niekoniecznie.

Co gorsza, jej podwładne, którym jawiła się jako maszyna o siedmiu parach rąk i patrzących na wszystkie strony oczu, nie miały innego wyboru, jak tylko dostosować się do tego szaleńczego rytmu. Zbroiły się w cierpliwość i ślęczały w warsztacie tak długo, aż wykrój nabierał doskonałości, a falbana przy kołnierzu opadała wystarczająco naturalnie. Jedno uważne spojrzenie i wszystkie decyzje były podjęte: Coco przerabiała suknię nawet dwadzieścia pięć razy, aż (jak mawiała w wywiadach, których udzielała po kolejnych pokazach) ubranie zaczynało żyć w harmonii z ciałem, a kobieta – sprawiać wrażenie, że jest pod spodem naga. Coco wiedziała, czego chce i jak to osiągnąć. Jeden ruch jej wyregulowanych brwi – i wiedziały to również szwaczki. Niejednokrotnie w czasie takich nerwowych popołudni przypominała sobie klasztor.

Klasztor, gdzie rządził strach, którego już od dawna nie odczuwała. Zamiast niego pojawił się upór, lęk przed krytyką, pragnienie pochwał i awansu oraz ta straszliwa siła, która wypychała ją z łóżka o trzeciej nad ranem, każąc zapomnieć o zmęczeniu, głodzie, miłości i śniegu za oknem, o wszystkim – oprócz pracy. Jakie znaczenie miały wyścigi konne, przyjęcia, uściski, skoro leżała przed nią niewykończona bluzka? Nauki zakonnic nie poszły w las: Coco rozumiała, że aby coś osiągnąć, trzeba ciężko pracować. A pracując, była wiecznie młodą, ambitną kobietą, niepomną upływu czasu, ba, niekiedy nawet – co za ulga – siebie samej.

Zdarzało się, że pragnęła przystanąć, odpocząć, pójść na lody czekoladowe do Café Américain, korzystać z życia, teraz, kiedy już mogła sobie na to pozwolić. Ale człowiek ambitny nie zna wytchnienia. Poczucie obowiązku trwale oddzieliło ją od świata. Zatrzymując się, natychmiast dostrzegała dookolną brzydotę, czuła wyrzuty sumienia. Nawet jeśli w gruncie rzeczy nie chodziło o tryumf. Chodziło o to, by się zmęczyć, przesycić, zagubić w jedwabiach i taftach, szkicach i dodatkach, i nie myśleć, nie myśleć o samotności. Jej ciało zdawało się tracić wrażliwość. Nie potrafiło już rozkoszować się lodami czekoladowymi, choć wciąż jeszcze ulegało wyczerpaniu, jak ciała zwykłych śmiertelników. W takich razach, gdy padała już z nóg, Coco krzyczała na swoje pracownice. Oskarżała je o kradzież, machała rękami, nakręcała się. A kiedy, wychodząc późnym wieczorem z butiku, odkładała ambicję na bok, razem z ładem, obowiązkami i ciągiem dobrze wykorzystanych minut i godzin, przypominała wojownika, który o zmierzchu zdejmuje zbroję. Jej sylwetka, przez cały dzień wyprostowana jak stalowa struna, gięła się w drzwiach samochodu i Chudzina, z oczami wbitymi w podłogę rolls-royce'a, ruszała w drogę powrotną do domu.

Do tego czasu butik znacznie się powiększył: zajmował już całe trzy kondygnacje pod numerem trzydziestym pierwszym przy ulicy Cambon. Na parterze był właściwy sklep, pełen usłużnych ekspedientek i wystawionych na sprzedaż kreacji, oraz pracownia. Na pierwszym piętrze, niemal w całości wyłożonym lustrami, odbywały się pokazy i prezentacje. Wyżej mieściły się pomieszczenia prywatne, skąd mogła nadzorować pracę, sama nie będąc widziana. Nad zawsze zamkniętymi drzwiami do tych tajemniczych apartamentów wisiała lśniąca tabliczka z napisem: *Mademoiselle*.

W owym czasie zaczęła używać nowego, pochodzącego z Anglii materiału o nazwie tweed. Wytwarzana z krótkich włókien tkanina naturalną miękkością przypominała miąższ owocu i jej zdaniem doskonale nadawała się na kostiumy. Coco kupowała ją po nader rozsądnej cenie od pewnego Szkota.

Wiecznie zajęta, biegała w tę i z powrotem po schodach, aż pod ciężarem jej złego humoru trzeszczały drewniane stopnie. Prychała z niezadowoleniem, wydawała polecenia pannom sklepowym, szwaczkom, hafciarkom i koronczarkom, dziewczynom od plisek, guzików, sprzączek, sznurówek i tasiemek. W biegu, z wysoko uniesionym podbródkiem, odpowiadała na pozdrowienia, chwytała próbki tkanin albo witała szczególnie ważnych klientów. Myślała: Wspinać się coraz wyżej. Coraz wyżej i coraz szybciej – każda okazja jest dobra. Wokół jej osoby zdawało się wytwarzać coś w rodzaju pola elektrycznego: iskry przeskakiwały na wszystkich wokół.

Któregoś dnia zjawiła się w butiku młoda pani z dwu- albo trzyletnim synkiem. Przyszła uszyć sobie praktyczną suknię, konieczną, jak wyjaśniła, podczas pobytu na wsi, na zamku. Coco szukała właśnie na dole jakichś guzików, gdy ją dostrzegła. Twarz niby znajoma, ale... Klientka zamówiła wąską suknię z czarnej krepy, z długimi, obcisłymi rękawami, i już miała wychodzić, kiedy jej spojrzenie skrzyżowało się ze spojrzeniem Coco.

„Mogłybyśmy zostać przyjaciółkami – powiedziała po prostu. – Po tym wszystkim, co się stało, tak byłoby chyba najlepiej".

I wtedy Coco ją rozpoznała. Miała przed sobą wdowę po Ernym, a chłopiec, który rozrabiał po całym butiku, był jego synem. Prawdę mówiąc, na miłej buzi dziecka dało się dostrzec duże podobieństwo do ojca.

„Nie jestem zainteresowana" – odparła gniewnie. „Ale tak by było najlepiej – nalegała tamta. – Ja nie żywię do pani urazy, nigdy nie żywiłam, obie bardzo przeżyłyśmy jego śmierć i rozmowa na pewno dobrze by nam zrobiła". Coco zesztywniała. „Lis i zając nie dyskutują o tym, jak by było najlepiej – rzuciła. – Każdy żyje po swojemu, aż w końcu lis zjada zająca". Podeszła do drzwi, otworzyła je przesadnie uprzejmym gestem i zaprosiła Dianę do wyjścia. Ekspedientki aż pootwierały usta ze zdumienia.

Tego dnia pracowała dalej, jak gdyby nigdy nic, ale po powrocie do domu zwyzywała Marie od idiotek, odmówiła wypicia herbaty, zamknęła się w sypialni, padła na łóżko i długo gryzła poduszkę. Erny. Jego zapach, jego włosy. Ptaki, owoce, dłonie matki, dziwne uczucie, codzienny ból, czarne kopalnie czarnego węgla, wojna, dzieci... Dzieci. Często zastanawiała się nad niezajętą przez nie, przestrzenią. Ona, Coco, jako matka. Co by się stało, gdyby zdecydowała się na dziecko z Ernym? Jaka by była, jakie byłoby to dziecko? Słyszała w środku głos: Ej, ty! Ślad obecności, puste miejsce... Tęskniła za Ernym, a teraz zatęskniła za dzieckiem, może nawet dziećmi, których nigdy z nim nie miała.

Przez sekundę widziała przed sobą buzię chłopca, który przyszedł do butiku razem ze swoją żądną przyjaźni matką. Biedna kobieta. Gdyby wiedziała, co się roiło jej rywalce tuż po ślubie Erny'ego... Poczuła ukłucie wyrzutów sumienia. Pomyślała o słowach Misi: „Budujesz tamy, zapory". Ona, madame de... – słynna projektantka, właścicielka wielu renomowanych sklepów, kochanka Igora Strawińskiego... – osiągnęła to, czego chciała, a jednak jakby nie do końca to... A gdyby urodziła Erny'emu syna? Gdyby była tylko matką, niczym więcej (i niczym mniej), tak jak Antoinette? Czy tak by wolała?

Matka. Papierowe słowo.

Odrzuciła poduszkę i wypadła z sypialni. Nie ma co tracić czasu na głupstwa. Człowiek jest tym, kim jest, i tym już zostanie. W korytarzu leżało jeszcze pudło z rzeczami Erny'ego.

Wyjęła kopertę ze zdjęciami, wybrała jedno, na którym był sam, i nie odrywając od niego wzroku, wróciła do łóżka.

Igor Strawiński przebywał w Hiszpanii, gdzie wraz z Diagilewem promował nowy balet. Coco obiecała do niego dołączyć, gdy tylko skończy wiosenną kolekcję.

Nie dołączyła. Któregoś dnia w jednej z najdroższych restauracji w Paryżu, Chez Margery, natknęła się na zabójcę Rasputina, księcia Dymitra Pawłowicza. Umykając przed dziennikarzami, którzy jak zawsze po pokazie nie dawali jej spokoju, postanowiła wstąpić na zupę. Książę siedział przy stoliku sam. Właśnie zjadł wspaniały obiad (mrożony melon, krewetki, rosyjskie śledzie, mus ze szparagów i foie gras w jerezie) i palił cygaro, kontemplując rozciągający się za oknami widok. Na widok Coco wstał i podsunął jej krzesło.

Choć widzieli się wcześniej tylko raz – tamtego lata po ślubie Misi – rozmawiali przez wiele godzin, jak gdyby znali się od zawsze.

14

Odcinek przestrzeni – myśli z uśmiechem Coco, stojąc metr przed nadlatującą kulą, która już wkrótce ją zabije. Ilu godzinom odpowiada metr? Ilu minutom? Odległość między tym, kim jesteśmy, a tym, kim się wydajemy być. Między tym, kim jesteśmy dla siebie, i tym, kim jesteśmy w oczach innych. Czy to możliwe, że nawet teraz, na chwilę przed śmiercią, nie ma jeszcze za sobą tej podróży?

Zawsze w drodze do różnych miejsc. I zarazem w drodze do siebie samej, a ta jest najdłuższa i najbardziej kręta. Coco wspomina księcia Dymitra i parska śmiechem.

Raczej brzydki, chuderlawy jak wyrostek, z mięsistymi wargami, poliglota i kosmopolita, wielki książę i kuzyn cara, przechadzający się po paryskich ulicach z córką obwoźnego handlarzyny i bezzębnej nędzarki. Nie byłam zakochana, ale dobrze się bawiłam. Brzydotę rekompensował miłym obejściem, którego uczył się od dzieciństwa, aby w jakiś sposób dorównać ładniejszym kuzynom. Nie byłam zakochana. Po śmierci Erny'ego zabroniłam sobie miłości. Człowiek kosztuje przepysznego dania, choruje od nadmiaru przypraw i co? No, cóż, po prostu nigdy więcej nie tyka tej potrawy.

Tak czy owak... Czy miłość istnieje? Miłość taka, jaką wyobrażają sobie co poniektórzy? A może jednak jest tylko kostiumem dla egoizmu?

Istnieje. O, tak, ale tylko wobec siebie samego. To element niezmordowanej walki z samotnością. Kto się jej nie boi, nie szuka miłości. Ja zawsze się bałam, a jednak żyłam z nią za pan brat. Nawet miłość do dziecka, ta najczystsza, jak powiadają, jest miłością do własnego ciała, własnych warg, włosów, własnej krwi i wątroby. Dymitr nauczył mnie radości życia, korzystania z drobiazgów, niepatrzenia na zegarek. „Jesteś jak wróbelek – mówił. – Karmisz swoje pisklęta, czyli klientki, aż do zupełnego wyczerpania. To rodzaj ofiary. Ale ani ty, ani wróbel nie czujecie się bez niej dobrze".

Wcześnie osierocony przez matkę, rósł pod opieką angielskich guwernantek (wysokich, brzydkich i surowych, tak przynajmniej opowiadał), które uczyniły go łatwym łupem dla dwóch złośliwych mocy: ekscentryczności i nudy. Dowodem na pierwszą była jego fascynacja egzotyką, choć ta egzotyka sprowadzała się często do krowy na pastwisku albo obserwowanych z pozycji leżącej źdźbeł trawy. Nuda przychodziła znienacka, podczas przyjęcia w pałacu, rozmowy z ministrem albo w łazience, w trakcie obcinania paznokci.

Najciekawsze były w nim ręce, długie, chudziutkie ramiona, upstrzone plamami przedwczesnej starości. W porównaniu z burzliwymi przejściami Coco jego biografia wydawała się przejrzysta jak letni poranek. Ponieważ lubił wspominać, już wtedy, w restauracji, opowiedział Chudzinie, że matkę stracił we wczesnym niemowlęctwie. Ojca, ożenionego z rozwódką i osiadłego w Paryżu, nie widywał za często. Coco wiedziała też, że uciekł przed rewolucją i że był kiedyś zaręczony z córką cara, wielką księżną Olgą Nikołajewną Romanową, ale choć umierała z ciekawości, na szczegóły miała jeszcze długo poczekać.

Kiedy nadeszła jej kolej, wyciągnęła swoje dyżurne ciotki, bogate i z wąsami, u których miała się rzekomo wychowywać. Była piąta po południu, kiedy książę zamówił szampana. Wznieśli toast za wąsate ciotki, które o zmierzchu chłodziły sobie pośladki na wilgotnej trawie, wpatrując się w nieskończoność. Gdy jednak chcieli zamówić drugą butelkę, *maître* poinformował ich uprzejmie, że ze względu na porę muszą opuścić lokal. Dymitr wstał, a ponieważ nic nie wskazywało na to, że zamierza zapłacić za swojego mrożonego melona i rosyjskie śledzie, rachunek uregulowała Coco. Dymitr skłonił się, bardziej z wrodzonej uprzejmości niż w podzięce. Pierwszy raz płaciła za mężczyznę, nie ostatni jednak, albowiem książę, jak wielu rosyjskich arystokratów na wygnaniu, żył zgodnie ze swoimi przyzwyczajeniami, czyli w niebywałym luksusie, nie mając żadnego źródła dochodów.

Misia, dowiedziawszy się o nowej przyjaźni Coco, podniosła krzyk. Pobiegła natychmiast na pocztę nadać telegram do Strawińskiego, który wciąż był z Diagilewem w Hiszpanii i marzył o jak najszybszym spotkaniu z kochanką. Napisała: „Coco jest krawcową, która woli wielkich książąt od artystów".

Tym razem Chudzina obraziła się na amen.

Pewnego ranka Dymitr zjawił się u niej, zanim wyszła do pracy. Kazała Marie przygotować obfite śniadanie, które książę połknął w mgnieniu oka. Potem usiedli na tarasie i podczas gdy pokojówka sprzątała naczynia, Coco zaczęła ją obgadywać. Niby mówiła szeptem, ale tak, żeby Marie słyszała. Robiła to celowo, choć sama nie wiedziała po co. Powiedziała, że dobra z niej służąca, mimo że nie umie czytać, no i ten jej wygląd („Spójrz tylko na te jej nogi, na te grube łydki"). Cóż, pochodzi z polskiej wioski, gdzie śnieg leży do czerwca, nie ma elektryczności, a świnie mieszkają razem z ludźmi w chatkach ze słomy i gliny, położonych na bagnach nad rzeką Prypeć. Jest denerwująco posłuszna i wyjątkowo cicha. Jak śniegi, wśród których żyła w dzieciństwie. Jakby zmrożona. Nigdy nie protestuje, odgrodzona od świata zasłoną posłuszeństwa. Istnieje taki typ (tego właśnie słowa użyła – typ): osoby bez woli, mętne projekcje cudzych życzeń (przy tych słowach z ust Coco wystrzeliło kilka kropel śliny), niepełne, zatrzymane na wczesnym etapie rozwoju.

Dymitr słuchał w zdumieniu, popijając herbatę małymi łyczkami i raz po raz zerkając w stronę służącej, która nie różniła się, jego zdaniem, od innych pokojówek. Marie, pozornie nieświadoma tematu ich rozmowy, zebrała ostatnie nakrycia i znikła za drzwiami, zagadkowa jak kot, oni zaś, z oczami utkwionymi w Sekwanie, mówili przez chwilę tylko po to, by przedłużyć przyjemność, jaką dawało im słuchanie własnych głosów. Skarżyli się na panujące o tej porze roku zimno i na nieuwagę, z jaką ludzie – w tym oni sami – przechodzą przez świat, wychwalali lekki lot jaskółek, kolor majowego nieba, komentowali paryskie życie, zastanawiając się, czy nie wydaje się ciężkie komuś, kto wyrósł w luksusie. „Kto ucieka z płonącego domu, nie pyta, czy na dworze pada" – stwierdził Dymitr.

Potem, bez żadnych wstępów, Coco spojrzała na zegarek

i z zaniepokojoną miną powiedziała: „Cóż, chyba już pora". Zdjęła pończochy, tweedowy żakiet i koszulę. Sznur pereł poszybował w powietrzu jak latający wąż, pasek i stanik zawisły na lampie. Dymitr pił swoją herbatę, a raczej udawał, że pije. Zerkał to na lampę, to na coraz bardziej nagie ciało przed sobą, osłupiały, nieprzytomny z pożądania, zagryzając mięsiste wargi. W końcu na podłodze wylądowała również spódnica; Coco zerwała z siebie majtki, odsłaniając poskręcane i bardzo czarne włosy łonowe.

Biedny książę sam nie wiedział, czy powinien zniknąć, jak przed chwilą zrobiła to pokojówka, czy raczej zbliżyć się do tej ciemnowłosej piękności, która ślicznie pachniała jakimś mydłem i, choć dziesięć lat starsza, pociągała go z niezwykłą mocą.

Wreszcie Coco nie wytrzymała. „No, chodź – odezwała się – przecież po to przyszedłeś, prawda?". Dymitr odstawił filiżankę i posłuchał rozkazu niczym pokojowy piesek. Długimi, kościstymi palcami rozpięła mu spodnie, wyjęła klejnoty Romanowów i zaczęła je pieścić. Potem pchnęła księcia na fotel, zdarła z niego ubranie i dosiadła go okrakiem. Potoczyli się na podłogę, przewracając meble i wazony, kochając się niezdarnie i hałaśliwie.

Wracając następnego dnia z pracy, Coco pomyślała o Marie. Że być może nie przygotowała jej tym razem herbaty, nie posprzątała mieszkania, nie posłała łóżka ani nie wyszła po zakupy ze swoją czarną siatką. Że być może nie zdejmie jej nawet pończoch i po tym wszystkim, co usłyszała o sobie dzień wcześniej, rozpocznie własną rewolucję, rewolucję Marie. Prawdę mówiąc, Coco żałowała teraz swoich okrutnych słów równie mocno, jak poprzedniego ranka radowało ją ich wygłaszanie. Jednakże w domu czekała na nią ciepła herbata i miękkie ręce gotowe do rozpoczęcia rytuału.

Jeszcze przed nadejściem lata Dymitr podarował Coco

prawdziwe klejnoty Romanowów, to jest tę ich część, którą zdołał wywieźć z Rosji. Nie uczynił tego z wdzięczności, nie, wdzięczność oznaczała niewolę, a tego nie zniósłby nikt z jego rodu. Po prostu miał taką fanaberię. Coco, przeciwna wieszaniu sobie pieniędzy na szyi („Kobiecy dekolt to nie sejf" – mawiała), położyła kosztowności na komodzie w sypialni. Przez trzy czy cztery dni, przebierając się i czesząc przed lustrem, zerkała spod oka na swoje nowe topazy i rubiny i myślała: nic tak nie przypomina sztucznego kamienia jak prawdziwy. Piątego dnia włożyła je do torebki i zawiozła na ulicę Cambon. Skontaktowała się z producentem i zamówiła u niego długie serie tanich podróbek. Wytłumaczyła mu, że nie chodzi o efekt autentyczności, ale o prosty eksperyment estetyczny: „Ludzie powinni patrzeć na klejnoty niewinnie – oświadczyła – jak na kwitnącą jabłoń przy drodze, po której przejeżdża się nocą z wielką szybkością". Sprzedawane w jej butiku imitacje biżuterii Romanowów stały się objawieniem sezonu.

Chcąc spędzić trochę czasu sam na sam z Dymitrem, a także – i przede wszystkim – zyskać dodatkowy atut w walce ze swoją własną pracowitością, coraz bardziej ją zniewalającą, kupiła otoczony jabłoniami, gruszami i drzewkami brzoskwiniowymi domek na odludnym odcinku Côte d'Argent, między Bordeaux a Biarritz. Przenieśli się tam we dwoje na lato. Domek stał na porośniętym sosnami zboczu, z okien widać było szarą plamę morza.

Po letniej rezydencji Dymitr spodziewał się wprawdzie czegoś innego (wyobrażał sobie raczej obszerną willę z gankami i balustradami porośniętymi bugenwillą, z zegarem na fasadzie, jak na stacji kolejowej, i armią służących, którzy serwowaliby napoje orzeźwiające, rozstawiali parasole i pasali na okolicznych łąkach stada krów, kóz i owiec), ale towarzystwo Coco i panująca u nich tego lata atmosfera zabawy, wyuzdania i przygody, jazz, charleston, ostrzyżone na chłopaka dziewczęta w krótkich spódniczkach – wszystko to z powodzeniem wynagradzało mu wszelkie braki.

Na plażę wiodła piaszczysta, parząca w stopy ścieżka wśród zarośli. Ponieważ było bardzo gorąco, Coco siadywała całymi dniami na tarasie, czytając lub szkicując nowe projekty. „Zwariowałaś? Zimowy płaszcz o tej porze?" – dziwił się Dymitr, a ona odpowiadała, że w jej zawodzie geniusz sprowadza się do sztuki przewidywania.

Mówiła: „Kiedy moje klientki się opalają, ja myślę o lodzie i szronie. Zresztą w gruncie rzeczy nigdy nie myślę o niczym innym".

O zmierzchu schodzili nad morze, wspomnianą już ścieżką, wzdłuż której stały rozstawione świece. Skały lśniły, wonie przybierały na sile (powietrze pachniało tam czymś spod ziemi, siarką albo węglem). U wejścia na plażę zarośla zdawały się rozsuwać niczym kobiece uda. Morze wzywało, więc omijając rybaków pochylonych nad sieciami i drżące ciała meduz przy brzegu, rzucali się do wody, nadzy jak ich Pan Bóg stworzył.

Nie kochali się. Nigdy się nie pokochali, ale nie przeszkadzało im to wcale sypiać w mocnym uścisku do południa, jeść na śniadanie ostrygi zostawiane przez rybaków w kubełku pod drzwiami (Dymitr, krzywiąc się z obrzydzeniem, powtarzał, że ten słonawy smak kojarzy mu się ze smarkami i dzieciństwem), schodzić do pobliskiej tawerny na armaniak i ciasto śliwkowe, podawać się za małżeństwo, rozbijać rolls-royce'em po wąskich drogach, podziwiać blanki zamku Arengosse i stwierdzać z zaskoczeniem, że niespodziewanie wylądowali na pastwisku pełnym krów.

Krowy. Fascynowały Dymitra do tego stopnia, że przyprowadził jedną do ogrodu. Tamtego dnia wstał wcześnie, wiedząc, że w pobliskim miasteczku odbywa się jarmark.

Zaparkował rolls-royce'a obok chłopskich wozów. Było na co popatrzeć: wielki książę, kuzyn cara, nonszalancko oparty o drzwi samochodu i targujący się o krowę z grubym wieśniakiem, sięgającym mu zaledwie do pasa.

Koło dziesiątej dotarł z powrotem do domu. Za rolls--royce'em, w siwej chmurze spalin, przywiązana sznurkiem do zderzaka szła krowa, powoli, dostojnie, spoglądając na okoliczne łąki. Spod kopyt strzelały grudki ziemi. Dymitr podśpiewywał za kierownicą. Wysiadłszy, przywiązał krowę do drzewa w ogrodzie i od tej pory Coco, ilekroć otwierała okno, widziała ją tam, w cieniu gruszy, masywną, pachnącą nawozem, zajętą przeżuwaniem lub odganianiem much ogonem.

Na początku obecność zwierzęcia trochę jej przeszkadzała. Zapach, który tak lubiła w czasach Liéharda, teraz przypra wiał ją o mdłości. Jednak z upływem dni zaczęła dostrzegać w krowie pewne zalety, dla Dymitra od dawna oczywiste. Zaraz po przebudzeniu wychodziła na nią popatrzeć. Podziwiała jej stoicyzm, potulność, prostotę, godność, umiejętność bycia w świecie bez żądania czegokolwiek ponad to, co absolutnie konieczne.

„Chodź, zrobimy tak jak twoje wąsate ciotki" – mówił Dymitr w upalne popołudnia. „To znaczy?".

Aczkolwiek powtarzała, że nie wszystkie anegdoty o jej ciotkach są prawdziwe, nie potrafiła się oprzeć propozycji kochanka. Już po chwili zrzucała majtki, zawieszała je na krowim rogu, siadała na chłodnej trawie i zaśmiewała się do rozpuku, a okruch jej radości zastygał w oczach zwierzęcia. Korzystając z okazji, dopytywała się, czy to prawda, że Rasputin miał penisa jak ogier, napastował kobiety i pieprzył je w miejscach publicznych, i czy rzeczywiście mógł się kręcić wokół własnej osi w nieskończoność, od czasu do czasu trzaskając obcasami, i czy naprawdę musieli go zastrzelić, bo zatrute wino i ciasteczka nie dały mu rady, i czy wrzucili go do Newy, i kto oddał decydujący strzał. „Czy ty?" – spytała. „Tak, ja" – odparł.

Niekiedy, w czasie sjesty, leżąc znudzona na łóżku, słuchała odgłosów popołudnia i przyglądała się uważnie porośniętemu jeżynami ogrodzeniu, wielkim zdziczałym gruszom i krążącym wokół muchom. I myślała, że choć ma to wszystko (bogactwo, księcia do kochania, zdrowie, wolny czas, swobodę, wielkie zdziczałe grusze...), wciąż nie czuje się spełniona. I po raz kolejny zadawała sobie pytanie, czego właściwie brakuje jej do szczęścia.

Nuda sprawiała, że jeżyny z ogrodzenia zaczynały pachnieć niezadowoleniem i marmoladą. Coco pamiętała, że gdy była młoda i biedna, pragnęła zdobyć majątek. W tamtych czasach szczęście i spełnienie uzależniała od bogactwa, przekonana, że pieniądze odegnają od niej wszelkie troski. Teraz była więcej niż zamożna, a frustracje mnożyły się jak grzyby po deszczu. Jeśli nie martwiła się własnym trudnym charakterem, to rozpaczała z powodu zmarnowanych przez pomyłkę metrów materiału, czyjejś nieprzyjaznej miny albo pryszcza na nosie. Porządkując przestrzeń w głowie, bezwiednie zostawiała kącik dla przykrych myśli: z nich właśnie zdawało się składać życie.

Pewnego dnia pojechali do Bordeaux, do kinematografu. W Paryżu działało już kilka sal przy Polach Elizejskich, ale ludzie wciąż żywili obawę, że aktorzy kiedyś jednak wyskoczą z ekranu. Coco i Dymitr usłyszeli w wiosce o świetnym filmie z aktorem o nazwisku Harold Lloyd. Nawet chłop, od którego Dymitr kupił krowę, wybrał się wraz z żoną i czwórką dzieci do miasta, żeby zobaczyć te cuda.

Jeszcze wyżej okazało się sekwencją rozedrganych scen z życia sklepowego subiekta, który wspinał się na wieżowce, regularnie zapewniając narzeczoną, że mieszka na wsi, dobrze mu się wiedzie i wkrótce stanie się bogaty. Dymitr popłakał się ze śmiechu (a także ze smutku).

Wieczorem tego samego dnia poszli na plażę, znacznie popularniejszą wśród letników niż ta, na którą schodzili zazwyczaj. Droga wyglądała podobnie: piaszczysta ścieżka wśród zarośli i trzcin. Podczas gdy Dymitr pluskał się w morzu, Coco z upodobaniem obserwowała żuka gnojownika: leżał na grzbiecie i choć ze wszystkich sił wywijał odnóżami, nie był w stanie się odwrócić. Po chwili podstawiła mu patyczek i pomogła wstać.

„Widzę, że zyskała pani odrobinę sympatii dla świata" – usłyszała za plecami czyjś głos.

Obejrzała się i zobaczyła Juliana Jurié, przyjaciela Erny'ego i psychoanalityka, który spędzał w tych stronach wakacje. Instynktownie zasoniła się ręcznikiem. Okazało się, że Jurié pochodzi z okolic Bordeaux i ma letni domek dwa kilometry od miejsca, gdzie Coco mieszkała z Dymitrem. Wciąż pracował w Paryżu, ale zmienił lokal na tańszy i obniżył ceny swoich usług.

Zjedli we troje kolację, prowadząc uprzejmą i banalną rozmowę. Coco zauważyła, że lekarz orientuje się w nowinkach kulturalnych Paryża. Mówili też o ekscytujących odkryciach w Egipcie. Skarby faraonów zachęciły co odważniejszych paryżan do podróży nad Nil, choć było oczywiste, że wykopaliska znajdują się już, pilnie strzeżone, na jakimś brytyjskim uniwersytecie. Jeden z angielskich odkrywców grobu Tutenchamona zmarł ponoć od ukąszenia jadowitego owada. „Przekleństwo faraona" – rzucił psychoanalityk i wzniósł toast. Coco nie wierzyła własnym uszom. Lord Carnavon nie żyje? Naprawdę? Niestety. Przy pożegnaniu poprosiła doktora Jurié o jego nowy adres.

„Jak się miewają »złe ciotki«?" – spytał Jurié, szukając wizytówki.

Coco poczuła to samo zawstydzenie, co na plaży: ten człowiek zdawał się ją obnażać samymi słowami.

„Doskonale. Wąchają kwiatki od spodu" – odparła. „Miło mi to słyszeć – powiedział. – Zawsze je uwielbiałem".

Postanowiła się odegrać.

„Wie pan, z czego były zrobione?" – spytała. „Pani ciotki?" – zdziwił się. „Majtki moich ciotek, rzecz jasna" – odrzekła. „Z lnu" – rzucił Jurié. Nigdy by sobie nie pozwolił na ten dialog, gdyby znajdowali się w jego gabinecie. „Z prześcieradeł, z porwanych na kawałki prześcieradeł, bo wtedy jeszcze nie szyto bielizny".

Wrócili do domu wyczerpani. Przed zaśnięciem Dymitr powiedział, że ten poruszający film z Haroldem Lloydem nasunął mu myśl o tym, iż niektórzy ludzie spędzają życie na udawaniu kogoś, kim nie są.

Czasem przychodziły pocztówki od Cocteau. W jednej z nich donosił, że przygotowuje właśnie luźną i nowoczesną inscenizację *Antygony* Sofoklesa. Picasso miał się zająć scenografią, a Honegger – muzyką. Coco nie znała tej sztuki, więc któregoś wieczoru, po odebraniu trzeciej kartki, zapytała Dymitra, czy może wie coś na jej temat.

Książę Dymitr mógł sobie być lekkoduchem, twierdzić, że ostrygi smakują smarkami, i kupować krowy, ale rzucało się w oczy, że w młodości odebrał gruntowne wykształcenie: wiedział, o czym jest arcydzieło Sofoklesa, a nawet potrafił recytować całe fragmenty w oryginale. Coco była pod wrażeniem nie tylko jego erudycji, ale także samego utworu. Zamieniła się w słuch: Antygona pragnie pochować brata (ojciec tyran zdecydował, że zwłoki mają wyschnąć na słońcu i paść łupem sępów), lecz zostaje przyłapana przez strażników Kreona („Pijanego gniewem i głupią butą" – twierdził Cocteau). Między dwojgiem głównych bohaterów wywiązuje się spór o wartości – Kreon wierzy w moc prawa stanowionego przez człowieka, czyli przez siebie, Antygona zaś staje po stronie zapisanych w ludzkim sercu praw boskich.

Zdaniem Coco najbardziej fascynujące były w tym wszystkim narodziny ludzkiej wolności i samowiedzy.

Dopiero we wrześniu, już w Paryżu, dowiedziała się, dlaczego Cocteau w swoich pocztówkach raz po raz wracał do tego projektu. „Może chciałabyś się zająć kostiumami?" – spytał któregoś dnia.

15

Pierwsza noc po powrocie do Paryża była okropna. Dzieci spadające z sufitu jak bezrękie i beznogie kamienie. To właśnie miała pamiętać jeszcze czterdzieści siedem lat później. Po lecie spędzonym nad morzem odnosiła wrażenie, że ściany i meble w mieszkaniu wydzielają zapach pleśni i pustki, osiadający na przedmiotach i ludziach.

Marie starannie posłała łóżko i przygotowała kolację. Podróż okazała się bardzo męcząca i po raz pierwszy wizja pracy nie napełniała Chudziny pozytywną energią. Gdyby chciała się zaangażować w coś nowego, musiałaby chyba harować po nocach. Te i inne myśli (zwłaszcza świadomość narastającego zmęczenia Dymitrem i jego pretensjami zubożałego wielkiego księcia) sprawiły, że długo przewracała się na łóżku, zanim wreszcie głęboko zasnęła.

Najpierw usłyszała dzwonienie. Albo coś podobnego. Dobiegało z krótszymi lub dłuższymi przerwami. Potem – hałas, raz walenie chochlą w blaszany garnek, później znowu coś jakby pochód mrówek na suficie. Cokolwiek to było, przybierało na sile. Czy śniła? Obudził ją strumyczek potu spływający po czole. Otworzyła oczy i usiadła na krawędzi żelaznego łóżka. To moje dzieci – pomyślała – dzieci, których nigdy nie miałam, spadają z sufitu. Cała mokra, siedziała bez ruchu przez pięć albo dziesięć minut. Dzieci spadały jak krople wody albo owady – matczyny zapach, zmieszany z wonią nocy – uderzały o podłogę i znowu wzlatywały do góry. Udało jej się odsunąć od siebie ten temat na całe lato. Raz nawet, patrząc z Dymitrem na morze, pomyślała (nie powiedziała na głos, tylko pomyślała), że odegnała tę obsesję raz na zawsze. Letnicy powoli wracali do Paryża. Myliła się. Ile ich było? Tych dzieci spadających z sufitu? Troje? A może tylko jedno? Ile możliwości? Ilu dzieci nie urodziła, ona, kobieta taka jak inne? Nie zmrużyła oka do rana.

Następnego ranka chciała się wykąpać, ale w łazience zastała Marie ze skrzynką pełną narzędzi. Koło trzeciej nad ranem z kranu, widocznie uszkodzonego pod wpływem wyższego nocą ciśnienia w rurach, zaczęła kapać woda. „Nie słyszała pani?". Coco otworzyła usta i już miała wybuchnąć stekiem obelg, ale powstrzymała się. Cóż ona winna, ta biedna Marie – powiedziała sobie. Powstrzymała się, choć bardzo chciała krzyczeć, deptać i upokarzać, żeby wyrzucić z siebie niepokój, wypluć gorycz.

Wyszła z łazienki i snuła się po mieszkaniu, szukając wizytówki Juliana Jurié – tej, którą dał jej nad morzem. Odnalazłszy ją, zadzwoniła pod wskazany numer. Chciała umówić się na wizytę. „Muszę zmienić swoje życie" – oświadczyła recepcjonistce odbierającej telefony. Zaraz zresztą pożałowała tego wyznania uczynionego nieznajomej.

Przeczytała *Antygonę* w opracowaniu Cocteau i przygotowane przez niego streszczenie wersji oryginalnej. Zainteresowało ją wiele kwestii (opozycja między prawami boskimi i ludzkimi, między tyranią i demokracją), ale szczególną uwagę zwróciła na rolę fatum. Antygona istniała „po coś":

jej życie, długie czy krótkie, mogło znaleźć spełnienie wyłącznie w realizacji projektu, którym była ona sama. Stosunek do przeznaczenia odróżniał ją od Ismeny, co przywodziło na myśl przepaść, jaka dzieliła Coco od Antoinette. Ismena była bierną konformistką: Zrozum – mówiła do Antygony – że urodziłyśmy się kobietami niezdolnymi walczyć przeciw mężczyznom i że cokolwiek rozkażą, choćby jeszcze gorszego, my musimy ich słuchać. Nie zamierzała więc buntować się przeciw prawu – cóż, los tak chciał. Antygona wydawała się bliższa postawie Coco: biedna, czarnowłosa chudzinka, której nikt nie traktował w rodzinie serio, stanęła sama przeciw światu.

Coco przyjęła propozycję Cocteau nie tylko dlatego, że fascynował ją temat, ale także ze względu na Picassa, który przyrzekł swój udział w przedsięwzięciu. Od czasu, gdy po znała go u Misi, czekała na okazję, by się z nim zmierzyć.

Z myślą o *Antygonie* kazała przygotować tunikę z surowej wełny, z nadrukowanymi brązowymi i czarnymi greckimi dzbanami. Nie zaniedbywała też innych bohaterów, projektując dla nich tuniki, diademy i maski. Aktorzy pod przewodnictwem Cocteau pracowali jak w kooperatywie: grali swoje role w spektaklu, ustawiali rusztowania, sprzątali, szyli kostiumy i malowali dekoracje. Coco często przychodziła na próby, między innymi po to, by usłyszeć, jak Cocteau chwali jej dzieło. Ale nie chwalił, całkowicie pochłonięty podziwianiem kurtyny stworzonej przez Picassa: grubej zasłony utrzymanej w błękitach i fioletach. Chudzina interpretowała jego milczenie (wynikające być może jedynie z roztargnienia) jako zniewagę pod swoim adresem.

Pewnego dnia zadała reżyserowi pytanie, czy ludzie zapomną o jej kostiumach, gdy sztuka zejdzie z afisza. Powiedziała: „Nie pozwolę kontynuować prób, dopóki się tego nie dowiem".

Cocteau stracił cierpliwość. Jego głos zabrzmiał jak roztrzaskująca się o skały butelka: „Został nam tylko tydzień do premiery, a ty mi wyjeżdżasz z jakimiś osobistymi pretensjami!". Coco zmieniła się na twarzy. Podwinęła spódnicę i z furią w oczach wskoczyła na scenę. Miała dość. Złapała główną aktorkę za ramię i szarpnęła tunikę. W pięć minut zniszczyła wszystko, co zaprojektowała. Cocteau nazwał ją egoistką, a ona wyszła, wściekła, odprowadzana zdumionymi i niechętnymi spojrzeniami ekipy.

Jednakże po dwóch czy trzech dniach Cocteau zadzwonił, zaklinając ją, żeby zechciała do nich wrócić, bo tylko ona jest w stanie uszyć im te stroje. Chudzina zdążyła się już uspokoić, a poza tym pochlebiały jej jego błagania.

Premiera okazała się klapą. Krytycy chwalili jedynie kostiumy Coco. „Vogue" zaproponował jej wywiad, butik przy ulicy Cambon zaroił się od dziennikarzy, a Coco puchła z dumy, nadęta jak ropucha.

„Czy sądzi pani – zapytano ją – że zaprojektowane przez panią ubrania zawsze będą w modzie?". Odrzekła: „Moda to nie tylko kwestia ubioru. Moda jest w powietrzu, na niebie i w asfalcie, czuć ją w powiewach wiatru. To coś, czym się oddycha. To stan ducha".

Nowy gabinet Juliana Jurié mieścił się przy jednym z bulwarów między Operą a kościołem Madeleine. Brama i marmurowe schody na pierwsze piętro prezentowały się elegancko, choć zbytkiem nie dorównywały poprzedniemu budynkowi. Ta surowość bardzo przypadła Coco do gustu.

„Proszę usiąść – powiedział psychoanalityk. – Albo lepiej nie. Niech pani nie siada. Proszę uklęknąć". Coco rozejrzała się dookoła: oprawione w ramki dyplomy (ponad dziesięć), grube książki doskonale dopasowane do półek, kurz, wazon z kwiatami, płatki róż na szklanym stoliku. Przypomniała sobie pewne popołudnie i inny oskubany z płatków kwiat.

To się zdarzyło wiele lat wcześniej (trzydzieści?). Zbierały z Antoinette stokrotki na łące. Kocha, nie kocha, kocha, nie kocha... Czy mama je kocha? Był wrzesień. Robiło się coraz chłodniej, staruchy w progach domów wystawiały pokręcone reumatyzmem nogi na ostatnie promienie słońca. Obok nich psy. Nie kocha. Mama jej nie kocha. Coco otworzyła dłoń i płatki posypały się na ziemię. Potem upadła łodyga. Wiatr natychmiast zmiótł wszystkie ślady. A wraz z nimi jej strach. „Powiedział pan, żebym uklękła?".

Tego dnia zjawiła się w jego gabinecie z zamiarem, że będzie kłamać jak najęta. O kwiatach bez płatków porozmawiają kiedy indziej. I o rzeczach, które, choć zmiecione przez wiatr, czasem wracają. Chwilowo chciała jedynie, żeby ktoś ją wysłuchał. Chciała powoli wdrożyć się w terapię. Wstydziła się tej myśli, ale wiedziała, że o to chodzi: człowiek płaci, żeby ktoś go wysłuchał. Choć tego akurat dnia nie czuła się zdolna do prawdziwej rozmowy.

„Proszę uklęknąć" – usłyszała znowu. Nie wiedząc, po co to robi, posłuszna jak dziecko, które przed trzydziestoma laty wróżyło sobie z płatków stokrotek, przykucnęła, oparła dłonie o deski podłogi i opadła na kolana. „Teraz proszę wystawić język, o, tak, daleko – ciągnął doktor – i głęboko oddychać, jak najgłośniej przy tym charcząc. Proszę obwąchać nogi od stołu, pokręcić się dokoła. Proszę wyobrazić sobie, że ma pani pysk, pazury, sierść, zapach. Proszę nasikać pod ścianą, jeśli ma pani ochotę. I proszę pomyśleć, że pani życie jest..." „...pieskie" – dokończyła Coco. „Owszem – zgodził się Jurié. – A pani jest psem. Musi pani w to uwierzyć".

Dała się wciągnąć w tę grę. Przez pół godziny, nie rozumiejąc, jaki jest jej cel, ale za to doskonale rozumiejąc, co to znaczy być psem. Dyszała, ocierała się plecami o meble, a na koniec posikała się w majtki. Czuła się świetnie. Już od dawna nie czuła się tak świetnie.

Przez cztery czy pięć miesięcy, przed pracą, pod uważnym okiem doktora łaziła na czworakach, warczała, sikała po nogach i udawała, że jest psem, kotem, słoniem, nosorożcem – na co tylko przyszła jej ochota. „Kiedy porozmawiamy o moich problemach? – zapytała kiedyś, dysząc z wysiłku. – To ma być psychoanaliza? Zazwyczaj podczas takich terapii ludzie mówią o swoich problemach, prawda?". „Proszę się tak nie spieszyć – odpowiedział Jurié – wszystko to naprawdę się pani przyda. Pomyliłem się co do pani, myślałem, że pani skorupa jest cieńsza, ale teraz zmierzamy w dobrą stronę. Tak mi się przynajmniej wydaje".

W biurze nad butikiem Coco pozbywała się mokrych ubrań, a wraz z nimi wspomnienia przeżytego właśnie wstydu. Siadała przed lustrem, pudrowała policzki, malowała rzęsy. Tu, w otoczeniu swoich rzeczy, wracała do równowagi. Pośród tkanin, naparstków, agrafek i nożyczek, porządnie ułożonych na tacce z masy perłowej. Pośród różanego zapachu wnoszonego przez klientki. Wszystko to działało na nią pokrzepiająco. Nosorożec – myślała. Byłam dziś nosorożcem. Po czym wychodziła na korytarz i beształa pracownice.

Stopniowo za sprawą tej cudownej umiejętności, którą ma każdy człowiek, wypierała ze świadomości to, co niemiłe, i czuła się coraz lepiej. Wspomnienie Erny'ego nie prześladowało jej już od rana do nocy – wcześniej potrafiła je odepchnąć wyłącznie w towarzystwie Dymitra, i to tylko przy nielicznych okazjach, jak na przykład wtedy, gdy sprowadził do ogrodu krowę. Uczyła się nie pamiętać. Można żyć, nie pamiętając.

Bez wątpienia pomagała jej w tym powtarzalność pewnych czynności. We wtorki, na przykład, chodziła do salonu piękności. Od ponad dziesięciu lat zjawiała się u Millat (albo inaczej: w Egipcie) o piętnastej dziesięć. Historyjka z mężem archeologiem unosiła się tu w powietrzu, snuła między suszarkami, lokownicami i całym tym kosmetycznym instrumentarium, tak samo żywa jak zawsze, a może nawet bardziej, albowiem śmierć lorda Carnavona (który padł ofiarą jadowitego owada, a może klątwy faraona) dodawała sprawie smaczku.

Co wtorek Coco czuła się w obowiązku wyłuszczać tuzinowi pań, co czuje wdowa po sławnym człowieku i jak próbuje odbudować swoje życie. W gruncie rzeczy nie sprawiało jej to najmniejszej trudności. W ten sposób dbała nie tylko o paznokcie, włosy i skórę, ale także o stan swoich nerwów. Niewygasły jeszcze ból po stracie Erny'ego sprawiał, że właściwe słowa przychodziły jej do głowy same, sypiąc się na zgromadzone wokół damy niczym grad strzał: żałoba, pustka, strach, poczucie winy... Jej przemowy, okraszone tu i ówdzie pojedynczą łezką, wypadały bardzo przekonująco, ale czasem, wychodząc z salonu, Coco odnosiła wrażenie, że jest zwyczajną idiotką. Opłacała oto jednego z najdroższych psychoanalityków w Paryżu, by dzięki chorobliwie wścibskim babskom prawdziwą ulgę znajdować u Millat.

Jednego nie wiedziała: że prowadząc podwójne życie, okłamuje wyłącznie siebie. Co za naiwność sądzić, że jej nie rozpoznały! Panie odwiedzające salon doskonale zdawały sobie sprawę z tego, że mają przed sobą słynną *madame de*...

Dwudziestego pierwszego stycznia 1924 roku w wieku pięćdziesięciu czterech lat umarł Lenin. Władzę objął Stalin. Fakt ten wpłynął znacząco na życie modnego Paryża: ze Związku Radzieckiego emigrowały resztki arystokracji, ostatecznie pozbawionej nadziei na klęskę rewolucji. Wielu białych Rosjan lądowało w Paryżu i szukało źródeł utrzymania. Portierem w kawiarni Fleurs był, na przykład, hrabia Kutuzow, były gubernator Krymu. W butiku u Coco pracowało kilka rosyjskich dziewcząt – księżniczek i córek arystokratów. Obsługiwały klientelę, głupio chichocząc, choć czasem potrafiły też podsunąć jakiś ciekawy pomysł. Siostra Dymitra, panienka o wielkich, lubieżnych oczach, zatrudniła się w pracowni kapeluszy. Coco nie przyjmowała ich wszystkich z próżności czy z poczucia zemsty. Przyjmowała je, bo mogły być pożyteczne, zwłaszcza jako jej ambasadorki na balach, kolacjach i koktajlach. Dzięki nim wiedziała, co w trawie piszczy, nie zarywając nocy.

Księżna Fiodorowna zabawiała ją rozmową, posłusznie wbijając szpilki we wskazane miejsca na manekinie. Nie wyróżniała się urodą ani inteligencją, ale sposób, w jaki podnosiła się z taboretu, jakby ciągnął się za nią wielometrowy tren, wart był średniej pensji.

Pewnego dnia ta księżniczka z bajki zapukała do drzwi jej prywatnego gabinetu. Coco kończyła właśnie projekt lamowanego kostiumu: żakiet bez kołnierza, zapinany na jeden guzik, i prosta, elegancka spódnica. Zamierzała pokazać ten model na Międzynarodowej Wystawie Sztuki Użytkowej i Przemysłowej. Fiodorowna weszła i natychmiast zalała się łzami. Szlochała tak dobrą chwilę, nie podnosząc głowy. Kiedy Coco, nieco już zniecierpliwiona, zapytała, co się stało, księżna (z rozmazanym pod oczami tuszem do rzęs) wyznała, że zaciągnięty u pewnego magnata naftowego z Persji dług spłaca w naturze, oddając mu się w każdy wtorek i czwartek. Coco chciała przede wszystkim wiedzieć, jak duży jest ten dług. „Ten człowiek każe mi zakładać czerwony pas do pończoch i tańczyć – chlipała Fiodorowna. – A potem dotyka moich piersi i mówi, żebym...". „Ile jesteś mu winna?" – przerwała jej Coco. „Trzydzieści tysięcy franków" – odparła księżna i zwiesiła głowę.

Coco wiedziała, że pożyczka udzielona rosyjskiemu emigrantowi to w zasadzie pożyczka bezzwrotna. Mimo to otworzyła sejf i dała Fiodorownie odpowiednią sumę, mówiąc:

„Pieniądze nie są piękne. Są tylko pożyteczne". Rosjanka wykrzywiła usta w nieobecnym, jakby nieco łajdackim uśmiechu. Tej nocy Chudzina spała snem sprawiedliwego. Tydzień później Fiodorowna zaprosiła ją do siebie. Przywitała gościa ubrana w długą elegancką suknię i naszyjnik ze sztucznych pereł, sięgający do pasa. Salonik oświetlało delikatne pomarańczowawe światło. Na stoliku stał kawior na lodzie i kilka butelek wódki. Mężczyźni przebrani za Cyganów przygrywali na bałałajkach. Coco spytała o dług. „Nie oddałam" – odparła księżna, nalewając wódkę do kieliszka. „Widzę, że zaszalałaś" – rzuciła Coco oskarżycielsko, tocząc wzrokiem dookoła. „A czego się pani spodziewała? – zdziwiła się Fiodorowna. – Było mi tak smutno, że po prostu musiałam kupić sobie kilka drobiazgów".

Oczywiście Coco nie zobaczyła już tych trzydziestu tysięcy franków. Wkrótce potem dotarła do niej plotka, że Fiodorowna zamieniła perskiego magnata na Czecha o jeszcze gorszej sławie.

Co do Dymitra – Coco po prostu się nim zmęczyła. W szczególności zmęczyła się tym, że wesoły i czarujący bywał tylko wtedy, gdy miał pewność, że za doznaną przyjemność nie będzie musiał zapłacić z własnej kieszeni. Zabrała go na wakacje, spełniała jego zachcianki, fundowała mu koncerty, kolacje i hotele, kupowała ubrania, ba, nawet – jeśli zapragnął – krowy i lucernę dla nich. Jesienią zdała sobie sprawę, że od półtora roku go utrzymuje. A dla Dymitra każdy dzień był okazją do zabawy. Któregoś październikowego wieczoru, po kolacji w jednym z modnych lokali, stanęła okoniem. Gdy kelner położył rachunek na stole, podsunęła go Dymitrowi. Zerknął na leżący przed nim papierek, uniósł brwi, popatrzył na nią spokojnie i pomacał się po kieszeniach. „Zapomniałem portfela – powiedział bezczelnie. – Ty zapłać, po prostu zapomniałem". Przymknęła oczy i pokręciła przecząco głową. „W takim razie nie mamy wyjścia: wstajemy i wychodzimy".

I tak zrobili. Coco przysięgła sobie, że nigdzie go już więcej nie zabierze.

Międzynarodowa Wystawa Sztuki Użytkowej i Przemysłowej okazała się wielkim sukcesem. Już od 1912 roku planowano imprezę, na której francuscy projektanci mogliby pokazać swoje dzieła, zapraszając przy okazji do współpracy kolegów po fachu z innych krajów, jednakże pierwsza wojna światowa przeszkodziła w realizacji tego projektu, przewidzianego na rok 1915. Wystawę otwarto więc dopiero w 1925 roku, w Grand Palais. Do pawilonu prowadziło kilka wejść, między innymi Brama Zgody, Brama Honorowa z umieszczonymi po bokach kubistycznymi lalkami naturalnej wielkości i zastygłymi fontannami René Lalique'a oraz Wielki Łuk Tryumfalny Edgara Brandta, z motywami roślinnymi w stylu art déco, wykonanymi z różnej grubości żelaznych prętów. Lampy wyszły z pracowni Giacomettiego. Most Aleksandra III, otwarty z okazji wystawy w 1900 roku, udekorowany został przez Maurice'a Dufrene'a. Wyglądał bajkowo, barwna iluminacja upodabniała go bowiem do mozaiki ze szlachetnych kamieni. Na moście rozsiadły się butiki z wyrobami przeznaczonymi dla zamożnych nabywców. Wśród nich znajdował się również sklepik Coco z najnowszą kolekcją biżuterii: wielofunkcyjne ozdoby, na przykład bransoleta mogąca służyć za diadem i pierścionek-brosza.

Na tej właśnie wystawie zadebiutowała Rosjanka Sonia Delaunay, eksperymentując z tkaninami i barwami – nikt nie pozostał obojętny. Swoje butiki mieli też Jeanne Lanvin, Worth, Callot i Madeleine Vionnet. Paul Poiret wybrał wyrazistszy i tym samym bardziej zgodny ze swoją barokową naturą sposób przyciągnięcia uwagi publiczności: wynajął pięknie oświetlone i urządzone stateczki, kołyszące się na rzece.

Coco nienawidziła takich spędów. Nienawidziła rozpróż-niaczonego, ciekawskiego tłumu, wrzawy, rywalizacji, zanu-dzających ją przedstawicieli handlowych, których próbowała odganiać wzgardliwym ruchem dłoni. Nienawidziła siedzieć przez dziesięć godzin w jednym miejscu, gadać bez sensu i udawać serdeczności. Na domiar złego musiała znosić cały ten szum wokół Madeleine Vionnet. Jej ukośne cięcie zaczy-nało robić furorę w świecie mody. Wielu uważało ten pomysł za rewolucyjny, ale Coco była zdania, że to zwykłe partactwo, i musiała ugryźć się w język, żeby tego głośno nie powie-dzieć.

Vionnet skupiała na sobie uwagę stylistów, opowiadając o bocznych rozcięciach, marnotrawstwie materiału i bólach głowy. „Krojenie satynowej krepy albo lejącego się jedwabiu w poprzek włókien nie jest – mówiła – wcale łatwe. Istnieją jednak pewne sposoby: z niektórych tkanin można zrezygno-wać, inne odpowiednio naciągnąć lub ciąć z pewnym zapa-sem, żeby uniknąć niekorzystnego efektu na biodrach. Grunt, że materiał zyskuje niezrównaną elastyczność, podkreśla piersi i talię, opinając je, by następnie luźno spłynąć w dół.

Coco wiedziała, że jeśli chce coś znaczyć w środowisku, musi, niestety, brać udział w podobnych pokazach. Zresztą czasem można się było czegoś ciekawego dowiedzieć. Na niewielkim stoisku prezentowano na przykład „niezastąpiony dla projektantów" wynalazek, popularny od chwili, gdy za-częli go używać amerykańscy lotnicy. Wszyte w ubranie dwa paski materiału z metalowymi lub plastikowymi ząbkami na brzegach pozwalały uniknąć uciążliwego o poranku zapina-nia dwudziestu guzików lub setki haftek. Wynalazek ten na-zywał się suwak.

Któregoś dnia, jedząc obiad w towarzystwie przedstawi-ciela jednego z londyńskich domów mody, wąsatego Anglika w meloniku, Coco otrzymała kuszącą ofertę. „Już od dłuższego czasu Brytyjki przeprawiają się przez kanał tylko po to, żeby kupić coś w pani sklepie, *mademoiselle"* – oświadczył Anglik. „Owszem, to prawda – odrzekła Coco. – Mam sporo znakomitych klientek z pańskiego kraju". Zaproponował zatem, żeby otworzyła butik w Londynie, w luksusowej dzielnicy Mayfair. Jest tam do wynajęcia lokal o powierzchni trzystu metrów kwadratowych, a on, pan taki to a taki, już nieraz pośredniczył w podobnych sprawach. „Jak pani pewnie wie – dodał – zbliża się ogólnoświatowy kryzys. Chciałaby pani zapewne jak najlepiej się przygotować na jego nadejście". Kryzys – pomyślała Coco. Jaki kryzys?

16

Czasami krzyczały jedna do drugiej przez korytarz, aby upewnić się, że żyją. „Coś panią boli?". „A ciebie?". Nie, nic ich nie bolało.

Życie biegło swoim rytmem: praca i jeszcze raz praca, samotność (wielki książę Dymitr znalazł sobie inną protektorkę), powracający wciąż smutek, terapia u doktora Jurié, zmęczenie, świeży śnieg i wróble za oknem, Marie ze skromnym śniadaniem na tacy, krzycząca przez korytarz: „Coś panią boli?!". Marie... Ostatnio zbyt często przypalała krokiety albo dwa razy soliła zupę. Jakaś sukienka – zwykle tylko jedna – poniewierała się tygodniami, nieuprana. Pod poduszką leżała niezłożona piżama, w herbacie pływała mucha i, co najgorsze, łóżko było posłane niestarannie. Nieistotne szczegóły. Może ona, Coco, ma jakąś manię? Może pokojówka potrzebuje wytchnienia? Zresztą każdy radzi sobie, jak potrafi, wszyscy uciekamy się niekiedy do małej zemsty: ot, dajmy na to, mucha w filiżance albo przesolone danie... Nie żeby Marie stała się nieposłuszna, ale sprawiała wrażenie, jakby nie przykładała się do pracy tak jak dawniej. Co się takiego stało? Nic. Więc może jednak wszystko było po staremu?

Pół roku po rozmowie z wąsatym Anglikiem w meloniku Coco otworzyła butik w Mayfair, przy ulicy Davies, tuż obok hotelu Claridge. Dzielnica była naprawdę znakomita, położona między Hyde a Green Parkiem, z rezydencjami w prywatnych ogrodach, modnymi restauracjami i ekskluzywnymi hotelami. Po ulicach spacerowali arabscy szejkowie i Angieleczki w szytych na miarę tweedowych płaszczykach, rękawiczkach pod kolor i kapelusikach z puszystymi piórami.

Księżna Yorku, małżonka przyszłego króla Jerzego VI, oraz znane w towarzystwie damy: Daisy Fellowes, Baba d'Erlanger i Paula Gelibrand natychmiast zakupiły w nowym sklepie komplet garderoby. Specjalnie dla nich Coco projektowała stroje sportowe, to znaczy takie, w których można się było przyglądać, jak sport uprawiają inni. Podróżowała do Londynu co najmniej raz w miesiącu, aby wszystkiego doglądać. Po wyjściu ostatniej klientki mówiła do swych francuskich ekspedientek, że Angielki ubierają się okropnie i że myślą tylko o tym, jak upolować mężczyznę, bez względu na to, kimkolwiek by on był.

Na którymś z kolejnych spotkań z doktorem Jurié odmówiła udawania, że jest psem. „Nie – powiedziała, wyciągając otwartą dłoń, jak gdyby zamierzała kogoś zatrzymać. – Dziś nie". – Usiadła na białej skórzanej kanapie, której nigdy nie chciała nawet dotknąć. – Dziś powiem panu, po co do pana przychodzę". „Słucham". „Żeby nauczyć się czegoś, co już dawno zapomniałam. Żeby nauczyć się płakać".

Jak łatwo mówić o rodzinie, jeśli myśli się przy tym o kasztanach. Łatwo i naturalnie, zupełnie jakby chodziło o deszcz albo wiatr zaplątany wśród drzew. Jeśli myśli się o kolczastych kuleczkach opadłych jesienią kasztanów, uśpionych owocach w ochronnej łupince, a nie o domu, o matce stojącej nad paleniskiem, nie o jej chudych, pokrytych żylakami nogach ani o księżycu.

Coco wyjaśniła doktorowi, że poprzedniego dnia, wracając do domu przez cmentarz Montmartre, zobaczyła pełno kasztanów leżących na ziemi. Podniosła kolczastą zieloną kulkę, kłując się przy tym w palec, i to przypomniało jej pewien zimny dzień, kiedy wraz z matką i młodszym rodzeństwem poszli do lasu.

Jurié milczał. Jako profesjonalista nie pozwolił sobie nawet na lekki uśmiech zadowolenia, ale nie ulegało wątpliwości, że się ożywił. Ta twarda jak orzech, uparta jak osioł kobieta prosiła go, żeby nauczył ją płakać. Ba, wspomniała swoją matkę! Gdy taki pacjent zaczyna mówić o matce, właściwie można uznać go za wyleczonego.

„Wszystko było takie dziwne i piękne" – ciągnęła Coco.

Tamtego dnia chodziło akurat o kasztany, ale równie dobrze mogło chodzić o cokolwiek innego: o zboże, kapustę, pomidory czerwone jak okładka Biblii, kiełkujące już ziemniaki w kształcie serca, ostatnie owoce umierające na drzewie, figi o smaku syropu. Niezmierzony horyzont i zimne światło słońca. Matka, postarzała i czule uśmiechnięta, pośród pióropuszy paproci, z koszykiem, do którego wkładała kasztany. Jej szybkie palce nie wahały się ani przez chwilę, jakby stworzone do wyłuskiwania owoców z łupiny („Ależ one kłują, dranie") i wrzucania ich do koszyka: czystych i lśniących na krzywiznach niby paznokcie. Dzieci pomagały. Tego wieczoru na kolację miała być zupa. Matka stała pośród nich, z brzuchem płodnym i pulsującym jak ziemia, piękna w tym swoim macierzyńskim, ciężkim od krwi i wód płodowych dostojeństwie. Dzieci miały obierać kasztany i uważać, żeby się nie pokłuć. Ubrudzić się mogły. „Nic, nic. To się przecież zmyje" – powtarzała.

„Zaczęliśmy się bawić – ciągnęła Coco. – Kręciliśmy się, każde wokół swojego drzewa, przytrzymując się pnia jedną ręką. Liście, niebo i moja postarzała, czule uśmiechnięta matka – wszystko wirowało wokół jak oszalałe. Byliśmy szczęśliwi, rozbawieni. Szczęście pachniało dymem z komina i gorącą zupą. Ale wtedy odwróciłam się w stronę mamy: stała z zaciśniętymi, czerwonymi jak od szminki ustami i stężałym wzrokiem. Była wściekła".

Jurié poprawił się na krześle.

„Dlaczego była wściekła?". „Przecież kazała nam zbierać kasztany, prawda?". „Często się złościła?". „Cóż, tak często, że na nic więcej nie starczało jej już czasu...".

Pewnego dnia Coco poszła na obiad do oddalonej restauracji, tej samej, do której chadzała, gdy chciała uciec przed znajomymi. Słońce, na niebie ani jednej chmurki, doskonała pogoda na spacer. Gdy tylko usiadła, podbiegła do niej kelnerka i konfidencjonalnym szeptem zapytała, czy już słyszała, co się stało z jej przyjacielem.

„Moim przyjacielem?" – zdziwiła się Coco. „Tym Amerykaninem – wyjaśniła dziewczyna i przełknęła ślinę. – Tym, który zawsze z panią rozmawiał. – Przesunęła palcem wskazującym po szyi i wydała gardłowy odgłos, naśladujący zarzynanie kaczki lub gęsi. – Popełnił samobójstwo" – powiedziała. Ktoś znalazł go w jego paryskim mieszkaniu, powieszonego na lampie art déco. Załamanie nerwowe po krachu na Wall Street.

„No, wie pani, po tym nowojorskim czarnym czwartku, kiedy ceny papierów wartościowych spadły na łeb na szyję" – dorzuciła lekko kelnerka, przecierając stolik flanelową ściereczką, jak gdyby czarne czwartki zdarzały się co tydzień i spowodowały już śmierć połowy amerykańskiej populacji.

Coco zjadła obiad i przybita opuściła restaurację. Śmierć jest zjawiskiem naturalnym, owszem (i brzydkim), wiedziała na ten temat niejedno. Ten człowiek musiał bardzo cierpieć, zapewne w samotności, nie dzieląc się z nikim swoją zgryzotą. I to właśnie było najsmutniejsze. Poza tym wydawało jej się niewiarygodne, że taki nienagannie ubrany, kulturalny, opanowany mężczyzna popełnił samobójstwo. Po chwili doszła jednak do egoistycznego wniosku: tak bywa, wszyscy jesteśmy więźniami swojego świata, ale ona nie pozwoli, żeby takie wydarzenie zburzyło jej równowagę psychiczną, ostatecznie ma dość własnych zmartwień.

Życie jest, jakie jest, utkane z nieszczęść i bólu, ale one właśnie hartują człowieka. Ją na przykład zahartowały.

W drodze powrotnej dumała nad tym, że tacy właśnie ludzie jak ten Amerykanin, na pozór silni i zadowoleni, starannie skrywający swoje słabości, najczęściej robią podobne głupstwa. Ukłoniła się znajomemu i skręciła za róg. „Samobójstwo to przecież głupota – powiedziała do siebie, wtulając twarz w futrzany kołnierz. – Ostatnia w życiu". Pomyślała o własnej śmierci. Któregoś dnia umrze i ktoś (jej dzieci albo może Misia i Sert) będzie musiał ją pochować. Znajomi zgromadzą się na cmentarzu wokół trumny, udając smutek.

Mimo woli wyobraziła sobie wiszącego na lampie art déco Amerykanina, z wywalonym na wierzch językiem, w rozchełstanej koszuli, w ciemności. „Tańcz, tańcz – szepnęła. – Zataczaj stopami półkola". Nie potrafiła powściągnąć uśmiechu, ale czy był to uśmiech? Tak czy owak zgroza na myśl o wisielcu przerodziła się w satysfakcję, że ona wciąż żyje. Poczuła skurcz żołądka, jakby miała zaraz zwymiotować. Coś dziwnego, jakiś potężny prąd podchodził jej do zaciśniętego gardła, które było jak tama uginająca się pod naporem wątroby, śledziony, serca i innych wzburzonych wnętrzności.

Koło kamienicy pod numerem dwudziestym piątym zaczęły ją boleć mięśnie twarzy. Zęby zacisnęły się kurczowo, oczy wypełniły łzami. Wydając z siebie krótkie jęki, Coco wykrzywiła się histerycznie. Śmiała się czy płakała? Płakała przez jakiegoś Amerykanina! Nie płakała po człowieku kochanym nad wszystko w świecie, a teraz lała łzy z powodu nieznajomego! To znaczyło, że... umie płakać.

Nie – pomyślała i przystanęła, by wyjąć chusteczkę. To przez kurz, dlatego wszystko się zamazuje. A może przez słońce. Albo przez wiatr. Przecież ja nie umiem płakać, nikt mnie tego nie nauczył, dlatego chodzę do psychoanalityka. Tak, na pewno jakiś owad wpadł mi do oka, czy ja wiem zresztą co.

To nie był kurz ani wiatr, ani słońce, ani owad. I Coco doskonale o tym wiedziała. Usiadłszy na brudnym krawężniku przy ulicy Cambon, z policzkami czarnymi od tuszu i rozstawionymi nieelegancko nogami, zakrywając oczy dłońmi, po grążyła się w rozmyślaniach. Przed jej oczami przesuwały się prześwietlone obrazy: bezzębna matka, nieznane rodzeństwo, zbierane w lesie kolczaste kasztany... Po raz pierwszy w życiu czuła na skórze ciepłą wilgoć łez. Zapach nieszczęścia. Po raz pierwszy w życiu płakała. Płakała nad wilgotnymi, porośniętymi czarnym włosem cipami swoich bogatych ciotek, nad osami, które krążyły nad pielonym przez zakonnice zagonem truskawek, nad zapachem świeżo wypranych prześcieradeł, nad Długą Meg i jej rozdzierającym szlochem w nocnej ciszy. Płakała nad deszczem w Paillers, stukotem maszyn do szycia w warsztacie pani Desboutin, nad wonią siana i końskich odchodów na hipodromie. I płakała nad Ernym. I nad odkręconymi kranami. Ale przede wszystkim nad Ernym. I nad kranami odkręconymi po to, by zagłuszyć zwierzęce wycie. Nad tym, czego nigdy nie powiedziała, nad pieszczotami, których skąpiła. Jako matka (którą nigdy nie była, ale przecież mogła być) płakała, że już nigdy nie urodzi Erny'emu dzieci, że nigdy ich nie wykąpie ani nie pocałuje, że nie przeczyta im bajki na dobranoc. Płakała, że nigdy nie pozna swoich wnuków. Płakała nad sobą.

Potem podniosła się, otrzepała spódnicę i wysmarkała nos. Była pusta w środku i od dawna nie czuła się tak dobrze. Wtedy dostrzegła coś na ziemi. Paciorek z naszyjnika? Nie, zwykłe ziarnko bobu. Niedaleko mieścił się targ. Bób wypadł pewnie z czyjejś torby. Coco przypomniała sobie, jak zakonnice owijały takie ziarenka w wilgotną watę i wkładały do metalowych puszek (całe szeregi metalowych puszek na parapetach...). Wkrótce ziarenka kiełkowały, wypuszczały delikatne zielone łodyżki i listki: wtedy przesadzało się je do gruntu, by o odpowiedniej porze wyłuskać z pięknych strąków nowe ziarna, z których robiło się pożywną zupę.

Ruszyła dalej, swoimi drobnymi, energicznymi kroczkami, ale już po chwili znowu się zatrzymała. Zawróciła i podniosła z ziemi ziarenko. Wieczorem zawinie je w mokrą watę. Będzie patrzyła, jak rośnie i owocuje strąkami.

W sklepie usłyszała, że ktoś czeka na nią w gabinecie. Wiedziała, kto, zanim otworzyła drzwi do pokoju: nad schodami unosił się intensywny zapach zwiędłych róż.

Misia. Zjawiła się z gałązką oliwną (przyznała, że telegram do Strawińskiego to była z jej strony zdrada) i zaproszeniem: oboje z Sertem pragną, żeby Coco spędziła z nimi tydzień nad morzem. To niby nie sezon, ale w Monte Carlo jest bardzo przyjemnie. Poza tym mają tam wielu znajomych. Uściskały się jak siostry. Porozmawiały od serca. Dziesięć dni później byli już we troje na miejscu.

Któregoś ranka Misia zapukała do pokoju Coco.

„Chciałam cię prosić o przysługę – powiedziała. – Jeśli spełnisz moją prośbę, dostanę prezent. Mam ochotę na prezent. Westminster przyjechał. Jego jacht stoi na redzie w Monaco".

Hugh Richard Arthur Grosvenor, książę Westminsteru, był bajecznie bogatym rozwodnikiem, jednym z najzamożniejszych ludzi w Anglii i w całej Europie. Miał działki w najlepszych punktach Londynu, domy w Irlandii, Dalmacji i w Karpatach, oraz wielką posiadłość w Eaton Hall, w Chester, gdzie stały drewniane domy ze spiczastymi dachami i czarno-białymi elewacjami z epoki Falstaffa. Na ścianach rezydencji wisiały obrazy Gainsborougha, Reynoldsa, Goi i Velázqueza. Cały szwadron lokajów w liberii i majordomusów w uniformach ze złotymi guzikami czekał w gotowości na przyjazd pana. Dlaczego człowiek, który nigdy w życiu nie pracował, był właścicielem kontrtorpedowca wyprodukowanego dla Marynarki Królewskiej i podróżował na żaglowcu o wyporności ośmiuset osiemdziesięciu trzech ton? Dlaczego mógł sobie pozwolić na mięciutkie mandarynki poza sezonem? I dlaczego trwonił pieniądze, sprowadzając do Anglii egzotyczne zwierzęta: małpy z Himalajów albo brazylijskie świnki morskie wielkości prawdziwej świni?

Na podobne pytania zawistnicy nie znajdują zazwyczaj odpowiedzi. Na szczęście w przypadku księcia Westminsteru nawet nie próbowali ich zadawać: jego bogactwo przekraczało dostępną rozumowi miarę. Misia wiedziała, że jacht księcia stoi na redzie w Monaco i że mężczyzna bogaty albo utytułowany nie jest już mężczyzną, lecz zwierzyną łowną.

Westminster rozstał się właśnie ze swoją drugą żoną. Pierwsza urodziła mu troje dzieci, w tym chłopca, dziedzica fortuny, który umarł w wieku czterech lat w wyniku błędu popełnionego przez lekarza podczas operacji wyrostka robaczkowego. Z drugą książę nie miał potomstwa, więc nie przestawał się rozglądać za trzecią. Misia jakimś sposobem wkręciła się w jego towarzystwo i podszepnęła mu mimochodem, że słynna francuska projektantka, tak ostatnio modna w Londynie, jest jej przyjaciółką. Westminster słyszał o Coco, o jej nieujarzmionym temperamencie, widział setki jej zdjęć w magazynach. Podziwiał jej elegancję, niezmordowaną energię, oryginalną urodę przywodzącą na myśl młodego byczka: szeroko rozstawione oczy, niewyregulowane brwi, gotowe w każdej chwili unieść się w wyrazie zdumionej przygany, gęste czarne kręcone włosy, które kiedyś, dawno temu, krótko obcięła, bo wplątywały jej się w sznurki gorsetu.

Książę miał ochotę ją poznać, więc Misia obiecała, że w zamian za odpowiednią rekompensatę przyprowadzi przyjaciółkę na kolację.

„Nie pójdę" – oświadczyła Coco. „Proszę" – błagała Misia. „Nie ma mowy".

Jednak poszła. Nie mówiła prawie wcale po angielsku, lecz Westminster nie potrzebował wielu słów, aby zrozumieć, że ma przed sobą kobietę, która wszystko zawdzięcza sobie. W Anglii, podobnie jak we Francji, krążyła plotka, podsycana przez szmatławe magazyny, że pochodzenie Coco spowija głęboka tajemnica. Szeptano, że *mademoiselle* była kiedyś aktoreczką, szansonistką, a nawet prostytutką i że jej ojciec, arystokrata, porzucił jej matkę, jedną z pierwszych na świecie sufrażystek. *Madame de...*, dziwaczna bogini, plotkowano, bogini, której atrybutem są nożyczki i agrafki. Wymyka się próbom szufladkowania jak piskorz. Być może dlatego książę tak bardzo nalegał, by opowiedziała mu o swoim dzieciństwie. Broniąc się przed jego zakusami, raz jeszcze przywołała na pomoc nieśmiertelne ciotki.

Nie opowiadała mu jednak o ich ekscentrycznych popołudniowych rytuałach (ostatecznie nie znała go i nie wiedziała, jak by zareagował), tylko o domu na wsi, o kominku, w którym wędziło się mięso, kredensie pełnym osełek solonego masła i słoików marmolady, o kompotach z gruszek, smakowitych potrawach z jajek i pomidorów, o krótkich przejaśnieniach podczas śnieżycy, o szafach wyładowanych ślicznymi tkaninami z Issoire, sprzedawanymi za krocie przez wędrownych handlarzy, o zgniłych jabłkach i zimnie. Przedstawiała to wszystko tak plastycznie, że tego wieczoru Westminster niemal czuł świeży zapach bielizny pościelowej, równo poukładanej w komodach.

Umówili się na następny dzień, również na jachcie, ale Coco nie przyszła na spotkanie. Wróciła do Paryża. Książę bardzo jej się spodobał. Był prosty w obejściu i elegancki. I niewychowany, co ją szczególnie bawiło. Przypomniała sobie, jak przed wojną została zaproszona na kolację do Jeana Prouvosta, dyrektora „Paris Soir". Goście zjawili się punktualnie, ale gospodarz pod pretekstem bólu głowy kazał im na siebie czekać ponad dwie godziny, a potem nawet nie przeprosił, choć od dłuższego czasu pobierał prywatne lekcje manier u pewnej panienki z wyższych sfer.

Pod tym względem Westminster mu dorównywał, ale miał od niego więcej wdzięku. Człowiek, który potrafi być źle wychowany i elegancki zarazem – myślała Coco w drodze do Paryża – jest w gruncie rzeczy wychowany doskonale. To, że ten mężczyzna, który mógłby mieć każdą kobietę, interesuje się nią, oczywiście jej pochlebiało (nie tyle zresztą pochlebiało, ile „pompowało" ją od środka, jakby była balonem). Nie chciała niczego przyspieszać. Dymitr pijawka wyssał ją do szczętu, a nie zamierzała stać się znowu, jak w młodych latach, czyjąś utrzymanką, kobietą z haremu. Na tym etapie życia czułaby się upokorzona, gdyby musiała trwać w bezczynności i pokornie dziękować komuś za komfort. Sława i pieniądze mogły rozczarowywać, ale nie ulegało wątpliwości, że są gwarantem niezależności.

W Paryżu czekały na nią same kłopoty. Zgodnie z przewidywaniami fala kryzysu dotarła do Europy i Francja przeżywała trudne chwile. Luksusowe butiki padały jeden po drugim. Jubilerzy z ulicy de la Paix zbankrutowali, gdy przestały nadchodzić zamówienia z Ameryki. Kobiety nie kupowały nowych sukienek – przedłużały stare (krótkich spódnic nie nosiło się już nawet za dnia). Najmniejszy skrawek futra był wykorzystywany do obszycia kołnierza czy mankietów, co samo w sobie zaczęło stanowić oznakę luksusu. Coco, jak wielu innych projektantów, musiała obniżyć ceny swoich wyrobów o połowę. Popularność zyskiwały tanie, łatwe w praniu materiały, jak bawełna czy len. Chudzina pracowała nad najnowszą kolekcją, do której postanowiła włączyć suknie wieczorowe z piki, koronek, organdyny i tiulu. Aby ograniczyć koszty, używała suwaków.

Pewnego dnia Misia – po niepowodzeniu z Westminsterem na jakiś czas nieco ochłodła względem przyjaciółki – wpadła do butiku przy ulicy Cambon z gazetą w wyciągniętej dłoni. Wyglądała na bardzo wzburzoną. Nie tłumacząc się nikomu, przebiegła przez sklep i jak błyskawica pokonała trzy kondygnacje dzielące ją od gabinetu Coco. Taka już była. Szybko się nudziła (Sert, który musiał znosić ją dłużej i częściej niż inni, powiadał, że nawet wizja własnej egzekucji ożywiłaby ją tylko na chwilę) i wymyślała sobie coraz to nowe podniety. Pod warunkiem że zatruwały życie nie jej, lecz komuś innemu. Pasożytowała na cudzych sercach. Tworzyła, by niszczyć.

Otworzyła drzwi bez pukania i wymachując gazetą, rozpromieniona, zarumieniona z zimna – przedpołudnie było mroźne – wykrzyknęła: „Kochanie, Samuel Goldwyn cię potrzebuje!".

Coco oczywiście znała to nazwisko: nosił je ekscentryczny potentat z branży filmowej, właściciel wytwórni Metro Goldwyn Mayer, który zaczynał w przemyśle tekstylnym i nawet założył fabrykę rękawiczek, zanim poświęcił się temu, co uczyniło zeń multimilionera. W miarę jak kino zdobywało popularność nie tylko wśród plebsu, ale także na salonach, rywalizacja między barokowym Hollywoodem ze słynnymi aktorkami a reprezentującym prostotę Paryżem stawała się coraz wyraźniejsza. W owym czasie kobiety zaczęły czesać się i nosić po męsku, à la Greta Garbo z *Maty Hari*, i próbowały naśladować styl Marleny Dietrich z *Maroka* albo z *Szanghaj--ekspresu*. Po krachu z 1929 roku w Stanach Zjednoczonych było trzynaście milionów bezrobotnych i Goldwyn wiedział, że ludzie łakną olśniewających przepychem musicali i filmów gangsterskich, bo dzięki nim mogą zapomnieć.

Wedle doniesień gazety, którą przyniosła Misia, na jakimś prywatnym przyjęciu sławny multimilioner wyraził nadzieję, że zdoła przekonać słynną Coco, by ubierała jego aktorki na ekranie i poza nim. Misia nie posiadała się z radości. „Pojedziemy! – wykrzykiwała bezładnie, włączając się natychmiast w hipotetyczną przygodę przyjaciółki. – Pojedziemy do Nowego Jorku, kochanie. Czy nie mówiłaś zawsze, że chciałabyś zobaczyć Statuę Wolności?".

Dwa tygodnie później, w wyniku niezmordowanych zabiegów Misi, Coco i Samuel Goldwyn spotkali się w restauracji Chez Margery – tej samej, w której Chudzina po raz pierwszy zapłaciła rachunek za wielkiego księcia Dymitra. Gdy dotarła na miejsce, potentat filmowy siedział już przy stoliku, z ogromną serwetką zawiązaną na szyi, i jadł ze smakiem. Paryż bowiem – wyjaśnił – niezmiennie zaostrzał mu apetyt. Udziec cielęcy, gotowane na parze ziemniaki i młode szparagi znikały z półmisków w zastraszającym tempie. Jako człowiek interesu bezzwłocznie przystąpił do rzeczy. Podczas gdy mówił, Coco obserwowała go z uwagą. Sprawiał wrażenie prostego cwaniaka z wielkim talentem do interesów. Przeżuwając z otwartymi ustami, przypominał białego wilka albo włochatego niedźwiedzia i miał w sobie coś z jarmarcznej atmosfery odpustów, na których jej ojciec sprzedawał guziki i garnki.

Goldwyn potwierdził prasowe doniesienia: chciał, by Coco ubierała między innymi Glorię Swanson, Normę Talmadge, Inę Claire i Lily Damitę. Potrzebował nowych pomysłów, świeżej krwi. Coco nie po raz pierwszy negocjowała z biznesmenem znacznie bardziej doświadczonym niż ona. Oświadczyła, że wśród jej klientek są również bogate Amerykanki, zna ich upodobania i wątpi, czy zmienne w nastrojach aktorki zechcą od rana do nocy nosić wyłącznie jej stroje. Goldwyn, z ustami umazanymi sosem, odpowiedział perorą na temat niedocenianej siły reklamy i chwytliwości filmowych mód. Obiecał, że jeśli Coco zobowiąże się dwa razy do roku przyjeżdżać do Kalifornii i projektować ubrania dla jego artystek, zapłaci jej milion dolarów rocznie.

Przy deserze zrozumiał jednak, że niełatwo będzie ją przekonać. Zmienił strategię: może chciałaby najpierw odwiedzić Hollywood i na własne oczy przekonać się, ile ma jej do zaproponowania świat kina. Powinna jak najszybciej poznać Amerykę. Coco przyjęła zaproszenie, ale nie zamierzała ruszać w podróż natychmiast. Musiała pozamykać kilka spraw i spotkać się z Julianem Jurié.

Od kiedy opowiedziała mu o matce, czuła, że coś w niej drgnęło. Zrozumiała, że gdyby przyszło jej podsumować swoje życie, w gruncie rzeczy nie miałaby powodu do uskarżania się. Właściwie nie potrzebowała żadnej terapii. Na płaszczyźnie zawodowej ucieszyła się z propozycji Goldwyna, na płaszczyźnie prywatnej miała Westminstera, który nie rezygnował: regularnie przysyłał jej do domu ogromne bukiety róż, świeżo złowione łososie albo kosze egzotycznych owoców, pochodzących, jak zapewniali dostarczyciele, z jego zamorskich plantacji.

Ale jak zawsze czegoś jej brakowało. Jeden sukces zdawał się wymagać kolejnych sukcesów, jak gdyby zachowywał ważność jedynie w stanie permanentnego przyrostu. Tylko czy chodziło o sukces? Pragnęła czegoś, owszem. Jednak czy goniąc za czymś, nie traciła z oczu obiektu swego pragnienia?

Z Julianem Jurié nie rozmawiała o Hollywoodzie ani o świeżo złowionych łososiach. Ani o swoich refleksjach na temat poszukiwań i pragnień. Tamtego dnia niemal wtargnęła do gabinetu, usiadła na kanapce i bez żadnych wstępów zaczęła mówić o wytapetowanym na czerwono pokoju.

Kiedyś matka ciężko zachorowała i zaprowadziła je – ją i siostrę – do „wujka", zwanego wujkiem z Issoire, z nadzieją, że polubi siostrzenice i zechce się nimi zaopiekować. „Zamknęli nas w czerwonym pokoju – opowiadała. – Na początku byłyśmy grzeczne, nie miałyśmy odwagi się poruszyć, ale z czasem ogarnęło nas zniecierpliwienie. Snułyśmy się od ściany do ściany, nie wiedząc, co ze sobą zrobić, dopóki nie dokonałyśmy wspaniałego odkrycia: ściany pokrywała tapeta, która zabawnie trzeszczała przy zrywaniu. Najpierw zdzierałyśmy małe paseczki, które ze względu na wilgoć odstawały bez problemu. Potem wspięłyśmy się na krzesła i oderwałyśmy długi pas. To było cudowne. Przesuwałyśmy krzesła coraz dalej wzdłuż ściany. Zwoje kolorowego papieru opadały na podłogę, a my klaskałyśmy w dłonie i śmiałyśmy się jak szalone. W końcu ogołociłyśmy całe pomieszczenie – tylko gdzieniegdzie drżał od przeciągu jakiś strzęp. Mama zamarła w progu: szanse na pozyskanie sympatii »wujka« spadły do zera. Nic nie powiedziała. Rozpłakała się tylko. Po jej policzkach ściekały wielkie łzy. I tak ją pamiętam, jako niewyraźną plamę ciepła. Żadna kara nie podziałała na mnie nigdy z równą siłą. Uciekłam, płacząc rozpaczliwie. Życie okazywało się całkiem poważną sprawą, skoro tak łatwo potrafiło doprowadzić matkę do łez".

Misia i Coco miały podróżować parowcem „Europe". Chudzina poinformowała Marie, że wyjeżdża mniej więcej na miesiąc, i poprosiła ją o opiekę nad domem, a w szczególności o dwie rzeczy: żeby staranniej słała łóżka („Naprawdę, Marie, może to mania, ale postaraj się, ani jednej zmarszczki, dobrze?") i żeby dbała o zawinięte w watę ziarnko bobu.

Przez całą drogę przyjaciółki czuły się całkowicie szczęśliwe. Opalały się na górnym pokładzie, pozwalając, by wiatr łagodnie rozwiewał im włosy i przewracał kartki w książce. Popijały martini podawane przez kelnerów z bokobrodami i wykrochmalonymi gorsami. Na statku było wiele rodzin z dziećmi i za każdym razem, gdy maluchy przebiegały przed jej leżakiem, Coco popadała w głęboką zadumę, wpatrzona w fale rozbijające się o dziób okrętu. Potem, po chwili, mruczała: „Boże, takie szczeniaki to kula u nogi".

Do portu zawinęli pewnego zimowego popołudnia. W oddali, fioletowawe i ogromne, rysowały się wieżowce – mierzące w niebo niewiarygodnie wysokie szkielety. Na pozór lekkie jak pajęcze sieci – pomyślała Coco – i właśnie wtedy, pośród wypluwanego przez statek tłumu (ludzie jak wypływające z ryby odchody lub flaki), który spieszył, by zmieszać się z ciżbą oczekujących, poczuła silniejsze niż kiedykolwiek ukłucie samotności: jakby wciągał ją zawrotny wir morskiej wody i piany.

Przez pierwsze dziesięć dni leżała w hotelu z grypą. Od kiedy się zjawiła, dziennikarze czyhali na nią jak kot na mysz („No, po prostu dzika horda" – mruczała Coco, wyglądając przez szparę w zasłonach). Odzyskawszy siły, zeszła do holu owinięta w czarny szal i wygłosiła oświadczenie, zupełnie jak przedstawiciel francuskiego rządu albo ktoś w tym rodzaju: „Przyjechałam do Ameryki na zaproszenie znajomego. Chcę się przekonać, co ma mi do zaoferowania świat kina i co ja mogę zaproponować mu w zamian. Chwilowo nie zamierzam pracować. Nie przywiozłam ze sobą nożyczek".

Gdy wyzdrowiała całkowicie, wybrały się z Misią pociągiem do wytwórni Metro Goldwyn Mayer. Fascynujące było tak jechać przez Amerykę ogarniętą kryzysem i oglądać te nierealne, ogromne przestrzenie, dziwne miasta. W końcu dotarły do Hollywoodu. Na jednym z jego wzgórz rozciągało się kartonowe królestwo Goldwyna: zamkowe wieże, biurowce, sklepy i sztuczne a luksusowe fasady, zaułki, gdzie kręcono sceny uliczne, gipsowe pałace u krańca cienistych podjazdów, prowincjonalne w zamierzeniu placyki, wiszące wzdłuż okien sznury z praniem, lasy, dżungle, a nawet czynna stacja kolejowa. Nieco z boku znajdował się szereg niskich kolonialnych budynków, w których mieściły się biura i garderoby artystów – zastawione wieszakami na kółkach, sofami dla zmęczonych gwiazd i pyszniącymi się na honorowym miejscu toaletkami. Wszędzie leżały przybory do makijażu, szpilki do włosów i papiloty w pudełkach po czekoladkach, szminki i ołówki, bawełniane waciki, kremy, grzebienie, pędzelki i szczotki.

W ciągu jednego dnia przyjaciółki poznały Gretę Garbo, Marlenę Dietrich, Claudette Colbert i Frederica Marcha, a także reżyserów: George'a Cukora i Ericha von Stroheim. Ten ostatni pocałował Coco w rękę i zapytał: „Z tego, co zrozumiałem, jest pani krawcową, tak?".

Odkąd postawiła stopę na amerykańskiej ziemi, Coco pragnęła tylko jednego: wrócić do butiku przy ulicy Cambon. Te strzeliste, lśniące budynki pośród gęstwiny drzew, luksusowa doskonałość Rockefeller Center, windy, pogrążone w ciszy biura, Murzyni, smutek czarnych dzieci, zasmarkanych i drżących z zimna na ulicach, piekielna maszyna rozpędzonej nowoczesności, frenetyczny ruch – wszystko to odbierała jako przesadne (i nieuleczalnie samotne). Hollywoodzkie aktorki wydały jej się lekkomyślne, głupie i nienaturalnie gadatliwe. Von Stroheim, rzecz jasna, niewychowany.

„Tobie nic się nigdy nie podoba" – narzekała Misia.

A Coco: „Skoro nie podobam się sama sobie, to czy mogą podobać mi się inni?".

W Hollywoodzie każda prowincjonalna aktoreczka mogła z dnia na dzień stać się gwiazdą, byle jej twarz miała idealnie grecki owal, w pionie dzielący się na trzy równe części, a w poziomie równy pięciu wysokościom oka. Przez dwa czy trzy tygodnie Coco obserwowała pracę filmowców na planie i nawiązywała kontakty z osobami odpowiedzialnymi za kostiumy. Miała stworzyć kolekcje przeznaczone specjalnie na użytek kobiet, które cały swój wizerunek zawdzięczały wielkiemu ekranowi (podkrążone oczy i cienkie brwi Grety Garbo, zapadnięte policzki Marleny Dietrich), pamiętając, że filmy z ich udziałem trafią do Europy z rocznym albo nawet dwuletnim opóźnieniem i nie powinny razić przestarzałymi fasonami sukien. Samuelowi Goldwynowi szczególnie zależało na filmowej wersji broadwayowskiego przeboju *Tonight or never*, z Glorią Swanson w roli głównej.

Przed wyjazdem obeszły z Misią sklepy przy Siódmej Alei oraz wielkie domy handlowe: Sacks, Macy's i Bloomingdale's. W tym ostatnim Misia zapragnęła przymierzyć sukienkę i wtedy okazało się, że na całym piętrze nie ma ani jednej ekspedientki. Ani jednej! To było doprawdy fascynujące. Klientki brały rzeczy z wieszaków, przymierzały i decydowały o zakupie na własną rękę („Bez pomocy tych uprzykrzonych much, panien sklepowych" – szepnęła zachwycona Coco).

W ostatniej chwili złożyły też zamówienie innej natury. W tym celu wybrały się do położonej przy Dziewiętnastej Alei fabryki fortepianów Steinway & Sons. W wyniku wielkiego kryzysu większość zatrudnionych tam pracowników – prawdopodobnie najlepszych na świecie specjalistów w swojej dziedzinie – została zwolniona. Już tylko krok dzielił właścicieli od wstrzymania produkcji, ale chętni wciąż mogli oglądać wystawione na sprzedaż instrumenty. Henry

Z. Steinway, prawnuk założyciela firmy, był właśnie na miejscu i usłyszawszy, że pewna pani gotowa jest wydać u niego bajeczną sumę, postanowił obsłużyć niezwykłą klientkę osobiście.

Chciała kupić fortepian, najlepszy, jaki mieli na składzie. Kazała go jednak dostarczyć nie do swojego mieszkania nad Sekwaną, jak spodziewała się jej przyjaciółka, ale do sierocińca na prowincji. „Do sierocińca? – zdziwiła się Misia na stronie. – Nagle postanowiłaś zająć się dobroczynnością?". „To dług z przeszłości" – odparła Coco i Misia nie odważyła się zapytać o nic więcej.

W towarzystwie właściciela przemierzyły salę z krańca na kraniec, uważnie przysłuchując się historiom zgromadzonych tam fortepianów. W końcu Chudzina zdecydowała się na steinwaya z francuskiego drewna orzechowego, projektu Richarda Morrisa Hunta, tego samego, który wymyślił kształt postumentu pod Statuą Wolności. Kiedy po długich targach Henry Z. Steinway podał ostateczną cenę instrumentu wraz z kosztami wysyłki do Europy, Misia aż przysiadła z wrażenia i długą chwilę wachlowała się dla ochłody.

Mniej więcej trzy miesiące później wspaniały fortepian dotarł do klasztoru, w którym Coco spędziła dzieciństwo. Był mroźny poranek, mgła. Dziewczynki recytowały codzienną modlitwę: „Boże, spraw, żeby...".

Bramę otworzyła brzydka zakonnica. Dowiedziawszy się, o co chodzi, oświadczyła, że nie spodziewają się żadnych przesyłek, a przełożonej nie mają, więc mogą to panowie zabrać z powrotem. A tak w ogóle to musi już zamykać, bo zimno leci. Nierozpakowany steinway wrócił więc do fabryki w Stanach Zjednoczonych, o czym Coco nigdy się nie dowiedziała.

17

Zanim zaowocuje, nienawiść jest otorbionym nasieniem. Zalążkiem. Któregoś dnia człowiek zawija ziarnko bobu w wilgotną watę, wkłada je do metalowej puszki i wszystko to ustawia na parapecie, w promieniach słabego słońca. Wkrótce, jeśli warunki sprzyjają, pojawią się kiełki: uraza, zawiść, słabość albo frustracja, pogarda, czasem miłość. Delikatne wypustki splatają się i wrastają w białawe włókna. Dopiero potem z tej cuchnącej nieco próchnicą pulpy wystrzela łodyga. Widać już pąki i bladozielone listki. Nadchodzi pora przesadzenia rośliny do gruntu. Na koniec formują się strączki. A w nich nienawiść. Wciąż tu jest. Mimo wysiłków (dłoń, która obrywa strąki) nie udało się jej wyplenić. Jest tu, przed nami, a może już wewnątrz nas?

Kto mógłby jej aż tak nienawidzić? Czyli w gruncie rzeczy aż tak ją kochać? Co popycha człowieka do morderstwa? – zastanawia się Coco, patrząc z bliska, z bardzo bliska, na kulę, która zaraz dotknie jej czoła między niewyregulowanymi brwiami.

Ona, morderczyni, ta nieznajoma (jak długo jeszcze?), która trzyma w ręku pistolet.

Lata trzydzieste. Hitler zarządził noc długich noży, krwawą czystkę w szeregach SA. Dalí, ubrany w komiczny skafander wygłosił w Londynie odczyt o surrealizmie (i omal się nie udusił, ponieważ coś się komuś pomyliło przy zakładaniu mu kasku). Coco miała pięćdziesiąt jeden lat.

W domu czekała na nią Marie: zdystansowana, gruba u góry i zwężająca się ku dołowi, podobna do cebuli – pomyślała Coco, bo cała zawinięta w warstwy halek, milczenia i słodkich, kuchennych woni, ze wzrokiem wiernego psa.

Trzymała w dłoniach metalową puszkę z owiniętym w watę ziarnkiem bobu. Ponad zardzewiałą krawędzią kołysała się wątła łodyżka z dwoma zielonkawymi listkami. Bób wyrósł, i to bardzo. Marie utykała. We właściwy sobie toporny sposób wyjaśniła, że spadła z krzesła, myjąc wierzch szafy, i od tamtej pory miała spuchnięte kolano.

Mieszkanie pachniało rzecznym mułem i było pełne much. Z nieba lał się lepki żar i Sekwana nie wyglądała najlepiej. Po raz pierwszy Coco pomyślała, że to niewłaściwe miejsce dla kobiety z jej pozycją, zbyt odległe od butiku, narażone na inwazje owadów. Przeczytała zaległą korespondencję, napisała kilka listów, przeanalizowała finansowe aspekty propozycji Goldwyna i z zaciekawieniem przejrzała zamieszczony w „Vogue'u" dziewięciostronicowy reportaż o projektantce Elsie Schiaparelli („Czemu, na Boga, poświęcili jej aż tyle miejsca?") i jej kolekcjach tematycznych związanych z cyrkiem, motylami, muzyką i Boticellim. „To przez te motyle" – prychnęła Coco i zatrzasnęła magazyn.

Z pokoju Marie dochodziło ciche pojękiwanie. Boli ją kolano – pomyślała Chudzina. Przejrzała wiadomości w gazecie. Dojście do władzy Frontu Ludowego zostało swego czasu entuzjastycznie powitane przez masy, które widziały w nim szansę na realizację długo oczekiwanych reform społecznych i gospodarczych – pisał w artykule wstępnym znany konserwatywny dziennikarz. Jednakże minęło kilka miesięcy i szef koalicji, socjalista Léon Blum, nie jest w stanie dotrzymać obietnic o płatnych urlopach, zasiłkach dla bezrobotnych i czterdziestoczterogodzinnym tygodniu pracy, dzięki którym wygrał wybory. Robotnicy z fabryk produkujących samochody i samoloty strajkują. Coco przypomniała sobie, że całkiem niedawno przyłapała jedną ze swoich pracownic na podburzaniu koleżanek. Bezczelna, lepszych warunków jej się zachciało! Cóż – pomyślała z uciechą – następnego dnia wylą-

dowała oczywiście na bruku. Też pomysł, strajk w jej sk...
Ona, Coco, wymaga psiego oddania. Konserwatywny dziennikarz kończył swój wstępniak twierdzeniem, że dalsze rządy
Frontu Ludowego grożą wybuchem rewolucji podobnej do
rosyjskiej. Co za bzdury!

Zjadła lekką kolację i zawołała pokojówkę: „Marie, coś
ci przywiozłam!". Wstała i z nierozpakowanej walizki wyjęła miniaturę Statuy Wolności. „To prezent – powiedziała. –
Pewnie nie wiesz, co przedstawia".

Wróciła na fotel i założywszy nogę na nogę, wyjaśniła
z emfazą, że to replika rzeźby symbolizującej wolność. „Wolność, Marie, tak ważną dla dzisiejszej kobiety (tu obrzuciła
służącą pobłażliwym spojrzeniem). Weź na przykład mnie...
Mogłabym haftować monogramy na kuchennych ścierkach
albo koszulach nocnych, a jednak tego nie robię. Zamiast
tego ozdabiam suknie koralikami, i to tylko wtedy, kiedy
mam ochotę, rozumiesz? Wybrałam wolność i proszę, jestem
wolna, bez męża. Czy ty miałaś kiedyś męża?".

Nie oczekiwała odpowiedzi. Bardziej niż zadowolona ze
swej pouczającej mowy – poszła do sypialni. Odrzuciła na
bok kołdrę i zamarła: nie wierzyła własnym oczom: pomar-
szczone prześcieradła, znowu to samo! A tak prosiła przed
wyjazdem! Zdzira! Robi to specjalnie! Po trzykroć zdzira!

Wetknęła pięść do ust i stłumiła atak wściekłości. Nic nie
powie. Nie będzie krzyczeć. To zwykłe zaniedbanie, niemożliwe, żeby ta tłusta Polka knuła pod samym nosem swojej
pani. Nie przesadzaj – zganiła się w myślach. Marie nie należy do buntowniczek, nie jest nawet świadoma swojej sytuacji. Ona, Coco, potrzebuje wypoczynku. Zmęczenie wypacza
wizję świata, zupełnie jak łzy wywołane przez odartą z łupiny
cebulę. Małe staje się pod jego wpływem duże i na odwrót.
Ładne myli się z brzydkim, a zwyczajne – z nieoczekiwa-
nym. Marie jest taka jak zawsze: ot, zwyczajna pokojówka

ıch, uległa i cicha, taka jak Coco lubi najbar-
ıprawdę lubi?). Jutro będzie nowy dzień. „Ży-
.e jeszcze czegoś?". To Marie, kulejąc, weszła
.o sypialni. Serce w piersi Chudziny zadygotało
ıa. Skąd to oburzenie? Zdzira – pomyślała znowu.
Jestes vykłą zdzirą! „Nie, dziękuję, Marie – powiedziała. –
Wszystko w porządku".

„Proszę pani" – odezwała się znowu służąca, prawie bez
tchu.

Stała w progu, ubrana w głupią koszulę w kwiatki, z rękami zwieszonymi sztywno po bokach, włosami opadającymi
na oczy, czerwonym kolanem i drżącą górną wargą.

„Tak, Marie?".

Pokojówka wytarła czoło wierzchem dłoni.

„Proszę pani, ja..." – zająknęła się. „Tak?" – powiedziała
wyczekująco Coco. „Muszę sobie wyleczyć to kolano. Coś
się w nie chyba wdało. Wczoraj szukałam apteczki, ale nie
znalazłam...".

Coco powiedziała jej, gdzie jest wata, woda utleniona
i bandaże. Była strasznie zmęczona („Rozumiesz, Marie, długie podróże w interesach wyczerpują") i musiała się położyć.
Przykryła się kołdrą i westchnęła z ulgą, ale już po chwili
usłyszała hałas, stękanie i łomot przesuwanych mebli: to Marie szurała krzesłem, by sięgnąć do apteczki. Wyjmując ban-
daż, strąciła buteleczkę z wodą utlenioną, potem przewróciło
się krzesło, a wraz z nim przewróciła się być może sama Marie. Chyba naprawdę coś jej dolegało. Dlaczego nie zadbała
o siebie wcześniej? Jeśli człowiek sam o siebie nie zadba, to
kto ma o niego zadbać? Zresztą ja też chorowałam w Nowym
Jorku i musiałam jakoś wytrzymać – przekonywała samą siebie Coco. Odwróciła się do ściany, przykryła głowę poduszką
i próbowała zasnąć. Z kuchni wciąż dobiegały jęki. Nie było
wyjścia: musiała wstać.

Na widok pani z niezadowoloną miną Marie zaczęła szlochać. Coco bez słowa złapała ją za ramię, brutalnie szarpnęła i podprowadziła do fotela. Wtedy, niechcący, stanęły twarzą w twarz, jak połączone niewidoczną pępowiną: twardy nos, poczerniałe zęby i wilgotne wargi Marie niemal dotykały twarzy Coco. Przez kilka sekund patrzyły na siebie w milczeniu, jak obwąchujące się psy. W końcu Chudzina, zawstydzona, odsunęła się nieco.

„Rozumiem, że to przez kolano zaniedbałaś swoje obowiązki" – rzuciła z przyganą. Marie nie odpowiedziała. Jasnym, obraźliwym spojrzeniem przyglądała się, jak chlebodawczyni sięga po wacik, nasącza go wodą utlenioną i przemywa ranę o lekko już zaropiałych brzegach i żółtawym środku. Rysująca się na koślawych nogach służącej plątanina żylaków zdawała się mówić o przebytych drogach, pagórkach porośniętych zbożem, różowych od kwiatów migdałowcach, poszatkowanych, przypominających mozaikę polach, górach w śniegu i czerwonych jak penis wieprza orchideach, o niejasnej przeszłości, zmarnowanym życiu, o chłopskiej biedzie i konserwatyzmie bogatych elit. Tak myślała Coco.

Marie nie przestawała szlochać, wstrząsana drgawkami. Dłoń z wacikiem zawisła w powietrzu. „Marie – powiedziała Coco – jeśli natychmiast nie przestaniesz, zostawię cię tu i idę spać".

Klęcząc przed pokojówką, czuła jej ciepły oddech i zalatujący od niej przytłumiony, lekko zjełczały zapach: Marie pachniała jarmarkiem z dzieciństwa, słodyczami i przyprawami. Chudzina musiała się uśmiechnąć – tak działają przecież wspomnienia z dzieciństwa.

Odgarnęła jej włosy z czoła: proszę, oto Marie, służąca, z oczami jak u niewolnicy, niespotykanie jasnymi i jakby osłupiałymi, które zdają się mówić wszystko to, co przemilczają usta (ale co przemilczają usta?). Które zdają się sypać obelgami – pomyślała. Owinęła chorą nogę bandażem. „Gotowe" – powiedziała. Pokojówka zadygotała. „Dziękuję, proszę pani, bardzo dziękuję".

Już na progu swojego pokoju Marie odezwała się znowu: „Ja nie płakałam przez kolano, ja...". Coco odwróciła się ku niej. Służąca stała, miętosząc skraj koszuli. „Ja chciałam prosić o wychodne, mam coś do załatwienia...".

Coco oczywiście odmówiła: wykluczone, dopiero co wróciła z podróży i potrzebuje Marie bardziej niż kiedykolwiek. „Co ty sobie myślisz – zapytała – że to hotel?". Jak będzie mogła ją na kilka dni zwolnić, to sama jej o tym powie. I pomyślała: jakie osobiste sprawy może mieć taki koczkodan?

Następnego ranka wybrała się do pracy pieszo. Doszły ją słuchy, że ostatnimi czasy kilku sławnych ludzi, w tym projektanci, zginęło zamordowanych w swoich samochodach (Glen Fionnet, na przykład), kazała więc szoferowi odstawić chwilowo rolls-royce'a na parking. Okazało się jednak, że to zbyt daleko. Kiedy dotarła na ulicę Cambon, z sąsiadującego z butikiem Ritza wychodziło właśnie kilka osób. Mogłabym przecież tu zamieszkać – pomyślała nagle. To dodałoby mi prestiżu, a rano miałabym do przejścia tylko kawałek. Znalazłszy się w gablinecie – zadzwoniła, by zasięgnąć informacji. „Tak, są wolne dwa apartamenty – usłyszała. – Jeden zwykły i jeden o podwyższonym standardzie. Ich cena jest bardzo wysoka, są bowiem wyposażone w meble à la Ludwik XV i pozłacaną armaturę łazienkową. Okna wychodzą na wieżę Eiffla i ogrody".

Poprosiła o połączenie z samym dyrektorem Ritzem. Przedstawiwszy się, wyłuszczyła swoją sprawę. Uzgodnili, że późnym popołudniem obejrzy apartament i jeśli zdecyduje się w nim zamieszkać, dogadają szczegóły. Teraz chciał tylko wiedzieć, na jak długo zamierza się zatrzymać w jego hotelu. „Aż do śmierci" – odpowiedziała Coco.

Tego dnia znowu usłyszała o Elsie Schiaparelli. Prawdę mówiąc, inne projektantki, na przykład Vionnet, Lanvin, Louise Boulanger czy siostry Callot, nigdy nie stanowiły dla niej zagrożenia. Schiaparelli była inna. Według jednej z klientek, która opowiadała o tym ze złośliwym, szczurzym uśmieszkiem, Włoszka wynajęła – podobnie jak Coco – pracownię przy ulicy de la Paix i również lansowała stroje sportowe. Poza tym miała sprzymierzeńców wśród brytyjskiej arystokracji: jej butikiem przy Upper Grosvenor opiekował się finansowo ni mniej, ni więcej, tylko brat lorda Willingdona, sam wicekról Indii.

Schiaparelli była całkowitym przeciwieństwem Coco: używała odważnych kolorów, takich jak fiolet, czerń i purpura, którą ochrzciła „obrzydliwym różem" – a wszystko to na granicy dobrego smaku. Wśród jej oryginalnych propozycji wybijały się rękawiczki z wszytymi złotymi paznokciami i tak zwana żebraczka, luksusowa suknia wieczorowa o takim wzorze, że sprawiała wrażenie bardzo zniszczonej. Jako przyjaciółka Salvadora Dalí, Schiaparelli stosowała do mody założenia surrealistów, wyrywając przedmioty z ich codziennego kontekstu i ukazując je w zupełnie nowym świetle: wymyśliła na przykład kapelusz w kształcie buta, z wygiętą ku górze czerwoną podeszwą. Spektakularne, ekstrawaganckie pokazy jej kolekcji na placu Vendôme zawsze odbijały się szerokim echem. Chudzina cierpiała w głębi duszy nad tym, że choć obie bywały często zapraszane na salony, Schiap, jak ją nazywano, w przeciwieństwie do niej należała do śmietanki towarzyskiej z racji urodzenia.

Z tego powodu Coco czuła, że nie jest już pierwszą gwiazdą błyszczącą na firmamencie świata mody. Jej pomysły, jej dzieła, ona sama zestarzeją się kiedyś jak wszystko inne. Dlaczego miałaby być wyjątkiem?

Przed obiadem ułożyła długi list do Samuela Goldwyna,

z informacją, że przyjmie jego ofertę pod jednym wszakże warunkiem: nie będzie musiała ruszać się z Paryża. Oczywiście nie wiadomo, czy to kino wpływa na modę, czy moda na kino – pisała – ale nie ulega wątpliwości, że największym problemem filmowców jest zmienność trendów. Kręcą bowiem film, ubierając aktorki wedle najświeższych zaleceń projektantów, a już za chwilę wszystko się zmienia i jeszcze przed premierą dzieło traci aktualność. Ameryka może i ma pieniądze, panie Goldwyn, ale źródłem pomysłów pozostaje Francja. A konkretnie ona, Coco („Francja to ja" – tak się wyraziła). Jeśli Gloria Swanson chce nosić jej kreacje, musi pofatygować się do Paryża.

Podpisawszy się, sięgnęła po słuchawkę, by wezwać jedną z pracownic i kazać jej zająć się nadaniem przesyłki wraz z resztą korespondencji. Dzwoniła przez pięć albo dziesięć minut – daremnie. Gdzieś z dołu dochodził szmer głosów, sądziła jednak, że to paplanina znudzonych klientek. Wstała zza biurka i wyjrzała na korytarz. Nikogo. Zeszła po schodach. Pusto. Zerknęła na zegarek: ależ to jeszcze nie pora, żeby zamykać butik! Gdzie się podziały te leniwe dziewuszyska? Zaglądała do kolejnych pomieszczeń, nie znajdując nikogo. Wreszcie otworzyła drzwi do pokoju, w którym zwykle piło się kawę. Były tam wszystkie: jedna siedziała na stole i właśnie coś mówiła (jej głos brzmiał raczej jak szept albo bzyczenie), a pozostałe słuchały, wyraźnie poruszone. Coco nie odezwała się ani słowem, ale na jej widok zaczęły się pospiesznie rozchodzić.

Wymykały się jedna po drugiej, ze spuszczonymi głowami, unikając wzroku szefowej (białka jej oczu błyskały, oszalałe tęczówki biegały w tę i z powrotem, jak gdyby miały za chwilę wyskoczyć z orbit). Bił od nich szczurzy spryt i jakaś zaskakująca zbiorowa siła. Wróciły do pracy jak gdyby nigdy nic, w milczeniu, lecz Coco zwietrzyła rebelię: po coś się w końcu spotkały. Wszystkie, zazwyczaj tak różne – silne i słabe, wysokie i niskie, brzydkie i atrakcyjne – przemienione nagle w jednolitą masę.

Tej nocy źle spała. Czuła, że nie jest już tą energiczną, podziwianą kobietą co kiedyś i zaczynała obawiać się spisku. Pracownice wiedziały – nie były przecież głupie – że rynek się zmienił i proponowany przez Coco styl wychodzi z mody. No, ale mniejsza z tym. Najgorsze wydawało się to, że traciła charyzmę i zdolności przywódcze, traciła *glamour**, którego najwyraźniej miała w nadmiarze ta głupia Włoszka.

Do rana przewracała się w pościeli, rozmyślając o tym, jak pokazać swoim podwładnym, że jest jeszcze coś warta. Może ostatnio była zbyt miękka, a w miękkiej glebie najłatwiej przyjmuje się ziarno buntu. Szef nie powinien taki być. Choć, z drugiej strony, jeśli każe ludziom wyskakiwać przez okna, też się zbuntują. Trzeba zachować umiar. Właśnie, i to jest najtrudniejsze. Miękka: taka właśnie się czuła, wchodząc wieczorem do mieszkania. Bo pragnęła jedynie uklęknąć znów przed Marie, wdychać jej ciepły, słodki zapach i dotykać poznaczonej hieroglifami żylaków nogi. Myślała o swojej służącej przez cały dzień.

Po południu poszła do Ritza. W rozmowie z dyrektorem była stanowcza i obojętna, co poskutkowało: narzuciła warunki. Przecinając piękny hol, usłyszała usłużne: – *Bonjour, mademoiselle.* – Portier w niebiesko-srebrnej liberii miał psie spojrzenie i głos wibrujący zadowoleniem z życia. Stwierdziła z satysfakcją, że w przeciwieństwie do pana Ritza stanowi doskonały cel dla kogoś, kto chciałby go upokorzyć. Nie odpowiedziała mu zatem, tylko rzuciła jedno ze swoich unicestwiających spojrzeń, które sugerowało: czytam w twoich myślach, nędzny robaku. Jeśli nie zajmiesz się mną jak należy, jesteś skończony.

---

* *Glamour* (ang.) – urok, czar (przyp tłum.).

Znalazłszy się w apartamencie, obrzuciła spojrzeniem sztukaterie, jasne meble, łóżko z wysokim wezgłowiem, zasłane haftowaną pościelą, niezliczone stoliki, kremowe ściany i brzoskwiniowe aksamitne kotary. "Wszystko natychmiast wyrzucić przez okno" – powiedziała. Pan Ritz zapytał, dlaczego. "To kwestia elegancji" – odrzekła. – Elegancja – oświadczyła – nie idzie w parze z barokiem. Pokoje mają być pomalowane na biało. I nie chcę tych obrazów". Zażądała też osobnego pokoju dla służącej i przygotowywanych specjalnie dla niej kolacji (pieczone ziemniaki, purée ze świeżych kasztanów i żadnej cebuli, bo jej się potem odbija). A, i chce jadać na dębowym stole bez obrusa. Dyrektor wezwał szefa kuchni, który zanotował życzenia *mademoiselle*, ze szczególnym uwzględnieniem preferowanych przez nią win: schłodzony riesling, chianti albo beaujolais, i dobry rocznik burgunda na szczególne okazje, również podawany w temperaturze niższej niż pokojowa.

Kiedy kilka dni później przeprowadziła się do hotelu, po starych meblach nie było już śladu. Uchowało się jedynie ozdobione ornamentem z muszli biureczko na giętych nóżkach. Dyrektor postanowił je oszczędzić ze względu na jego wartość historyczną. Gdy tylko została sama, zawlokła je pod okno i wyrzuciła na ulicę. Nie dbała o to, co powie pan Ritz. Przecież tłumaczyła, jakie są wymogi elegancji. Uznała, że to cudowne – tak wyrzucać rzeczy przez okno, zwłaszcza rokokowe meble wielkiej wartości.

Także wobec Marie musiała zachować dystans i okazać stanowczość, w przeciwnym razie ryzykowała, że ją straci. Ten powiew dzieciństwa, który poczuła, przemywając jej ranę, ta gorączka tkliwości – wszystko to było oczywiście złudą. Światem rządziły twarde, nieubłagane prawa: szczupak pożerał płotki bez litości. Nie powinna więc ulegać czułym porywom. Nie teraz, nie po wszystkim, co przeszła, żeby osiągnąć sukces. Poza tym cóż ona wiedziała o czułych porywach? Przecież nigdy ich nie doświadczała. Czułość zaliczała się do papierowych, pustych słów, takich jak „matka" albo „nostalgia". Nie na darmo zakonnice tłumaczyły jej, że tego rodzaju uczucia są odchyleniem od normy. Może zresztą myliła tkliwość z żalem albo z zapachem kasztanów. Słowa dla każdego znaczą inaczej.

Istnieją klasy społeczne, różnice ustanowione przez Boga. Damy nie zajmują się leczeniem służących. Powszechnie wiadomo, że uprzejmość i sympatia nie wystarczą do efektywnego sprawowania władzy, potrzebna jest dyscyplina. Wczorajszy wieczór był wyjątkiem, ale dziś Marie czuje się lepiej.

W tym momencie pokojówka weszła do salonu. Coco, sama nie wiedząc dlaczego, spytała: „Chcesz, żebym zabandażowała ci nogę?".

Nie wierzyła własnym uszom: ten uległy, poddańczy ton. Słowa, zrodzone gdzieś w głębi jestestwa, same wyszły z jej ust. Miękkie jak wełna, przyjazne wobec całego rodzaju ludzkiego, zabrzmiały obco, jakby wypowiedział je ktoś inny. Jak mogła się tak poniżyć? Jak mogła zlekceważyć obowiązującą hierarchię? Za późno, żeby się wycofać. Krok do tyłu oznaczałby zejście do piekła słabości i niskich instynktów.

Marie spojrzała na nią ze zdumieniem. „Jeśli to dla pani nie kłopot...".

Niewiele myśląc, Coco pobiegła po watę i wodę utlenioną. Kiedy indziej przywoła służącą do porządku. Teraz, cała drżąca, powtórzyła czynności z poprzedniego wieczoru. Najpierw obmyła brzegi rany, potem wnętrze. Wyglądało to już nieporównanie lepiej. I znowu – wdychając bijącą od Marie woń zjełczałego potu, czuła, że ofiarowuje się komuś (kiedy ostatnio coś dla kogoś zrobiła?), istnieje i trwa, i doznała radości, jakiej doświadczała tylko w dzieciństwie, na widok chylącego się na wietrze kwiatu, dotykając wilgotnego, aksamitnego pyska wiejskiego psiaka, ssąc w sierocińcu miętowe cukierki, patrząc na swoje odbicie w końskim oku, jedząc prażone migdały i zaśmiewając się z siostrą do rozpuku. Przez głowę przemknęła jej myśl, że tak pachnie szczęście: zastarzałym potem służącej.

„Dziękuję, proszę pani" – powiedziała na koniec Marie. Coco skrzywiła się z irytacją.

Usiadły na tarasie. Chudzina czytała gazetę, pokojówka polerowała kandelabr. Wilgoć od rzeki przywabiała natrętne muchy. Zakreślały skomplikowane wzory w powietrzu, przysiadały na nogach i ramionach. Marie, skupiona na pracy, nie zwracała na nie uwagi, ale Coco nie mogła zebrać myśli. Od czasu do czasu podnosiła oczy i zerkała na służącą. Naprawdę, nic jej nie rusza – pomyślała – jest jak bryła lodu.

„Marie" – zaskrzeczała. Pokojówka, nie przerywając pracy, popatrzyła w jej stronę. „Słucham, proszę pani – powiedziała poważnym tonem. „Przegoń je!" – krzyknęła Coco. Marie zastygła. „Słucham?". Obrzuciła *mademoiselle* przeciągłym spojrzeniem. „Przegoń te muchy – poleciła Coco. – Wstań i zamiast polerować ten kandelabr machaj rękami, żebym mogła wreszcie przeczytać gazetę".

Następnego dnia o ósmej rano ktoś zadzwonił do drzwi. Marie pokuśtykała przez korytarz i otworzyła. Najpierw zobaczyła ogromnego łososia, a dopiero potem trzymającego rybę dżentelmena.

„Kogo zaanonsować?" – zapytała. „Księcia Westminsteru" – padła odpowiedź.

Coco nie przyjęła go (nikt nie będzie jej zaskakiwał o ósmej rano, nawet ze świeżym łososiem w ręku). Spotkali się dwa dni później i zostali kochankami. Tamtej zimy kilkakrotnie jeździła z nim do Anglii, by odbywać niekończące się spacery po szumiących lasach Eaton Hill. Wzdłuż jedynej, w dodatku niebrukowanej ulicy stały domki z czerwonej cegły, otoczone żywopłotami. Była też poczta, kościół z przyległym ukwieconym cmentarzem, sklep spożywczy i gospoda. Kawałek dalej, wśród łagodnych wzgórz, rozciągała się posiadłość księcia. Nocami kamień, z którego zbudowana była rezydencja, lśnił jak skóra ropuchy; z kryjówek w murach wylatywały ćmy i obijały się o latarnie. Coco zasypiała wsłuchana w ten metaliczny dźwięk, leżąc w niegościnnej, choć przeładowanej ozdobami alkowie, położonej w południowym skrzydle i połączonej z sypialnią księcia łazienką z miedzianą armaturą. Przewracając się na drewnianym łóżku, pomyślała, że przed nią zajmowała je pewnie jakaś inna (tak właśnie pomyślała: jakaś inna).

Teraz jednak nie było żadnej innej, tylko ona. Wśród przypadkowo dobranych przedmiotów: portret przodka na koniu, barometr, zegar, którego wskazówki zatrzymały się na dwunastej czterdzieści („O tej godzinie umrę" – szeptała za każdym razem, gdy na niego spoglądała), zniszczony gobelin z idylliczną scenką. Czasem spała u księcia. Wtedy lęk przed kontaktem fizycznym (dłoń, drapieżna łapa Westminstera) nie pozwalał jej rozluźnić mięśni.

Życie w rezydencji płynęło dziewiętnastowiecznym rytmem. O siódmej trzydzieści pokojówka w czepeczku i fartuszku pukała do drzwi i stawiała na stoliku nocnym świeżo wyciśnięty sok z pomarańczy – czy Coco sobie tego życzyła, czy nie. Jeśli budziła się z bólem głowy (rzecz u niej zwykła), książę kazał wzywać najwybitniejszych specjalistów w hrabstwie. Jeśli nie, ubierała się i szła go przywitać do gabinetu, gdzie pachniało fajkowym tytoniem i gdzie każdego dnia Westminster, głaszcząc się po delikatnym meszku porastającym lewe ucho, wypytywał księgowego o stan interesów.

O dwunastej trzydzieści, sztywni i wyprostowani, zasiadali do lunchu przy długachnym stole, wokół którego krzątała się służba, szeleszcząc jak liście spadające jesienią z drzew. Goście, dbając, by nie poruszyć żadnego istotnego tematu, rozmawiali łagodnymi, melodyjnymi głosami o teologii, ekonomii i prawie (ale nigdy bezpośrednio o Bogu, przeznaczeniu czy o posiadanych przez siebie bogactwach). Najczęściej poruszanym tematem była pogoda. Pytanie: *What will the weather be like tomorrow** zdawało się wisieć w powietrzu, niczym atawistyczny przymus, mimo iż wiadomo było, że każdy dzień jest taki sam – szary, deszczowy i ponury. Jutro? Chmury i deszcz. Ale co szkodzi zapytać.

Wśród zaproszonych bywał niekiedy Winston Churchill, skoligacony z księciem przez małżeństwo swojej matki z bratem pierwszej żony Westminstera.

Panowie poznali się w południowej Afryce, podczas wojny burskiej. Churchillowi bardzo odpowiadał wystawny styl życia, charakterystyczny dla rezydencji w Eaton Hill. W dniu, w którym Coco go poznała, bronił idei imperium brytyjskiego, opanowany i pompatyczny – typowy spadkobierca epoki wiktoriańskiej, w wolnych chwilach oddający się malowaniu pejzażyków i martwej natury. Wyjaśnił współbiesiadnikom, jak niepokojący i niesmaczny jest jego zdaniem pan Gandhi, buntowniczy adwokat z Middle Temple, udający fakira i pokazujący się półnago na schodach pałacu wicekróla.

Wieczorem Coco natknęła się na Churchilla w małym salonie. Pili herbatkę, jedli ciasteczka i żywo gawędzili o interesujących ich oboje sprawach: grze w polo, wyścigach konnych, operacji wyrostka robaczkowego i wesołych kumoszkach z Windsoru. Głównym tematem było jednak poczucie obowiązku. W połowie po francusku, w połowie po angielsku Churchill wyznał, że obowiązek jest dla niego

---

* *What will the weather be like tomorrow* (ang.) – Jaka będzie jutro pogoda (przyp. tłum.).

zawsze na pierwszym miejscu. Nie ma wątpliwości, co powinien wybrać w razie konfliktu między nim a przyjemnością, pod warunkiem, oczywiście, że sprawa jest warta zachodu. „A to dlatego – ciągnął (Coco poczuła dreszcz emocji, bo wreszcie spotykała kogoś dotkniętego jej własną obsesją) – że wolę niebezpieczeństwo od nudy, wytrwałość od rezygnacji, stałość od odrętwienia i ryzyko od inercji, nieodmiennie wiodącej ku zatraceniu".

„Jednak posunięte do skrajności poczucie obowiązku prowadzi do wyczerpania, a tym samym również do zatracenia" – zauważyła Coco. „To prawda – odparł, zaciągając się tureckim cygarem – ale na coś trzeba przecież umrzeć".

Rozmowa okazała się więc nader interesująca. Zgadzali się w wielu kwestiach i Coco była przekonana, że zawojowała kolejnego Anglika.

Wiczorami, chcąc rozproszyć cień nudy, wychodzili z księciem na spacery po wspaniałych ogrodach, oranżeriach i pachnących mchem lasach, z rozsianymi gdzieniegdzie malutkimi *cottages**. Siedzący na progach swoich domostw miejscowi – mężczyźni, kobiety i dzieci – na widok państwa przyklękali z szacunkiem.

Pewnego dnia Coco odkryła szklarnie, w których przez cały rok dojrzewały nektarynki i truskawki. Westminster nic o nich nie wiedział. Rzucili się na owoce jak szaleńcy. Śmiali się, jedli i od czasu do czasu przytulali: delikatnie, bez zachłanności. Nazajutrz Chudzina wróciła tam, ale szklarnie były zamknięte. Usłyszawszy o tym, książę wezwał natychmiast szefa ogrodników. „Zamknąłem je, milordzie, bo nocą zakradli się tam złodzieje" – wyjaśnił.

Tymczasem nadeszła odpowiedź od Goldwyna: Gloria Swanson zgodziła się przyjechać do Paryża na przymiarki

---

* *Cottages* (ang.) – domki (przyp. tłum.).

kostiumów do *Tonight or never*. Nie bez wpływu na jej decyzję było zapewne to, że wraz ze swoją przedstawicielką Coco z właściwym sobie sprytem wysłała do Hollywoodu serię białych satynowych, ciętych ukośnie sukien, które dosłownie przylepiały się do ciała. Nie miały zapięć, wkładało się je przez głowę, w czym wydatnie pomagały głębokie dekolty, a lśniący materiał odbijał światło reflektorów i efektownie podkreślał urodę aktorek, zwłaszcza blondynek. Samuel Goldwyn nie posiadał się z zachwytu.

Najnowszy film Glorii Swanson, sentymentalny musical, miał opowiadać historię młodej śpiewaczki związanej ze szlachetnym starcem, ale zakochanej w tajemniczym nieznajomym, który okazywał się impresariem, pragnącym nakłonić ją do podpisania kontraktu. W ciągu tygodnia aktorka kilkakrotnie przyjeżdżała na ulicę Cambon. Była niziutka i tak wystylizowana na hollywoodzką modłę, że aż wulgarna. Coco uznała, że klientka jest odrobinę za pulchna, i doradziła jej, by do czasu ostatecznych przymiarek, które miały się odbyć za półtora miesiąca, postarała się schudnąć.

W tym celu Swanson wypłynęła w kilkutygodniowy rejs jachtem w towarzystwie angielskiego playboya. Po powrocie była jeszcze grubsza. Aby to ukryć, zjawiła się u Coco w gorsecie.

„Uważa mnie pani za idiotkę?! – zdenerwowała się Coco. – Musi pani przestać się opychać i stracić na wadze. Inaczej w ogóle nie przystąpimy do przymiarek. Pani tusza jest dla mnie jak obelga". Po trzech dniach Gloria znów pojawiła się na ulicy Cambon. „W ogóle pani nie schudła! – krzyknęła Coco na cały głos z podestu schodów, nie racząc nawet zejść na dół. – Wręcz przeciwnie" – dorzuciła.

Aktorka poprosiła o rozmowę w cztery oczy. W gabinecie wyjaśniła, że w najbliższym czasie nie zamierza schudnąć i w związku z tym Coco powinna użyć znanych sobie sposobów, aby w uszytej do filmu garderobie wyglądała szczupło. Chudzina wyprosiła ją z butiku, zakazując ponownego wstępu. Kiedy kilka miesięcy później dowiedziała się, że Swanson musiała odłożyć pracę nad nowym filmem ze względu na ciążę, zamarła ze wzrokiem utkwionym w stojącym naprzeciwko manekinie, a potem wróciła do swoich zajęć.

Kochała księcia albo wydawało jej się, że go kocha, co wychodziło na jedno. Czasem w Eaton Hill albo w innej luksusowej posiadłości, gdzie akurat bawili, zastygała bez ruchu, wpatrzona w pień brzozy albo w pokryty rosą pąk róży. Czuła wtedy, że fala nudy i zniecierpliwienia sunie od kostek w górę jej ciała i docierając do żołądka, wywołuje nieprzyjemne sensacje. Zadawała sobie wtedy pytanie, czy książę, jego świat i jego bogactwo, brzozy i różane pąki są tym, czego naprawdę pragnie. Wiedziała, że w jej wypadku wystarczy pstryknąć palcami, a natychmiast dostanie to, co sobie akurat zamarzy: słonia, na przykład. Wiedziała też jednak, że najcenniejszym towarem staje się dla niej czas, a jego nie kupuje się tak łatwo jak słonia. Za młodu nie dbała, ile dni czy miesięcy traci w czyimś towarzystwie. Teraz – tak, bo nie zostało jej tego czasu tak wiele.

Poza tym było coś, co ją denerwowało. Zarówno w Anglii, jak i we Francji krążyły plotki o ślubie Westminstera. Książę nie ukrywał, że szuka żony. Nie widział niczego złego w wolnym związku, ale chciał mieć męskiego potomka z prawego łoża. Coco nie bardzo się do tego nadawała. Plotkarskie magazyny zestawiły listę piętnastu dobrze urodzonych i bogatych kandydatek do tytułu trzeciej księżnej Westminsteru. Coco wśród nich nie było, prawdopodobnie ze względu na jej wiek.

„Wszyscy swatają księcia" – stwierdził jakiś dziennikarz, po czym zapytał, czemu nie ma jej na liście. „Księżnych jest wiele, ale tylko jedna *madame de...*" – odrzekła Coco.

Czy naprawdę chciałaby wyjść za mąż i mieć słonia? Chęć nie miała znaczenia. Istotne było to, że się nie liczyła. Tak właśnie przedstawiła to Julianowi Jurié podczas kolejnej wizyty. „Istotne jest to, że się nie liczę" – powiedziała ze wzrokiem utkwionym w jeden z oprawionych w ramki dyplomów.

Psychoanalityk popatrzył na nią ze zdumieniem. Zapytał, czy martwi ją nieobecność na tej śmiesznej liście, czy raczej to, że inni są tej nieobecności świadomi.

„Nie rozumiem, o czym pan mówi" – zniecierpliwiła się Coco. „O smutnym uzależnieniu od cudzej opinii" – odparł.

Westminster był człowiekiem drażliwym i jeszcze bardziej ekscentrycznym niż Dymitr. Sztywność i rozluźnienie mieszały się w nim w zaskakujących proporcjach. Potrafił bawić się jak szalony i równie szaleńczo się nudzić. Nosił buty wypolerowane jak lustro, a od spodu dziurawe. Uwielbiał stare skarpetki, które przed założeniem kazał długo moczyć w wodzie. Kolekcjonował egzotyczne zwierzęta. Himalajskie małpy, które trzymał w Szkocji, uciekły kiedyś z klatki i przeraziły łyżwiarzy na pobliskim stawie – było to największe od dekady wydarzenie w okolicy. W Normandii brazylijska świnka morska rozmiarów średniego wieprzka zaatakowała pokojówki, gryząc je po tyłkach. Musiał ją przewieźć w inne miejsce. Miał też całe zastępy psów, kotów, gęsi, kur i ryb.

Pewnego popołudnia, w czasie polowania w Les Landes, strzał jednego z myśliwych odłupał od drzewa gałąź, która spadła na Chudzinę, raniąc ją w dolną wargę. Miejscowy doktor udzielił jej pierwszej pomocy i kazał wracać pierwszym pociągiem do Paryża. W towarzystwie pokojówki oraz małpy i papugi – podarunek dla księcia – zajęła przedział w wagonie sypialnym. Zamknięte w klatkach zwierzęta wszczęły hałaśliwą kłótnię. Wśród pisków i skrzeków, których nieporadna jak zwykle służąca nie potrafiła uciszyć, Coco zapragnęła wyrzucić kłopotliwy prezent przez okno.

Wtedy po raz pierwszy zwątpiła w swoją miłość do Westminstera.

18

Gdy otworzyła drzwi do swego apartamentu, zobaczyła jednak coś, co sprawiło, że zapomniała o wszystkim. Nawet o przykrym zaskoczeniu, jakim był brak jakichkolwiek wiadomości czy listów miłosnych w recepcji i tłumu wielbicieli przed hotelem.

W holu leżały porozrzucane ubrania Marie, jak gdyby ktoś zaskoczył ją i zmusił do ucieczki na wpół rozebraną: fartuch, pończochy, czarny uniform z wykrochmalonymi białymi taśmami, na krześle tani biustonosz i majtki, wreszcie koronkowy czepeczek. Nieco dalej leżała miotełka, szczotka owinięta wilgotną szmatą i przewrócony kubełek, z którego wylała się na parkiet woda.

Coco pomyślała o najgorszym: Marie źle się poczuła, jest przecież tak gorąco, palpitacje, zawał serca... Ta sprawa, w związku z którą prosiła o wychodne, na pewno dotyczyła jej zdrowia, a ona, Coco, egoistka, nie chciała dać wiernej służącej nawet kilku dni wolnego! A może chodziło o jej dzieci w Polsce... Och, co za galimatias, sama już nie wiedziała, czego się trzymać. Stała bez ruchu, nie mając pojęcia, co robić, z walizką w dłoni i drżącą, obolałą wargą, pozieleniałą jak gardło żaby. Wtem usłyszała muzykę z gramofonu. Rozpoznała piosenkę: Lorina Morgan śpiewała szlagier *Gdybyś wiedział, że miłość przychodzi później.*

Z głębi mieszkania dobiegało też wesołe, ochrypłe nucenie. Marie? Nie. Marie nigdy by się nie ośmieliła podśpiewywać przy pracy, choć ostatnio, to prawda, dziwnie się zachowywała. Od wypadku z kolanem ich wzajemne stosunki uległy zmianie. Coco odczuwała potrzebę pokazania, kto tu rządzi, szukała więc pretekstu, który umożliwiłby wygłoszenie ostrej reprymendy, ale nie znalazła: Marie była metodyczna i zdyscyplinowana. Składała jej piżamę i prała ręczniki, myła podłogę i słała łóżko. W rezultacie obie żyły w jakimś stopniu zniewolone: służąca przez pracę, pani przez przymus nadzorowania.

Coco pomyślała nagle, że nigdy nie zachowywała się wobec Marie po ludzku. Traktowała ją jak kota albo psa, nigdy jej nie współczuła, nie pytała o zdrowie ani o pozostawioną w Polsce rodzinę. Ba, gorzej! Wyobrażała sobie czasem, że rozłupuje siekierą jej głowę na pół. Nigdy jej wprawdzie nie uderzyła, jak to czyniły damy z towarzystwa, ale bezustannie terroryzowała ją krzykiem i napadami złego humoru.

Tak czy owak Marie była ostatnio dziwna. Kilka razy prosiła o urlop – po co? W końcu wyznała, że chce pojechać do domu. Wyjeżdżając do Francji, zostawiła pod opieką swoich rodziców dwoje dzieci, z nadzieją, że będzie je odwiedzać każdego lata. Niestety, podróż dużo kosztowała, a ona nie należała do kobiet oszczędnych. Skończyło się więc na wysyłaniu pieniędzy. Zresztą zawsze coś jej wypadło. Pocieszała się listami, mimo że przychodziły rzadko i były krótkie. Teraz, po dwudziestu latach, udało jej się wreszcie zgromadzić potrzebną sumę na bilet. Chudzina oświadczyła wtedy, że może jechać, kiedy chce („Wolność to sprawa dla kobiety podstawowa" – rzekła, po belfersku podnosząc palec), byle tylko uprzedziła ją z dwudniowym, powiedzmy, wyprzedzeniem, bo wtedy ona, Coco, jakoś sobie poradzi.

Z łazienki dobiegło jakby pluskanie, łopot ptasich skrzydeł albo mokrych halek – co się tam, na Boga, działo?!

Coco zostawiła płaszcz w przedpokoju i, ostrożna jak ryś, przecięła hol, zmierzając w stronę saloniku. Nikogo. Głos Loriny Morgan brzmiał teraz słabiej i smutniej – „gdybyś wiedział, że miłość" – przedzierając się przez suche powietrze wraz z tym innym, ochrypłym – „przychodzi póóóźnieeeej" – i z pewnością znajomym. Coco zajrzała do sypialni: drzwi garderoby stały otworem, ubrania – spódnice, swetry, spodnie, żakiety, płaszcze – piętrzyły się na łóżku. Ktoś pozdejmował je z wieszaków i, sądząc po wyglądzie niektórych rzeczy, odwróconych na lewą stronę, pogniecionych, z zawiniętymi rękawami – przymierzał je przed lustrem!

Poszła dalej. Przez uchylone drzwi do łazienki zobaczyła sedes z opuszczona klapą, kosmetyki równiutko ustawione obok umywalki, nad nią lśniące lustro, a dalej... Nie wierzyła własnym oczom. Przewieszona przez krawędź wanny zwisała jej własna suknia z czarnej krepy. W wannic ktoś lcżał. Coco cofnęła się. Pomyślała, że do apartamentu przedostał się jakiś szaleniec albo wielbiciel, w rodzaju tych, co to poważą się na wszystko, by wedrzeć się w prywatność sławnych ludzi. Przyszło jej nawet do głowy, żeby wezwać strażnika, ale nie zrobiła tego. Śpiew nie ustawał ani na chwilę. Weszła do łazienki i osłupiała. Teraz nie miała już wątpliwości.

W wannie leżała Marie! Z rozrzuconymi nogami, zuchwała w swojej brzydocie, mydliła sobie olbrzymią pierś sterczącą nad powierzchnią wody jak góra lodowa, ramiona, pachy, gęsto porośnięty wzgórek łonowy. Czyniła to wszystko, podśpiewując, z utkwionym w suficie nieobecnym spojrzeniem, z jakim pokojówki zwykły odkurzać komody. Zdmuchiwała sztywną pianę z twarzy, podnosiła nogę do góry, by po chwili pozwolić jej z pluskiem opaść. Och, co za ohyda! Coco zamarła. Dlaczego? Dlaczego nie potrafiła się poruszyć, postąpić kilku kroków i rzucić się na Marie? Serce waliło jej jak oszalałe, a żyłami, zamiast krwi, zdawała się płynąć ta sama gorycz, jaką wywoływał w niej głos Loriny Morgan. Sama nie wiedząc czemu, pomyślała o wodnych jaszczurkach: zimnych, zielonych, o łuskowatym grzbiecie, które ludzie trzymają w akwariach i karmią robakami.

Nie, nie straci panowania nad sobą, jak to się jej często zdarzało. Odwróciła się, wzięła z przedpokoju walizkę i płaszcz i opuściła apartament. Sztywno wyprostowana usiadła na sofie w korytarzu. Po chwili ułożyła walizkę i płaszcz na kolanach, po czym znowu przyjęła idealną pozycję. I siedziała tak, z przekrwionymi oczami, wpatrzona w pustkę, niezdolna wstać i porządnie natrzeć uszu służącej. Co było w tej wieśniaczce, zwyczajnej aż do bólu, co napawało ją takim lękiem, a może szacunkiem? Zaczęła wyrywać sobie włosy, czego nie robiła od bardzo dawna. Nie zmieniając wyrazu twarzy, wyszarpywała jeden po drugim, te posiwiałe i te czarne. To ją uspokajało. Wtem przez drzwi apartamentu wyleciało coś białego i rozbiło się o posadzkę. Wstała i podeszła bliżej. U jej stóp leżała miniaturowa Statua Wolności. Marie wzgardziła symbolem wolności, który Coco przywiozła specjalnie dla niej z Nowego Jorku.

Godzinę później, stąpając po skorupach statuetki, przekroczyła próg apartamentu jak gdyby nigdy nic. Ubranie Marie nie poniewierało się już w holu, garderoba w sypialni wyglądała na nietkniętą, łazienka była uprzątnięta. Marie przywitała się z panią i przez resztę popołudnia wałęsała się po mieszkaniu, odkurzając przedmioty ze wzgardliwą nieuwagą. Coco zaczęła się zastanawiać, czy sobie tego wszystkiego nie wymyśliła.

Tego samego dnia czekało ją jeszcze więcej wstrząsów (ją, która zawsze uważała, że ze wszystkich okropnych doznań najgorsze jest niemiłe zaskoczenie). Na ulicy Cambon ujrzała bowiem scenę, która zmroziła jej krew w żyłach. Na chodniku przed butikiem siedziało z pięćdziesiąt uśmiechniętych panien sklepowych i pozdrawiało koczujących po drugiej stronie fotografów. Niektóre, usadowione na belach kosztownych tkanin albo na stosach niedokończonych sukien, trzymały transparenty z napisem „Strajk okupacyjny". Oprócz ekspedientek były też szwaczki w roboczych fartuchach.

Coco odwróciła się na pięcie i weszła do hotelu. Przecięła luksusowy hol, nie zwracając uwagi na portiera z jego *bonjour, mademoiselle*, i nacisnęła przycisk wzywający windę. Nie przestawała mruczeć pod nosem: „Strajk okupacyjny, na moich sukniach, co za bezczelność!". W gruncie rzeczy nie chciała przyjąć do wiadomości, że jej podwładne, zwarte i zdeterminowane, dołączyły do innych protestujących ekspedientek i szwaczek.

Wjechała na górę, przebiegła korytarz, zgrzytając zębami, i weszła do apartamentu. Bała się, żc zaraza się rozprzcstrzcni i na trwałe wybije pracownice z rutyny obowiązku.

Usiadła w fotelu, odetchnęła głęboko i zawołała pokojówkę: „Marie!". Nie przestawała przy tym myśleć: Jak to możliwe? Bunt w szeregach? Jak śmiały zagrodzić jej wejście do butiku? „Zanim mnie poznały, były nikim! Bandą zwyczajnych panien sklepowych. Ja uczyniłam je pannami sklepowymi, i od tej pory są jedyne na świecie, wyjątkowe. Gdyby nie ja, daleko by nie zaszły" – prychnęła.

Pewnych upokorzeń Coco, królowa o duszy dumnej wieśniaczki, nie potrafiła znieść. Wstała.

„Marie!" – krzyknęła głośniej i zaczęła krążyć po pokoju jak rozwścieczona pantera. „Czego sobie pani życzy?" – spytała Marie. „Wynoś się stąd! Kto ci pozwolił plątać mi się pod nogami? Zawsze plączesz mi się pod nogami, bezduszna, gruba babo!" – wrzeszczała. „A pani jest chuda. Chuda i wstrętna" – mruknęła Marie. Znikając w korytarzu, potrąciła miniaturową Statuę Wolności, którą Coco poprzedniego dnia pracowicie posklejała i postawiła na komodzie. Posążek spadł na podłogę i znów się rozbił. Marie zachichotała.

Znajomy adwokat, któremu Coco opowiedziała, co zaszło w butiku, doradził zachować spokój (zapewniła, że jest spokojna, ale rozedrgane nozdrza zdawały się temu przeczyć) i dystans wobec strajków. Robotnicy wszystkich sektorów, nie tylko odzieżowego, barykadowali się w fabrykach („Weź choćby Citroëna – mówił adwokat – albo wielkie domy handlowe"). W całym kraju trwały strajki okupacyjne. Protestujący zapowiedzieli, że nie ustąpią, dopóki rząd Bluma nie zgodzi się na przeprowadzenie niezbędnych reform.

Jeszcze tego samego przedpołudnia, kiedy furia Coco rozpłynęła się w słodkich słówkach: „Och, Marie, byłam trochę rozdrażniona. Wybacz, że krzyczałam. Co ja bym bez ciebie zrobiła", w hotelu zjawiła się delegacja.

Coco oświadczyła portierowi przez telefon, że nie zamierza rozmawiać z przedstawicielkami warsztatów, co najwyżej w dogodnej dla siebie chwili przyjmie najbliższe współpracownice. W tym momencie jedna z kobiet wyrwała portierowi słuchawkę i rzuciła ostro: „Nie pamięta już pani, jak piętnaście czy dwadzieścia lat temu brała udział w kongresach organizowanych przez ruch wyzwolenia kobiet?". Chudzina rozłączyła się i przez kilka minut wściekle dyszała, a potem zeszła do głównego holu z zamiarem podjęcia rękawicy. Ale delegatki znikły. Portier obrzucił ją uważnym spojrzeniem. „Co z ciebie za portier – powiedziała. – Dla mnie jesteś nikim".

Kilka dni później w oficjalnej rezydencji Bluma, w hotelu Matignon, zebrali się przedstawiciele pracodawców i związków zawodowych. Było to pierwsze tego rodzaju spotkanie w dziejach Francji. Robotnicy żądali co najmniej siedmioprocentowej podwyżki płac, prawa do zrzeszeń i zgromadzeń, czterdziestogodzinnego tygodnia pracy oraz dwóch tygodni płatnego urlopu. Dzięki determinacji Bluma osiągnięto w końcu porozumienie.

Coco unikała słowa „negocjacje". Przyszło jej nawet do głowy, żeby wyrzucić na bruk te trzysta kobiet, które domagały się realizacji postanowień z Matignon, rozumiała jednak, że jeśli do końca lipca nie zażegna konfliktu, straci szansę na przygotowanie kolekcji jesienno-zimowej.

Tymczasem Schiaparelli pracowała zawzięcie nad najnowszymi projektami według pomysłów Cocteau, zdobiła szale i kapelusze fragmentami poświęconych jej artykułów prasowych, doskonaliła swoje słynne sukienki z kieszeniami jak szuflady i guzikami w kształcie langust i akrobatów. Zatrudniała niewiele osób, toteż prawie nie odczuła skutków strajku. Groźba jej miażdżącego zwycięstwa była jedynym powodem, dla którego Coco w końcu uległa i zaproponowała swoim pracownicom lepsze warunki pracy.

Schiaparelli i tak stała się ostatnio zbyt modna. By zyskać jeszcze większy rozgłos, przeprowadziła się do mieszkania zaprojektowanego przez Jeana Michela Franka, najbardziej cenionego w owym czasie dekoratora wnętrz. Salon zdobiły dzieła Salvadora Dalí, Bérarda i braci Giacomettich. Coco otrzymała zaproszenie na imprezę powitalną. Zapytana o zdanie na temat nowego apartamentu, oświadczyła, że w takich chłodnych, nowoczesnych wnętrzach zawsze dostaje dreszczy.

„Jakbym była na cmentarzu" – powiedziała po powrocie, pozwalając pokojówce zdjąć sobie pończochy. Marie jak zwykle powstrzymała się od komentarza i w milczeniu wręczyła swojej pani filiżankę z herbatą.

Sukces Schiap wyprowadzał Coco z równowagi. Ci wszyscy artyści tańcujący wokół jednej głupiej Włoszki, jakby nie mieli nic lepszego do roboty! Te wszystkie suknie prezen-

towane przez rachityczne modelki pośród entuzjastycznych
aplauzów! Co gorsza, podczas przyjęcia mówiło się o ślubie
Schiap z hrabią Williamem de Wendtem. Ktoś rzucił w prze-
locie: „A ty jakoś nie wychodzisz za tego swojego księcia...".
Poczuła się dotknięta do żywego. Teraz, w domu, miała nie-
przepartą ochotę wyżyć się za to na Marie, ale ta idiotka nie
nadawała się nawet do tego...

„Słuchaj – mruknęła Coco, chwytając służącą za ramię, jak
gdyby w obawie, że jej ucieknie – gdzie się podziała ta statu-
etka, którą ci przywiozłam z Nowego Jorku? Od dawna jej nie
widziałam". – Po chwili milczenia Marie odparła: „Stłukła
się. – Nadal milcząc, postawiła filiżankę na spodeczku i przy-
sunęła cukier. – Stłukła się w czasie sprzątania – wyjaśniła. –
Strasznie mi przykro, *mademoiselle*" – dodała, krzywiąc się
z niezadowoleniem.

„I słusznie, powinno ci być przykro – wycedziła Coco. –
Bardzo przykro. Albowiem najświętszym darem ofiarowa-
nym przez Boga ludzkości jest właśnie to: wolna wola. To,
że sami możemy decydować o naszym życiu. Czy chcemy,
na przykład, wyjść za mąż. Masz męża, Marie? Dzieci? To,
że sami możemy decydować, czym chcemy się zajmować.
No, i niektórzy zostają projektantami mody, a inni, choćby
taka Schiaparelli (słyszałaś o niej?) są tylko kukłami. Rozumiesz, Marie? Pozbawionymi wyrazu kukłami pod stertą
fatałaszków i kapeluszy. Miernotami, które skrywają swoją
przeciętność za fasadą ekscentrycznych drobiazgów. Potrafią tylko skandalizować, nic więcej, rozumiesz? Są związane
tymi wszystkimi sznurówkami i pomalowanymi na krzykliwe kolory paskami, dlatego nie potrafią się swobodnie rozwijać. Są jak pstrągi uwięzione pośród przybrzeżnych kamieni.
A, właśnie, to mi przypomina... Czy kąpałaś się ostatnio
w mojej wannie?".

Zaskoczona nagłym pytaniem Marie wzięła tacę ze stołu i bez słowa ruszyła do wyjścia.

„Odpowiedz!" – krzyknęła Coco.

Pokojówka przystanęła na progu i nie odwracając głowy, bardzo powoli powiedziała: *„Mademoiselle*, ja miałabym się kąpać w pani wannie?".

Ta niejasna odpowiedź (a może raczej wyzywające pytanie) i towarzyszący jej uśmieszek stały się początkiem zmiany. Coco nie miała wątpliwości, że Marie korzystała z jej wanny i przymierzała jej sukienki. A teraz nie dość, że nie okazała skruchy, nie mówiąc o przeprosinach, to jeszcze zachowuje się wyzywająco. Marie, ta posłuszna, cicha Marie, ośmieliła się wkroczyć na jej teren (podobnie jak ekspedientki w butiku), a ona, Coco, po raz kolejny nie potrafi odpowiednio zareagować. Pękła niewidoczna nić łącząca służącą i chlebodawczynię. Cóż, zwyczajna rzecz, zmęczenie materiału.

Od tamtej pory wszystko wyglądało niby tak samo – herbata na stole, wieczorny rytuał zdejmowania pończoch, prędka dłoń odganiająca uciążliwe muchy – ale Chudzina, sama nie wiedząc dlaczego, przestała rozrzucać ubrania po podłodze i żądać rozmaitych usług. Czuła się słaba. Po prostu słaba.

Od czasu do czasu widywała się z Cocteau, Bretonem i Picassem, którzy wciąż byli solą Paryża, podobnie jak Satie, Strawiński, surrealiści i kilku innych. Na potrzeby Wystawy Światowej, realizując zamówienie republikańskiego rządu Hiszpanii, Picasso namalował wielki obraz pod tytułem *Guernica*: koń, byk, agresja, destrukcja, przemoc, czerń, szarość i biel. Początkowo zamierzał stworzyć alegoryczną apoteozę wolności sztuki, z malarzem i modelką na pierwszym planie, ale na wieść o bombardowaniu baskijskiej Guerniki – zmienił zdanie. Falangistowskie siły powietrzne, wspomagane przez Włochów i Niemców, podczas trwającego przez trzy i pół godziny ataku całkowicie zniszczyły miasto. Picasso powtarzał z goryczą, że był to akt niczym nieuzasadnionego terroru, Guernica nie miała bowiem żadnego strategicznego znaczenia.

Cocteau żył niejako na koszt Coco. Opłacała mu pokój w hotelu Castille, kuracje odwykowe w sanatorium Saint--Claud (gdy po śmierci swojej kochanki Radiguet uzależnił się od opium) i rozmaite słabostki.

Któregoś razu zabrała Westminstera na spotkanie ze znajomymi artystami. Niepotrzebnie: ich rozmowy i żarty okazały się dla niego zbyt subtelne. Na domiar złego książę, słysząc, że Cocteau ma problemy finansowe, w najlepszej wierze zaproponował mu „spisanie historii moich psów", co tylko pogorszyło sprawę.

„Chcę, żebyś wybrał" – powiedziała pewnego dnia Coco, znużona powtarzającymi się pogłoskami o ślubie księcia. Przeglądali właśnie menu w jednej z luksusowych paryskich restauracji. Była „jedną z wielu jego przyjaciółek" i miała tego dość, zwłaszcza że sytuacja polityczna coraz bardziej się komplikowała.

W styczniu 1939 roku oddziały generała Francisca Franco dotarły pod Barcelonę: blisko pół miliona żołnierzy i cywilnych zwolenników republiki opuściło miasto, kierując się ku granicy z Francją. W marcu Hitler zajął Czechosłowację, a trzy tygodnie później Mussolini – Albanię. Podczas gdy Édouard Daladier w trybie awaryjnym przejmował stery koalicji rządowej, Francja i Wielka Brytania, w obliczu groźby niemieckiej inwazji na Polskę, przystępowały do rozmów o „trójprzymierzu" ze Związkiem Radzieckim. Wojna zdawała się nieunikniona. Coco miała świadomość, że tym razem, w porównaniu z poprzednią wojną, może więcej stracić niż zyskać. Czuła się rozgoryczona, zniechęcona i ospała. Nie wiedziała, czy chce wyjść za mąż, właściwie nic nie wiedziała, oprócz jednego: nie skończy jak Poiret, który od ładnych kilku lat nie potrafił znaleźć sobie miejsca w świecie mody.

Czasami zakładała futro, ciemne okulary, chustkę na głowę i zjeżdżała na dół z nadzieją, że czeka tam na nią jakiś dziennikarz albo wielbiciel. Znalazłszy się w holu, rozglądała się dyskretnie, ukryte za ciemnymi szkłami oczy biegały nerwowo od jednej nieznajomej twarzy do drugiej, ale poza portierem i zajętymi sobą gośćmi nie było absolutnie nikogo. Wracała więc do siebie, skarlała, zawiedziona. Nie ulegało wątpliwości, że nie jest już dawną Coco.

Być może dlatego, by znów poczuć się zauważona, wyjątkowa, znaleźć się na ustach wszystkich, wszczęła awanturę z portierem.

Pewnego dnia, przechodząc rano przez hol, usłyszała zwyczajowe i natrętne: *bonjour, madame*. Niespodziewanie dla samej siebie zażądała spotkania z dyrektorem hotelu. Gdy stanęła twarzą w twarz z Ritzem, wypaliła: „Chcę, żeby zwolnił pan tego portiera". Zapytana o powód, odpowiedziała: „Bo jest brzydki". „Musi być jakaś inna przyczyna – zatroskał się dyrektor. – Może w czymś pani uchybił albo wykazał się niekompetencją...". „Przeciwnie, to doskonały pracownik – oświadczyła Coco. – Chcę, żeby go pan zwolnił, bo jest brzydki". Ritz uśmiechnął się pojednawczo, wstał z krzesła i wyciągając do niej dłoń, powiedział: „*Mademoiselle*, jest pani jedną z moich najważniejszych klientek i zawsze z radością przychylam się do pani próśb, a nawet spełniam pani... – odchrząknął – ...kaprysy. Wymieniłem meble w pani apartamencie, kucharze stają na głowie, by zadowolić pani nieco wybredne podniebienie. Pragnę, by czuła się pani u nas jak w domu, ale musi pani zrozumieć, że zwolnienie portiera tylko dlatego, że jest brzydki, i to po dwudziestu latach sumiennej pracy, w dodatku, najprawdopodobniej, w przededniu wojny, nie wydaje mi się...". „Jeśli go pan nie wyrzuci, jeszcze dziś się wyprowadzę" – przerwała mu Coco. „Cóż, będzie mi z tego powodu bardzo przykro" – odparł.

Nic więc dziwnego, że tego wieczoru (oczywiście nie spełniła groźby o wyprowadzce, nie miała się dokąd wynieść, a poza tym świetnie wiedziała, że jej żądanie było, jak to określił Ritz, kaprysem) pragnęła pochlebstw, oczekiwała zapewnienia, że Westminster woli ją od wszystkich arystokratek.

Książę zamyślił się ze wzrokiem utkwionym w karcie. „Pieczarki w kremie" – powiedział tylko. „Mówię, że musisz wybrać sobie żonę!" – krzyknęła Coco.

Nie umiała czekać. Wpadała w gniew, gdy ktoś nie reagował dostatecznie szybko. Tak było i tym razem. Dała Westminsterowi dwa tygodnie – nie więcej – na podjęcie decyzji, czy widzi ją w roli trzeciej księżnej Westminsteru.

19

Julian Jurie miał skórę barwy popiołu, włosy przypominające wilgotną słomę nosił zaczesane do tyłu, z przedziałkiem pośrodku, co nadawało mu nieco podejrzany wygląd. Wskutek wieloletniego wysłuchiwania chaotycznych zwierzeń pacjentów i wstrzymywania się od komentarza upodobnił się do kamienia: zapadnięte oczy ukryte pod powiekami, usta w zaniku, ostry nos, kanciasty podbródek.

Przed piętnastu albo dwudziestu laty wrócił z Wiednia przepełniony ideałami. Dziś wydawał się pozbawiony złudzeń. Czy naprawdę taki był? Postarzał się znacznie (podobnie jak ona, Coco). Od kiedy się znali? Od czasów sprzed pierwszej wojny? Teraz szykowała się druga, ale i ona, jak można było przypuszczać, nie miała zbytnio wpłynąć na jego życie, upływające między mieszkaniem a gabinetem (położonymi zresztą obok siebie).

Tamtego dnia założył garnitur, zdaniem Coco obrzydliwy: w kolorze zielonkawego, chorobliwego brązu, który wprowadzał jakąś głupawą, pustą atmosferę. Do tego krawat, tak długi, że wystawał spod starannie zapiętej marynarki.

„Więc kazała pani samemu księciu Westminsteru wybierać z listy piętnastu kandydatek, do której dopisała też pani samą siebie?".

Coco wiedziała, że psychoanaliza przeżywa trudne chwile: nieco wcześniej naziści spalili w Berlinie książki Freuda. Jednak Jurié od dawna szedł swoją drogą i nie stosował się ściśle do zalecanych przez mistrza metod leczenia, takich jak elektroterapia czy hipnoza. Poza tym, choć oczywiście nie odmawiał wartości pewnym konceptom, takim jak podświadomość, stłumienie, kompleks Edypa czy frustracja, nie zgadzał się z tezą Freuda, że podłożem zaburzeń psychicznych jest seksualność.

Przed laty otworzył luksusowy gabinet przy Île Saint-Louis. Od tamtej pory jeździł na kongresy, gromadził wiedzę, leczył neurotyków, bogacił się i starzał. Czy oprócz tego coś się w nim zmieniło? Coco po raz pierwszy spojrzała na swego psychoterapeutę jak na człowieka, a nie lekarza: czy te drżące, kościste dłonie, które wydawały się, jak całe jego ciało, organem słuchu, te złożone na brzuchu szpony wplotły się choć raz we włosy łonowe kobiety?

Coco wyobraziła go sobie w domu, jak siedząc na klozecie, rozmawia z żoną (jeśli ją miał) i mówi, że nie wróci na kolację, jak śpi z otwartymi ustami albo myje rano zęby.

Co zaś do niej... W czym jej pomogły te wizyty? Czy wciąż była tym dzikim dzieckiem, które uciekło z klasztornego sierocińca, żeby nie szyć już koszul nocnych? Co szyła teraz?

Czemu, uwolniona od wszelkich przymusów, nadal przychodziła do tego człowieka (tego niemowy!), którego w głębi duszy nienawidziła? Może wciąż ulegała przymusowi słów? Słów, które kłamią, zawłaszczają, kryją o wiele więcej, niż zdają się zdradzać. Dlaczego przychodziła do Juliana Jurié, skoro nie udało mu się jej od nich wyzwolić, rozłożyć języka na części i stworzyć od nowa?

„Właśnie – odpowiedziała. – I książę wreszcie wybrał. O tym chciałam panu opowiedzieć".

Od lat opowiadała mu wszystko. Komu innemu miałaby opowiedzieć o kobietach, jedna po drugiej odchodzących z jej życia? O Misi, z którą prawie nie rozmawiała (w końcu zmęczyła ją jej bezczelność i pustota)? O Antoinette i o nieprzejednanej w swym gniewie Lucienne Rebaté? O pani Desboutin, która pewnego dnia opuściła jej dom, unosząc ze sobą zniszczoną walizeczkę? Kto został? Marie, może ona... Ale Marie...

Opowiadała mu wszystko, bo miała na to ochotę. I teraz też chciała wyrzucić z siebie ten błąd, ten nowy kaprys, który skręcał jej wnętrzności jak głód. Powiedziała, że wcale nie zamierzała wychodzić za mąż, że nawet nie kochała księcia, ba, nienawidziła jego zamkniętego światka wypełnionego nudą, snem i spacerami po deszczu. Nienawidziła budzić się z wilczym apetytem i jeść, nienawidziła marznąć i grzać się przy kominku, popijać herbatki w towarzystwie przykurzonych, wyraźnie znudzonych dam i dżentelmenów. Nienawidziła puddingów, angielskiej hipochondrii, cynizmu, namoczonych skarpetek. Nienawidziła macierzyństwa.

Tak, przede wszystkim nienawidziła macierzyństwa i wszystkiego, co się z nim wiąże. A jednak czuła potrzebę, by udowodnić, że nie tylko zna się na modzie, ale potrafi także sięgnąć na sam szczyt: mimo niskiego pochodzenia zostać trzecią księżną Westminsteru, a potem urodzić księciu syna i dziedzica. Że jest tak samo płodna i tyle samo warta co każdy arystokratyczny podlotek. Wiedziała, że małżeństwo to czyste wariactwo, że wychodząc za mąż, przekreśliłaby swoją karierę, wszystko, czym była, o co walczyła, a jednak potrzebowała tego nowego wyzwania, reflektorów, fotografów, dziennikarzy, stłoczonych wokół i komplementujących ją bez końca mężczyzn, potrzebowała być. Być pierwsza na liście. Potrzebowała tego, wiedząc, że dzień jutrzejszy chowa dla niej w zanadrzu jedynie starość, samotność i zapomnienie.

Powiedziała, że zanim kazała księciu wybierać, zasypywał ją listami miłosnymi, przysyłał cieplarniane kwiaty, kosztowne orchidee i chryzantemy. Zwracała mu je, żądając zwykłych łąkowych kwiatków. Następnego dnia słał więc prześliczny bukiet z koniczyny i lwich paszczy, pachnący ziemią, z ukrytymi w środku klejnotami, pierścionkami, koliami, diamentowymi diademami i czym tam jeszcze. O rękę jej jednak nie prosił. Może dlatego, że miała już prawie czterdzieści pięć lat i myślał, że nie będzie mogła urodzić mu dziecka? To prawda, że przez cały czas trwania ich związku nie zaszła w ciążę, choć nie stosowała żadnych środków ostrożności... Może była niepłodna?

Poszła do znachorki czy też rajfurki, która mieszkała obok targu kwiatowego na Île de la Cité, miała twarz jak małpka i cieszyła się sławą cudotwórczyni. Jej mieszkanko, pełne klatek z papugami kakadu, pachniało gotowanymi warzywami. Przyjęła Coco w satynowym czerwonym szlafroku, w papilotach, z twarzą wysmarowaną czymś w rodzaju brudnego tłuszczu. Miała twarde oczy, bezzębne usta i włosy na całym ciele. Zmierzyła przybyłą spojrzeniem od stóp do głów i powiedziała: „Wejdź, księżniczko". Po przebadaniu jej zaleciła smarowanie waginy sokiem z młodego czosnku oraz seks w odważnych, akrobatycznych pozycjach.

Chudzina opowiadała, Jurié milczał, słuchał i pomagał

jej słowom przecisnąć się przez kanał rodny umysłu, którego operacje również miały wiele wspólnego z akrobacjami.

Wyznała też, że dusząc się w smrodzie czosnku, myślała o tym, że nikt pod żadnym pozorem nie powinien się nigdy dowiedzieć o jej więcej niż skromnym pochodzeniu. Dlatego zadzwoniła do Antoinette, która wciąż pracowała w butiku w Deauville. Od dawna nie rozmawiały. Coco unikała jej telefonów, tak jak unikała każdego, kto choćby słowem mógłby napomknąć o jej schorowanej matce i wiecznie pijanym ojcu. Teraz jednak zadzwoniła sama, tłumacząc się, że dużo pracuje, i poprosiła, żeby siostra nie wpuszczała za próg dziennikarzy. „Na miłość boską, Antoinette, ci ludzie tylko węszą za jakąś tanią sensacją. A może chciałabyś zamieszkać w miłym domku na wsi, co? Poszukaj czegoś odpowiedniego. W domku z ogródkiem". Ale Antoinette zawsze chciała mieć nowoczesny, funkcjonalny dom, w jasnych, wesołych kolorach, łatwy do sprzątania. Oczywiście, Chudzina była gotowa jej taki kupić. Byle tylko trzymała język za zębami. Ani słowa o rodzicach i sierocińcu. Ani słowa!

Opowiedziała doktorowi także o tym, iż przez pewien czas perspektywa przemiany w trzecią księżną Westminsteru cieszyła ją do tego stopnia, że poranki upływały jej w radosnym amoku. Włączała radio z muzyką klasyczną, podnosiła ramiona i poruszała nimi jak dyrygent. Unosząc skraj jedwabnego szlafroka, tańczyła po całym apartamencie. Dzwoniła do recepcji i prosiła o grzanki, szampana i łososia. Zapraszała do stołu Marie, która siadała wyprostowana i żuła wolno, z rękami na podołku i wyrazem oszołomienia na twarzy. Kiedy indziej schodziła w białej jedwabnej piżamie do hotelowego fryzjera albo do restauracji. Pan Ritz zjawiał się w mgnieniu oka, by zaprowadzić ją do ulubionego stolika – obok okna i z dala od gości – wiedział bowiem, że *mademoiselle* nie znosi zapachu jedzenia. Coco uważnie oglądała serwetkę, sztućce i szklankę, po czym odsyłała je jako brudne: „Widzi pan – zwracała się do dyrektora z promiennym uśmiechem – naprawdę czuję się tu jak w domu".

Gazety zajmowały się przede wszystkim żądaniami Hitlera w sprawie „korytarza" przez Polskę (mówiono, że kwestia ta może stać się zarzewiem wojny), ale nie było dnia, by nie poświęciły nieco uwagi również sprawom towarzyskim: czy znana projektantka zostanie trzecią księżną Westminsteru? Czytelnicy mogli nawet robić o to zakłady.

Kiedy w końcu Westminster umówił się z nią na piątek, by dać jej odpowiedź, Coco poczuła, że zaraz się udusi. W chwili gdy zadzwonił telefon w butiku, słuchała właśnie nudnej przemowy jegomościa zajmującego się sprzedażą nylonu. Nowe włókno, z powodzeniem używane do produkcji szczoteczek do zębów, wędek rybackich, rozmaitych nici i strojów sportowych, wchodziło bowiem właśnie na rynek mody. Głos księcia sprawił, że zostawiła dostawcę z jego nylonem, pobiegła po schodach do gabinetu, schwyciła torebkę i już jej nie było.

Następnego dnia w ogóle nie poszła do pracy: mieniło jej się w oczach. Do wieczora leżała w łóżku, wróżąc sobie z kart, obmyślając bajkowy ślub, suknię bogato wyszywaną szlachetnymi kamieniami (już słyszała te zachwyty), do tego odpowiednie satynowe pantofle, przyjęcie w jednej z posiadłości księcia, miesiąc miodowy na jachcie „Cutty Sark" („albo »The Flying Cloud«" – szepnęła, klaszcząc w dłonie), rejs po błękitnym morzu pod białą banderą marynarki królewskiej, w eskorcie okrętów wojennych i fotografów. W wyobraźni widziała wykrzywioną z zazdrości twarz Misi, czerń swoich królewskich włosów rozrzuconych w noc poślubną na poduszce, swoją wąską talię i jaśnie oświecony książęcy tyłek, pościelowy zapach lawendy zmieszany z tą drugą wonią, wonią czosnkowej waginy i spoconego mężczyzny. W pewnej chwili – ale była to tylko krótka chwila – przemknęła jej przez głowę myśl, że Westminster mógłby ją odepchnąć. Te nieszczęsne różnice klasowe... Wyskoczyła z łóżka i niespokojnie przemierzyła pokój, ale natychmiast odrzuciła przykre przypuszczenie. Z podniecenia prawie nie tknęła kanapek, które Marie przyniosła jej przed południem.

Z pokojówką obchodziła się tego dnia wyjątkowo dobrze. Ostatecznie była taka szczęśliwa, kipiała od emocji. Zresztą niepokój to takie zdradliwe uczucie... Kazała Marie usiąść obok i ująwszy jej dłonie, po raz tysięczny spytała ją, czy ma w Polsce męża i dzieci.

„*Mademoiselle*, mówiłam pani wiele razy, że jedyne, czego pragnę w życiu, to odwiedzić synów" – brzmiała odpowiedź. „Doprawdy?" – zdziwiła się Coco. „Prosiłam o kilka wolnych dni" – szepnęła Marie.

I korzystając z dobrego humoru pani, wyznała, ze ma juz zamówiony bilet. „Jadę w przyszły wtorek – powiedziała ze spuszczoną głową (w jej oczach błyszczała powstrzymywana radość) – trzeba tylko potwierdzić rezerwację... Nie będzie mnie przez miesiąc. Oczywiście, jeśli pani pozwoli". Chudzina wyskoczyła z pościeli i rzuciła się uściskać zaskoczoną Marie. „Doskonale – powiedziała. – Mówiłam ci, że o wolność się nie prosi, tylko się ją zdobywa. Doskonale".

Niespodziewanie uprzytomniła sobie, że nie wie, na którą umówiła się z Westminsterem. Na czwartą, piątą, a może na szóstą? Złapała za słuchawkę i niezbyt grzecznie kazała się połączyć z takim to a takim numerem. Minęło pięć, dziesięć, dwadzieścia minut. Coco spacerowała po apartamencie. W końcu rozległ się wyczekiwany sygnał. „Bardzo mi przykro, *mademoiselle* – powiedział portier. Nie mogę się dodzwonić. Numer jest albo zajęty, albo nikt nie podnosi słuchawki". Krzyknęła, żeby skończył z tymi bzdurami i natychmiast połączył ją z księciem. Po kolejnych dziesięciu minutach znowu usłyszała przestraszony głos: „Nikt nie odbiera, *mademoiselle*, a ja muszę się już zająć innymi gośćmi...". „W tej chwili połącz mnie z księciem – odparła Coco. – Albo pożałujesz". „Tak jest" – rzekł portier.

Piętnaście minut później, ostatecznie zniecierpliwiona, zjechała na dół. Jak furia wypadła z windy i nie zważając na tłumek przy recepcji, weszła za ladę i bez żadnych wyjaśnień, z kamienną twarzą, z całej siły uszczypnęła portiera w ramię. „Jest pan bezczelny" – oświadczyła.

Po powrocie do pokoju przypomniała sobie, że godzinę spotkania ma zanotowaną na karteczce. Wzruszyła ramionami.

Wreszcie nadszedł piątek. Umówili się w herbaciarni. Coco ubrała się na tę okazję w prosty kostium – spodnie i żakiet – oraz pantofle w kolorze kości słoniowej, z czarnymi czubami. Przez ramię przewiesiła jedną ze swoich pikowanych torebek na złotym łańcuszku. Niecierpliwość kazała jej zjawić się na miejscu z niemal godzinnym wyprzedzeniem. Gdy w drzwiach stanął wystrojony w czapkę myśliwską książę, z wielkim bukietem kwiatów w ramionach, popijała już gorączkowo swoją miętową herbatkę. Przełknęła ślinę, złożyła dłonie w trąbkę i zawołała: „Westminster!".

Próbowała odczytać odpowiedź z jego twarzy, ale nie potrafiła. I nie chodziło o to, że jego twarz była skryta za masą kwiatów czy bez wyrazu. Przeciwnie, zdawała się mówić o wielu sprawach, tyle że tymi akurat sprawami Coco nie interesowała się w najmniejszym stopniu. Jego twarz zdawała się mówić o wspólnym życiu, o głuchej nudzie życia w luksusach, o odpowiedzialności spoczywającej na księżnej Westminsteru, o ziewających wieczorkach z udziałem brytyjskiej arystokracji, o popołudniowej herbatce i o miłości okrągłej i ostatecznej jak brzuch ciężarnej kobiety. O niewidzialnej masie. O tym, co już zapisane w komórce jajowej. O spermie. O dwustu milionach stworzonek, które jednocześnie ruszają do boju, identyczne, ciężkie powagą swoich przodków. Westminster miał je w sobie, miał w sobie swoich przodków i swoich następców, tyle że aby mieć następców, potrzebował żony.

Usiadł przy Coco, wyciągnął w jej stronę bukiet i powiedział, że udało mu się zdobyć pierwsze przebiśniegi. Chudzina zaczęła krwawić z nosa. Pomyślała wtedy (co potem wyznała psychoterapeucie), że nie zniesie odmowy, że jeśli książę odepchnie ją ze względu na niskie urodzenie, jej całe życie legnie w gruzach.

Po dłuższej wymianie spojrzeń i nieistotnych uwag, gdy Coco zamarła z sercem wyrywającym się z piersi jak chart, który zwietrzył zająca, niezdolna w swoim otumanieniu zażądać: już, powiedz mi to teraz, przestań wreszcie gadać o pogodzie, Hugh Richard Arthur Grosvenor popatrzył jej w oczy z mieszaniną wesołości i powagi i powiedział łagodnie: „Ty. Z całej listy wybrałem ciebie". Odłożył bukiet, wyciągnął z kieszeni śmiesznie małą chusteczkę, wytarł Coco krew spod nosa, zamówił drugą taką samą herbatę i czule ujął Chudzinę za ręce.

Wiele lat później, stojąc naprzeciw kuli, która już wkrótce powali ją na wysłaną miękkim dywanem podłogę, Coco myśli, że słowa ranią czasem jak ostrze noża. Co kryło się za tym „ty"? Książę powiedział, bardzo łagodnie, że wybrał właśnie ją („ciebie"), a w jej oczach rozbłysnął promyk radości. Zaledwie promyk. Intuicja podpowiadała bowiem, że nic nie jest takie proste, jak się wydaje.

Z nosa Coco znów popłynęła krew. Westminster wyjaśnił, że długo się zastanawiał, radził najbliższych współpracowników, ale ani przez chwilę nie miał, i nie ma, żadnych wątpliwości. Wybrał właśnie ją. „Wybrał" – zacytowała Coco Julianowi Jurié. Wybrał. Słowo powtarzane tak wiele razy, że straciło znaczenie. Wybrał z listy, słynnej listy. Wybrał ją. Bo nazywała się tak, a nie inaczej, i była Francuzką. A on lubił Francuzki, w przeciwieństwie do Angielek, zaborczych, oziębłych i prymitywnych (tu puścił dłonie Coco i zaczął się jąkać). „Są prymitywne jak konie, pamiętasz u Swifta, kiedy Guliwer trafia do kraju Hyhnhnmów, te dwa konie, co wydają taki śmieszny dźwięk?". Sam już nie wiedział, co mówi. Wybrał Coco, bo była Francuzką i nie przypominała konia. Skąd mu nagle przyszły do głowy konie?

Julian Jurié słuchał uważnie, skupiony, świadom, że musi coś powiedzieć, ale pełen obaw, że mógłby zaszkodzić Coco (a przy okazji i sobie) jakimś niestosownym, źle dobranym komentarzem. Po raz pierwszy czuł, że ta kobieta, tak w gruncie rzeczy słaba – tak, słaba – mówi prosto z serca. I czuł też, że powinien jej pomóc, że wszystkie te lata terapii nie miały sensu, jeśli teraz nie znajdzie odpowiednich słów pocieszenia, nie wyprostuje jej myśli, nie wskaże drogi ocalenia. Na tym polegała jego praca, po to jeździł do Wiednia, do samego mistrza, po to wrócił do Paryża i od czasu do czasu uczestniczył w specjalistycznych kongresach, po to otworzył luksusowy gabinet i nieprzerwanie, zażarcie starał się rozwijać: aby dzięki odpowiednim słowom przekuwać ludzką klęskę w coś zupełnie innego, pozytywniejszego.

Coco została wybrana. Westminster powtarzał to raz za razem, i powtórzył znowu, gdy dostał swoją herbatę. Ale „wybrana" nie znaczyło: wybrana na żonę. „Jak pewnie wiesz – mówił, biorąc ją znowu za rękę – tytuł księcia Westminsteru (jaki tytuł, chciała zapytać, ale w porę się powstrzymała), który stworzyła królowa Wiktoria w 1874 roku, potrzebuje dziedzica". „Wiem – odparła Coco i dopiero wtedy poczuła, że język ma suchy jak wiór. – Wiem też, że ludzie gadają o moim plebejskim pochodzeniu, a książęta Westminsteru zawsze żenili się z markizami, hrabiankami i innymi wielkimi paniami – ciągnęła z ironią. – Nie wiedziałam tylko, że ma to dla ciebie znaczenie".

Westminster zamyślił się na chwilę. „Bo nie ma" – rzucił. „A więc?" – zapytała Coco, wpatrując się w niego z niepokojem.

Krew przestała jej lecieć z nosa, wróciła energia. Przekona go, o, tak. Przekona go, że czasy i zwyczaje się zmieniają. Ostatecznie któż jak nie on miał dość swobody, by ożenić się, z kim zechce. Na początku ludzie będą się trochę dziwić, ale potem przywykną. Do wszystkiego można przywyknąć, zresztą podobne przypadki już się zdarzały.

„Nie o to chodzi" – powiedział książę. „A o co?" – zapytała. „Nie chodzi o twoje pochodzenie".

Coco wyrwała mu dłonie. Wyprostowała się i uniosła swoje gęste, niewyregulowane brwi ruchem, od którego reszta jej twarzy zdawała się zapadać i nabierać zwierzęcego wyrazu. Jeszcze nad sobą panowała, ale pożar tlący się w niej, od kiedy weszła do tego lokalu, przybierał na sile.

„Więc o co chodzi?" – ponowiła pytanie.

Westminster posłodził herbatę i zaczął ją mieszać drżącą dłonią. Milczał przez chwilę, a potem spojrzał na Coco.

„Chodzi o to, że sama nie wiesz, co do mnie czujesz. Miłość, wdzięczność, żal, może obojętność? Chodzi o to, że znamy się tak długo, a dziś po raz pierwszy nie od razu wyrwałaś mi swoją dłoń. O to, że nigdy mnie nie całujesz sama z siebie, nigdy przy mnie nie zasypiasz, tak po prostu, zmęczona i ufna, że nie szepczesz mi do ucha czułych głupstw, że nie zlizujesz mi potu z pleców. Chodzi o to, że nie masz w sobie ciepła, nie umiesz kochać. Chodzi o to...

„Przestań! – krzyknęła Coco. – To pretensjonalne! Dość!".

Popatrzyła na lśniące w bukiecie pierwsze przebiśniegi, a potem, nie pozwoliwszy księciu dokończyć, wstała i wyszła, trzaskając drzwiami.

Wchodząc do hotelu (tak opowiadała doktorowi), zauważyła jakiś kształt – lśniąco białe zęby, nienaganna liberia – skulony za ladą recepcji. Portier. „Wyłaź stamtąd, ścierwo!" – wrzasnęła przez hol, tupiąc o marmurową posadzkę. Przestraszony człowieczek ani drgnął. „Wyłaź, gnido!".

(„Agresja – powiedział Julian Jurié – jest związana z działaniem szyszynki, najprymitywniejszej, bo występującej już u organizmów niższego rzędu części mózgu"). Widząc, że nic nie wskóra, nacisnęła przycisk windy. Wtem usłyszała: „Niech pani poczeka". Tego już za wiele!

Portier wyprostował się, wygładził liberię i poprawiając włosy, powoli skierował się w stronę Coco. Zatrzymał się kilka kroków przed nią. Cały drżał. Nabrał powietrza i powiedział: „Jak wszyscy nieszczęśliwi ludzie ma pani w sobie gniew".

Coco odkaszlnęła. „Co ty powiesz, idioto". Portier ani drgnął. „Mam na myśli – rzekł po chwili – że trudno pani znieść myśl o tym, że my, inni ludzie, żyjemy normalnie. Nienawidzi pani naszej spokojnej egzystencji i chciałaby pani widzieć nas w takiej samej sytuacji, w jakiej się pani znajduje, to znaczy w gównie po uszy. To wszystko, co mam pani do powiedzenia". Coco zaniemówiła. („Więc sugeruje pan, że mam prymitywny mózg" – zwróciła się do Juliana Jurié).

Drżącym palcem nacisnęła guzik i ponownie wezwała windę. Czekając, zwróciła uwagę na mężczyznę, który najwyraźniej też wybierał się na górę. Był to chyba ten sam człowiek, który przed wielu, wielu laty, w Salonie Niezależnych z 1914 roku (tak, tak, tak!) zachwycił się jej urodą i zapraszał na kawę. Wtedy miał czarne, ledwie przyprószone siwizną włosy, teraz przypominał białego gołąbka, ale to nie miało znaczenia. Zamierzała pójść z nim na kawę, a jeszcze lepiej na drinka, tak, na drinka. A potem do łóżka. Udowodni, że wcale nie jest zimna, że może zdobyć każdego mężczyznę i zachowywać się spontanicznie. Za kogo on się uważa, ten Westminster, żeby jej mówić takie rzeczy! A portier – jeszcze lepszy! Jak śmiał oskarżyć ją o zawiść i gniew!

Poprawiła żakiet i włosy, żeby zwrócić na siebie uwagę. Na próżno. Starszy pan stał nieruchomo, jakby nieświadomy jej obecności. Odetchnęła głęboko i upuściła torebkę. Podniósł ją i podał jej, ale to wszystko. Pogrążony we własnych myślach, wpatrywał się w cyfry, które zapalały się kolejno, w miarę jak winda zbliżała się do parteru.

„Czy my się nie znamy?" – zapytała w końcu Coco. Odwrócił się i przez chwilę patrzył na nią z uwagą. „Nie – odparł. – Nie wydaje mi się". – Przeniósł wzrok z powrotem na wyświetlacz. „W takim razie zaskoczę pana – rzuciła, tryskając odrobiną śliny. – Salon Niezależnych, Braque i Picasso, tysiąc dziewięćset czternasty rok, pan jako minister gospodarki, *madame de...*".

Odwrócił się ku niej. Wpatrywała się w niego wyczekująco. „Pani jest *madame de...*?". Poprawiła poły żakietu i uśmiechnęła się. „We własnej osobie" – powiedziała. „A, tak – mruknął, przesuwając po niej spojrzeniem – już sobie przypominam...".

Nadjechała winda. Wsiedli. Na pożegnanie powiedział: „Jak ten czas się z nami źle obchodzi, prawda? Miłego dnia życzę".

Coco roześmiała się uprzejmie (ten śmiech zabrzmiał jak jęk) i pojechała wyżej. Weszła do apartamentu oszołomiona (to w końcu poznał mnie czy nie poznał?), rozglądając się na prawo i lewo rozszerzonymi oczami, jakby czegoś szukając (ale czego?). Przez chwilę łapała oddech, niepewna, co począć ze swoją zranioną miłością własną. Pobiegła do łazienki, zrzuciła z siebie ubranie i naga stanęła przed lustrem.

Była chuda, bardzo chuda i stara (przyznała przed doktorem). Piersi jej zwiotczały, brzuch zmiękł. Przyjrzała się swojej twarzy: worki pod oczami, dwoje szczurzych ślepi, które wpatrywały się w nią ze strachem, uniesione groźnie brwi, nozdrza rozdęte jak chrapy klaczy, obwisłe policzki, skóra sucha jak rodzynek – tak wyglądała. Ach, ale przecież nadal jest piękna. Spotka jeszcze innych mężczyzn, oczywiście, że tak. Widziana pod światło jej nieco rozwichrzona czupryna przypominała anielską aureolę. Wyrwie tylko te dwa siwe włosy i znów stanie się taka jak kiedyś, w Salonie Niezależnych z 1914 roku. Ma zbyt dużo energii i przez to wydaje się wiecznie na wszystkich zagniewana.

Wyrwała je. Najpierw jeden, potem drugi. I nie poprzestała na tym. Ulegając wściekłej euforii, której nie potrafiła opanować, szarpała się za włosy, wydając krótkie okrzyki bólu. „Boli – powtarzała – bardzo boli, boli!”. Nie mogła jednak się powstrzymać. Używała rąk, jak gdyby były tępymi nożycami. Rwała i rwała, całymi garściami, aż pokazała się skóra czaszki. Głowa upodobniła się do ziemniaka, twarz całkiem zmieniła wyraz. Goła jak święty turecki, stojąc profilem do lustra, pomyślała (i w tych samych słowach opowiedziała potem psychoanalitykowi), że czasem historia wybiera spośród milionów jedną osobę do spełnienia konkretnej misji: ona, Coco, była energiczna i utalentowana, bystra, piękna, wyjątkowa, jedyna („jedyna, Jurié!”), doskonała i miła Bogu, co do tego nie miała wątpliwości. Matka umarła, nigdy nie poznawszy jej od tej strony. Tego – a nie odmowy księcia – Coco żałowała najbardziej i dlatego, pochlipując przed szklaną taflą, półłysa, założyła jedwabny szlafroczek, założyła go, wyszła powoli z łazienki, powlokła się do sypialni („Bo mama, mama nie poznała wielkiej *madame de...*") i padła na łóżko, płacząc ze złości i żalu.

Zadzwonił telefon. Rzuciła się na niego jak furia. Jakiś pan pytał o Marię Dwieżajską, pokojówkę. Coco pociągnęła nosem.

„To ja" – powiedziała pospiesznie, ze śmieszną i nie wiadomo dlaczego odnowioną nagle ochotą do życia. „Dzwonimy z działu rezerwacji kolejowej" – powiedział głos po drugiej stronie linii. Coco czuła, jak krew pulsuje jej w skroniach. „Tak, słucham" – odezwała się. „Mamy dla pani bilet do Warszawy. Musi go pani dzisiaj odebrać i opłacić. Jak już panią informowaliśmy, chętnych jest wielu i jeśli się pani nie zjawi, sprzedamy go komuś innemu".

Marie nie było w domu. Z pewnością gdzieś się włóczy, robiąc ostatnie przygotowania do podróży, niewdzięcznica. Przez chwilę Chudzinę (jak wyjaśniła potem doktorowi) zalała straszliwa zawiść. Marie miała nadzieję, miała jakiś cel w życiu, a ona, Coco, nie miała nic. Sukces, owszem, karierę, prywatny apartament, pieniądze, które mogła roztrwonić, wyrzucić przez okno, jeśliby przyszła jej na to ochota. „Ja to ja i moja sława" – powiedziała sobie kiedyś.

„W takim razie zaraz go odbiorę – rzuciła bez namysłu. – Bo, wie pan, mam troje dzieci, które na mnie czekają. Czekają z niecierpliwością".

Julian Jurié poprawił się w fotelu, aż pomarszczył się jego obrzydliwy garnitur, rozplótł dłonie i zdjął nogę z nogi, patrząc na Coco z niepokojem.

„Poszła pani?" – zapytał. „Oczywiście, że nie" – odparła. „Skrzywdziła pani pokojówkę, udaremniła pani realizację jej marzenia tylko dlatego, że ktoś skrzywdził panią?". „Cóż, jeśli tak pan to widzi, to tak, właśnie tak. Nie rozumiem, co w tym złego. Wszyscy to robimy, przy byle okazji korzystamy z cudzych słabości, krzywdzimy się nawzajem i niszczymy, czyż nie? Jak postępujemy, gdy ktoś obok cierpi? Próbujemy nim zawładnąć. To właśnie robi pan ze mną, wykorzystuje pan fakt, że nie radzę sobie z życiem, aby wyciągać ode mnie pieniądze. Cudze cierpienie przyciąga, Jurié, tak jak zapach kwiatów przyciąga pszczoły".

Psychoanalityk poruszył się niespokojnie w fotelu.

„Nie żałuje pani? – zapytał. – Nie żałuje pani, że poświęciła połowę życia na dokuczanie innym?". „Nie żałuję – odparła. – Podobnie jak pan. Tysiąc razy mówiłam, czego naprawdę żałuję. Gdyby znał się pan na swoim fachu, już by pan to wiedział".

Jurié zamyślił się. Po raz pierwszy od lat jego kamienna twarz i usta w zaniku zdawały się drgać. Tajemnicza, nienaoliwiona maszyna jego intelektu poszła w ruch. „Chodzi o to, że pani matka pochodziła z nizin? – zapytał ze wzgardą. – Że pani biedna matka nie stanęła na wysokości zadania i nie była księżną ani hrabiną? Że z jej winy nie osiągnęła pani w oczach innych więcej, nie wspięła się wyżej?". „Niech pan nie będzie prostakiem, Jurié – odparła Coco. – Nie na tym polega mój problem". „Więc na czym?". „Po dziesięciu czy dwunastu latach terapii to pan powinien mi mówić takie rzeczy. Ale cóż, w takim razie powiem panu coś, czego nie nauczył pana Zygmunt Freud: to, czym każdy jest dla siebie, co towarzyszy mu w chwilach samotności i czego nikt nie może mu ani dać, ani zabrać, jest dla niego ważniejsze niż wszystko, co mógłby posiadać lub czym mógłby być w oczach innych".

20

Czy można zajmować się *haute couture*, skoro brakuje materiałów, odzież kupuje się na kartki, spódnice szyje z zasłon, a suknie ślubne z firanek? – zastanawia się Coco w hotelu

Ritz, na chwilę przedtem, nim upadnie na ziemię, już prawie pewna, że zabójczyni jest w jej wieku. Jak projektować sukienki za trzydzieści tysięcy franków, skoro większość kobiet nie ma na mleko dla dzieci?

W czasie wojny wszystko było zabronione. Biżuteria, futra, koronki. Wywijane mankiety u koszul i spodni. I, przede wszystkim, makijaż. Zamiast sukni wieczorowych nosiło się o wiele skromniejsze *robes d'ambassade*. Zamiast fikuśnych pantofli i dodatków – buty na korkowej podeszwie, paski ze zwiórowanego drewna, torebki z resztek dywanów. Skrupulatnie obliczono, ile materiału wolno zużyć na sztukę odzieży, jaka może być dopuszczalna długość i szerokość spódnic, wielkość guzików, sprzączek i zakładek. A jednak – myśli Chudzina na hotelowym korytarzu – podczas gdy reszta globu zaciskała pasa, Francuzki robiły wszystko, by potwierdzić sławę najlepiej ubranych kobiet świata. malowały usta ciemnoczerwoną szminką, nosiły sukienki w żywych kolorach, spódnice w stylu wiejskim, na głowie turbany.

Tymczasem do grona jej potencjalnych morderczyń dołączyła Marie. Wiele było kobiet – myśli Coco (musi myśleć coraz szybciej, bo już czuje na skórze chłód kuli) – które miały powody, by jej nienawidzić, schwycić pistolet i tego zimnego poranka, 1 stycznia 1971 roku, skierować swe kroki do hotelu Ritz, wezwać windę i wjechać na siódme piętro, by tam czekać na swoją ofiarę, spojrzeć jej w oczy i wystrzelić. By ją zabić.

Tamtego dnia Marie wróciła obładowana prezentami dla dzieci i z nowiutką walizką.

„Nigdzie nie pojedziesz" – zachrypiała Coco ze swego fotela w rogu.

(Człowiek nie nienawidzi słabszych. Jeśli przeszkadzają, po prostu kopniakiem odsuwa ich na bok).

„Nie rozumiem" – zdziwiła się Marie.

Miesiąc po tym, jak Coco podała się przez telefon za swoją służącą, udaremniając jej wyjazd, niemieckie siły lądowe wspierane przez Luftwaffe miały dokonać zwycięskiej inwazji na Polskę. Kilkanaście dni później, realizując tajne sowiecko-niemieckie porozumienie, to samo uczynił Związek Radziecki. Wydarzenia te ostatecznie pozbawiły Marie szansy na spotkanie z synami (nawet jeśli jeszcze nic im się nie stało), albowiem jej kraj zniknął z mapy. A wszystko przez humory Coco.

„Tu nie ma nic do rozumienia: po prostu nigdzie nie pojedziesz" – powiedziała twardo. „Ależ *mademoiselle...*" – zająknęła się Marie. „Nie pojedziesz".

Choć świat mody ucierpiał w znacznym stopniu – od 3 września 1939 do 10 maja 1940 roku reglamentacji podlegało dosłownie wszystko – w Paryżu żyło się właściwie jak dawniej. Pewną niedogodność stanowił jedynie nakaz zaciemniania okien po zmierzchu (jego przestrzegania pilnowali specjalni strażnicy z gwizdkiem) oraz konieczność trzymania w domu masek przeciwgazowych (których nikt nigdy nie użył). Większość Francuzów nie widziała powodów, by umierać za Gdańsk.

„Wampirzyca" – rzuciła Marie. „Co powiedziałaś?" – zdumiała się Coco. „Powiedziałam, że jest pani wampirzycą. I powiem więcej...".

Coco nie pozwoliła jej dokończyć. Wiedziała, że nie spodoba jej się to, co zaraz usłyszy.

„Wojna wiele zmieniła, więc żegnaj, Marie. Jestem pewna, że jeszcze się kiedyś spotkamy". I zamknęła się w sypialni na czas, gdy służąca pakowała swoje rzeczy.

Dwudziestego dnia od przystąpienia Francji do drugiej wojny światowej, bardzo wcześnie, jeszcze zanim w butiku zjawiły się panny sklepowe, Coco zabrała się do sprzątania pracowni. Pozwijała porozrzucane kawałki tkanin i posegregowała je według jakości (zwiewny tiul – tutaj, gładka satyna – tam, delikatny len do tej szuflady, lekkie poliamidy i poliestry razem z elastyczną lycrą – do tamtej). Pogwizdując radośnie, ułożyła na półkach zwoje grubego tweedu, falbany i lamówki, kolorowe tasiemki, obszyte cekinami paski, pióra, gumki, jedwabne kwiaty, złote nici, guziki i sztuczną biżuterię. Rozebrała manekiny, na których wisiały poprzypinane karteczki z nazwiskami i wymiarami stałych klientek, i zakryła je kocami („No, pora spać" – mruknęła). Zamiotła podłogę i skrupulatnie starła kurz. Na koniec rozejrzała się dookoła.

I z powrotem powyciągała wszystko z szuflad – cekiny, tiule, gumki – odsłoniła manekiny i wszystko powyrzucała przez okno. Po dwóch minutach pracownia była całkiem pusta. Niepotrzebne mazgajstwo – powiedziała sobie Coco – a tym, czego potrzeba, jest przestrzeń, przestrzeń i jeszcze raz przestrzeń. I cisza. Cisza i cień.

O dziesiątej kazała wezwać do siebie główną szwaczkę. Na widok opustoszałego pomieszczenia kobieta zaniemówiła.

„Proszę usiąść – powiedziała Coco i z promiennym uśmiechem spytała: – Jak tam plany okupacyjne?". Kobieta popatrzyła na nią ze zdumieniem. „Plany okupacyjne?" – powtórzyła. Coco podparła się pod boki i nadjeżyła jak kwoka. „Mówię o strajku, już pani nie pamięta?". „A, o to pani chodzi..." – powiedziała kobieta.

Przez chwilę mierzyły się wzrokiem.

„Wezwałam panią, by ją poinformować, że podobna sytuacja nigdy się już nie powtórzy" – powiedziała z satysfakcją Coco.

Tego dnia zemściła się za niedawno doznane upokorzenie i wyrzuciła pracownice na bruk. Zamknęła butik, twierdząc, że jest zrujnowana. Nie była to do końca prawda: trzeba by dwudziestu wojen, by podkopać jej finanse. Jeśli mogła mówić o bankructwie – to tylko emocjonalnym.

W tamtym okresie amerykańskie radio NBC poprosiło ją o wywiad. Zagadnięta o księcia, oświadczyła, że mogła zostać najbogatszą – dosłownie – kobietą świata, Westminster powtarzał jej bowiem co dzień: bierz te wszystkie rembrandty, halsy, to wszystko twoje, *my darling*. Na pytanie, dlaczego zerwali znajomość, wzruszyła ramionami i odparła: „Po prostu, powiedziałam mu, że go nie kocham, i spytałam, czy chce sypiać z kobietą, która nic do niego nie czuje. Dzięki mnie zrozumiał, że nie może mieć wszystkiego, czego zapragnie, że arystokratyczne pochodzenie nic nie znaczy, gdy zwykła Francuzka mówi: nie. Źle to zniósł, przez jakiś czas był załamany".

Dziennikarz drążył temat: „Więc nie była pani zakochana?". Zrobiła poważną minę i zdmuchując kosmyk z czoła, rzuciła: „Nie dłużej niż przez sekundę".

Padły również pytania o konkurencję: o Marcela Rochasa, twórcę żakietów z poduszkami na ramionach, Mainbochera, który również ubierał hollywoodzkie aktorki, młodego Balenciagę i, przede wszystkim, o Elsę Schiaparelli. Krążyły plotki, że słynna Coco zwinęła interes nie ze względu na wojnę, lecz powodowana zazdrością, gdy Włoszka przyćmiła ją swoimi olśniewającymi pokazami.

„Nie wydaje mi się, żeby jeden paw zazdrościł drugiemu ogona, ponieważ każdy jest przekonany o własnej wyższości. Dlatego właśnie pawie to takie łagodne ptaki" – odparła Coco. „A co pani powie o pojawiających się ostatnio tanich podróbkach pani sukienek?" – zapytał redaktor. „Jestem za" – wyjaśniła. „Jak to?". „Jestem za, bo plagiat bierze się z podziwu i miłości". „Czyli można powiedzieć, że jest pani zadowolona ze swoich życiowych osiągnięć?". „Nikt nie jest z nich nigdy zadowolony".

Byli nią zafascynowani. Spytali, czy mogą zrobić jej zdjęcie. „Oczywiście, uwielbiam to" – odparła.

Na zakończenie rozdała dziennikarzom autografy i zapytała, którędy do wyjścia. „Prosto tym korytarzem, a potem w prawo – odparli. – Na pewno się pani nie zgubi".

Popatrzyła na nich.

„Łatwiej się zgubić niż potem odnaleźć".

Patrząc, jak idzie po schodach, szeptali między sobą (zwłaszcza kobiety), że jest czarująca, inteligentna, oryginalna, drapieżna i zaskakująca. I pomysłowa. Przede wszystkim pomysłowa.

Na ulicy założyła białe rękawiczki i ciemne okulary. Rozejrzała się i pewna już, że nikt jej nie widzi, wybuchnęła gorzkim płaczem.

Odwiedziła Sertów, którzy zawsze witali ją z radością, nieświadomi, że od czasu, gdy odkryła romans Misi z Ernym, nienawidziła przyjaciółki z całego serca. Widywała się też z Picassem, który – podobnie jak inni artyści, narzekał, że nie może pojechać na Lazurowe Wybrzeże albo do Royan i pomstował na codzienne niedogodności, jakie niesie ze sobą wojna, jak choćby brak ogrzewania. Jesienią 1940 roku przeprowadził się do nowej pracowni przy ulicy Grands-Augustins i przez wszystkie te mroczne lata z rzadka tylko się stamtąd ruszał. Była to ciemna, nieotychanie wąska klitka, pełna klatek z ptakami, rozmaitych naczyń, piecyków i hiszpańskich *azulejos*. Zapraszał tam Niemców, którym z upodobaniem rozdawał pocztówki z reprodukcją *Guerniki*. Gdy kiedyś pewien niemiecki oficer zapytał, czy to jego rodacy zainspirowali mistrza do namalowania słynnego obrazu, odpowiedział: „Och, pan osobiście – nie".

Tak czy owak Coco czuła się na razie w Paryżu bezpiecznie, dlatego została w Ritzu, oczywiście bez Marie. Aby zyskać więcej prywatności, kazała dobudować schody, łączące jej dwupokojowy apartament z nową sypialnią na mansardzie. Dodatkowy pokój, chociaż ciasny jak cela mnicha, bardzo jej się spodobał. Natychmiast zaczęła przestawiać w nim meble. Przyjrzawszy mu się z rozmaitej perspektywy, usiadła i zamyśliła się.

Po chwili, jak kiedyś, zaraz po wprowadzeniu się do Ritza, otworzyła okno i wyrzuciła wszystko, co nie przypadło jej do gustu: komodę, stół, krzesła i dywan. W ten sam sposób pozbyła się ubrań, płaszczy, swetrów i sukienek, bielizny z szuflady, kosmetyków, magazynów o modzie, książek i korespondencji. W gruncie rzeczy nie chodziło o pozbycie się mebli i pamiątek. Chodziło o pozbycie się magazynowanej latami złości, kłamstw, zawiści i żalu do całego świata, coraz głębszej samotności i lęku. Więc precz ze strachem przed pomyłką, przed słowami krytyki! Wszystko wpadało do otwartego grobu, jakim była ulica ("Precz, precz, precz!"), i rozbijało się o bruk. Ciskanie o ziemię każdej rzeczy, jaka się nawinęła, dawało jej poczucie wielkości. Precz ze strachem przed miłością! I tak, pozbywając się wszystkiego, zaczynała rozumieć. Rozumieć, że istotą życia jest właśnie ten akt wyrzucania, ogałacania. Ogałacania się, aż pozostanie pusta, surowa przestrzeń. Zachowała jedynie otrzymaną kiedyś od Strawińskiego ikonę i zegar ścienny Erny'ego.

Spokój skończył się 4 czerwca, kiedy niemieckie samoloty zbombardowały przedmieścia. Dziesięć dni później Paryż został zajęty, a przebywający w Bordeaux rząd francuski z marszałkiem Pétainem na czele już 17 podpisał zawieszenie broni. Ze stolicy wyjechały tysiące ludzi.

Coco, na wieść o tym, że Niemcy zamierzają zaanektować Ritza, spakowała swój skromny dobytek do pudeł. Opatrzone jej nazwiskiem, spoczęły w podziemiach hotelu. Po długich poszukiwaniach udało jej się znaleźć szofera, który zgodził się wywieźć ją z Paryża rolls-royce'em. Tylko dokąd? Zbierając rzeczy, przypomniała sobie, że Antoinette tysiące razy zapraszała ją do swojego funkcjonalnego, łatwego do sprzątania domku z ogródkiem. Podniosła wzrok (tak, mogłaby się tam na jakiś czas schronić) i zamarła: dokładnie naprzeciwko, po drugiej stronie ulicy Cambon, jakiś mężczyzna szykował się do skoku z siódmego piętra. Zerknęła w dół: ludzie biegali jak szaleni, ogarnięci zbiorową chęcią ucieczki, i nikt nie zauważył, co się dzieje u góry.

Mężczyzna wspiął się już na parapet, jeden krok – i runie prosto na rozpalony asfalt. Coco nie była w stanie się poruszyć ani krzyknąć (nie, proszę tego nie robić, na miłość boską!), ani tym bardziej zbiec na dół i prosić o pomoc. Nie mogła nawet patrzeć w okno. I prawdę mówiąc, nie patrzyła. Z nisko pochyloną głową wpatrywała się w ikonę od Strawińskiego, byle uniknąć widoku za szybą. Potem, już spakowana, ze spuszczonym wzrokiem i ikoną w dłoniach, zjechała do recepcji. W drodze na dół pomyślała, że jest, jak jest, choć mogłoby być inaczej. Zamykając drzwi apartamentu, nie słyszała uderzenia ciała o asfalt ani przerażonych okrzyków. Może ten człowiek nadal stoi na parapecie, a może już zszedł. Jeśli jednak stał, wciąż mogła zawrócić, wybiec na korytarz i wołać: ratunku, ktoś chce się zabić, albo powiadomić obsługę hotelu, wybiec na ulicę i krzyczeć, krzyczeć: nie, proszę tego nie robić, jest wiele powodów, dla których warto żyć.

Chociaż właściwie jakie by to miały być powody? Poza tym robiło się późno. Należało uciekać. I wtedy rozległ się krzyk i niedaleko wejścia do hotelu zaczęli zbierać się ludzie. „Co się dzieje?" – zapytał szofer. Coco, nie mając odwagi podnieść głowy, ze wzrokiem utkwionym w zaciśniętą w prawej dłoni ikonę, powiedziała: „Jedźmy już. I tak za długo to trwało. Ludzie zrobili się ostatnio bardzo nerwowi". Przecięli centrum, wśród natłoku opuszczających Paryż samochodów, rozklekotanych autobusów, rowerów, a nawet zaprzęgniętych w woły wozów wyładowanych pościelą, pękającymi w szwach walizkami, tobołami z odzieżą i klatkami, w których trzepotały się indyki, kury, mokre gęsi, gołębie i bażanty – wszystko to wśród pisku klaksonów i zawodzenia kobiet.

Przy wjeździe na szosę do Paillers zatrzymała ich jakaś kobieta z węzełkiem na ramieniu i niemowlęciem przy piersi. Prosiła o podwiezienie do następnej miejscowości, ale Coco z miejsca odmówiła. Pół kilometra dalej, dręczona wyrzutami sumienia, zaczęła usprawiedliwiać swoją decyzję: „Gdybyśmy zabierali każdego, kto by o to poprosił, nigdy byśmy nie dojechali na miejsce". Szofer milczał. „Nie sądzi pan?" – zapytała. „Przecież nic nie mówię".

W samochodzie zaległa cisza. Szosa była opustoszała, podobnie jak wioski po obu jej stronach. W miarę jak zapadał zmrok, z okolicznych wzgórz schodziła mgła, biała niczym mleko. Ten wymarły, surowy pejzaż, którego martwotę przełamywały od czasu do czasu jedynie kępki rachitycznych kwiatków, zdawał się odzwierciedlać stan ducha Coco.

„Bo jeśli człowiek zacznie się bawić na każdym kroku w dobroczynność – podjęła Chudzina po chwili, przechylając się ku przedniemu siedzeniu, aby szofer lepiej ją słyszał – to już na nic innego nie starczy mu czasu, zwłaszcza w czasie wojny, nie uważa pan?".

Szofer milczał.

„Poza tym – ciągnęła – nigdy nie wiadomo, kto się trafi...". „Nigdy nie wiadomo" – przytaknął. „Niech pan po mnie nie powtarza, tylko powie coś od siebie. I proszę tak nie dygotać. Nie ma pan odwagi ze mną rozmawiać? Jak się pan nazywa?".

Szofer długo nie odpowiadał.

„Głuchy pan jest, czy co?!" – krzyknęła Coco. „Alonso, mam na imię Alonso" – pospieszył z odpowiedzią. „Nie sądzi pan, Alonso, że trzeba bardzo uważać z dobroczynnością?".

Szofer ograniczył się do skinięcia głową, więc Coco, trochę już zmęczona, zrezygnowała z prób nawiązania rozmowy. Przez następnych dwadzieścia minut siedziała wpatrzona w spowity niską mgłą krajobraz. Czuła jego ciężar na ramionach, w biodrach, podeszwach stóp, w nerwach: suche, szare i drżące liście karłowatych wierzb, krowy na niekończących się, prawie łysych pastwiskach, placki łajna na poboczach, rosnące tu i ówdzie kwiaty. Byli też jacyś ludzie, chłopi i podróżni.

„Niech się pan zatrzyma, Alonso. Wrócimy po tamtą kobietę" – powiedziała. Kierowca zaprotestował: „Już jej tam nie będzie, mijaliśmy ją dwie godziny temu".

I rzeczywiście jej nie było.

„Cóż, zrobiłam, co mogłam" – oświadczyła Coco, opadając z ulgą na oparcie fotela.

A potem, podniósłszy się nieco, dźgnęła kierowcę w ramię i dodała: „Wie pan, Alonso, co myślą ludzie? Że pluję żółcią i złością. Wyobrażają sobie Bóg wie co, a nie wpadną na to, że po prostu pracuję, myślę o sobie i mam ich w nosie".

Alonso tylko westchnął, a Coco poruszyła się niespokojnie.

„Sądząc po imieniu, jest pan chyba Hiszpanem" – powiedziała. „Tak" – odparł. „Przez prawie pół wieku – natychmiast wróciła do bardziej interesującego ją tematu – dyktowałam światu trendy i nigdy nie doznałam porażki. Co więcej, we wszystkim, czego się tknęłam, odnosiłam natychmiastowy sukces. Dałam ludziom więcej rzeczy dobrych niż złych. – Wyjrzała przez okno. – Dlatego czuję się wolna jak ptak. I zamierzam być szczęśliwa. A tak swoją drogą, mam w Hiszpanii przyjaciela projektanta, nazywa się Cristóbal i jest synem szwaczki z Kraju Basków...".

Szofer próbował się wtrącić.

„Kraj Basków…" – zaczął. „Niech pan pozwoli mi skończyć! – krzyknęła. – Co to za zwyczaj z tym przerywaniem? Tak, szczęśliwa. Zamierzam być szczęśliwa tak po prostu, bez pomocy tej niedawno wynalezionej, przyjmowanej w codziennych dawkach trucizny zwanej szczęściem".

Gdy o zmierzchu następnego dnia dotarli na miejsce, padał drobny deszcz, ale niebo, poprzecinane smugami białych dymów z komina, miało piękny bladoróżowy kolor. Panował przyjemny wieczorny chłodek. Tutaj, w Issoire, osiadła Antoinette ze swoim mężem notariuszem i córeczką. Mieszkali w domku z ogródkiem, w tej samej okolicy, gdzie kiedyś, jak przypomniała sobie teraz Chudzina, rezydował rozmiłowany w czerwonych tapetach „wujek" .

Przejechali przez pustawy ryneczek, pytając o Antoinette. Jej dom stał pół kilometra dalej: czarny dach pośród gąszczu roślinności. Zanim stanęli przed furtką, Coco kazała szoferowi zatrzymać samochód. Wysiadła, otworzyła bagażnik i wyjęła z walizki wytworny kapelusz z piórami. Założyła go i wróciła do rolls-royce'a.

„Czy już panu mówiłam, że szczęście jest podejrzane?" – spytała.

Zaparkowali pod rosnącym przed domem figowcem. Coco wysunęła głowę przez okno, rozejrzała się, po czym postawiła stopę na ziemi jak zdobywca, który wbija flagę w nowe terytorium: więc tak urządziła się Antoinette dzięki pieniądzom otrzymanym za milczenie.

Niecierpliwie zapukała do drzwi. Po chwili pojawiła się mniej więcej dziesięcioletnia dziewczynka. Siostrzenica, Jeanne, wyglądała dokładnie tak samo jak Antoinette w jej wieku. „Mama – oświadczyło dziecko – zbiera figi, a tata pracuje, przyjeżdża do domu tylko na sobotę i niedzielę".

Na ostatnim szczeblu drabiny, opartej o powykręcany pień figowca, chwiała się Antoinette. Zrywała owoce i wrzucała je do stojącego na ziemi wiklinowego koszyka. Na widok siostry na dole o mało nie spadła. Przez chwilę patrzyły na siebie w milczeniu. Lekki wietrzyk poruszał piórami na kapeluszu

Coco. „Och, och, ale jesteś wysoka, Antoinette" – powitała ją pierwszymi słowami, jakie przyszły jej do głowy. „Cóż... – odparła młodsza siostra, poprawiając skromny słomiany kapelusik. – Nie jest to może wieża Eiffla, ale...".

Weszły do domu i położyły nakrycia głowy na komodzie. Tego samego wieczoru, przed pójściem do łóżka, mała Jeanne długo szwendała się po korytarzu ubrana w płaszcz i kapelusz cioci.

Gdy nazajutrz rano Coco zeszła na śniadanie, Antoinette krzątała się już żywo po kuchni. Widząc ją przy piecu, zajętą gotowaniem jajek na twardo i opiekaniem chleba, ustawianiem na stole prostej fajansowej miseczki z miodem i krojeniem domowego masła, Chudzina poczuła dyskomfort jak na początku choroby. A kiedy usiadła, kątem oka rejestrując każdy szczegół otoczenia (bukiet uschłych kwiatów, otwarta szafa z ciasno ułożonymi na półkach ubraniami, owoce w koszyku, zapach jabłek i kawy, biały fajans, stół z czereśniowego drewna), znów zaczęła swoje wieczne porównania: „Ja pracuję, ty zależysz od męża, ja jestem wolna, ty masz dziecko". W duchu zaś dorzuciła jeszcze: ja jestem ładna, a ty brzydka, ja inteligentna, a ty głupia.

Potem przerzuciła się na Westminstera i jego bogactwa. W przypływie fałszywej skromności wyznała, że mimo wszystko musiała go zostawić: „Fortuna, podobnie jak wybujały wzrost, tylko utrudnia życie – powiedziała. – W pierwszym wypadku trudno znaleźć szczęście, w drugim – odpowiednie łóżko". Swoim zwyczajem Antoinette pozwoliła siostrze wieść ten monolog. Dopiero gdy ta zamilkła, wspomniała coś o jakichś listach. Listach, które znalazła w domu zmarłego przed dwudziestu laty „wujka" z Issoire, stanowiące dla niego wielką wartość. Coco ledwie jej słuchała, obserwując małą Jeanne, która właśnie wyłoniła się ze swego pokoju, wciąż przebrana w kapelusz z piórami. Najwyraźniej nie zdjęła go przez całą noc.

„Te listy – powiedziała Antoinette – napisała mama".

Na dźwięk jej słów Coco gwałtownie odwróciła głowę.

„Mama?".

Dwanaście listów miłosnych ułożonych wedle dat, począwszy od 12 sierpnia 1886 do 2 lipca 1900 roku, dnia jej śmierci. „Mama miała potajemny romans z mężczyzną z sąsiedniej wsi, wyobrażasz sobie?". Nie, nie mogła sobie tego wyobrazić, matka nie miała z nikim żadnego romansu, nawet z ojcem, bo matka to matka, czyli praca i następujące bezpośrednio po sobie ciąże. Co za bzdury! Zresztą tak czy owak zupełnie jej to nie interesowało, od dawna nie interesowało jej nic, co wiązało się z matką. Antoinette przeczytała te listy wiele razy i teraz wręczyła je siostrze: „Myślę – powiedziała – że ci się spodobają. Miałaś przecież tylu kochanków, znasz się na takich sprawach. To historia najczystszej miłości. Przeczytaj, a zmienisz opinię o mamie, ba, zobaczysz w niej siebie".

Coco wzięła je i obiecała przeczytać, chociaż, jak powtarzała, zupełnie jej nie ciekawiły.

Nie dotrzymała obietnicy. Przez dwa dni trzymała pożółkłe koperty w walizce, nie przestając o nich myśleć. Trzeciego ranka wyskoczyła z pościeli, wyciągnęła walizkę spod łóżka, wyjęła listy, policzyła (dwanaście!), po czym wsunęła za stanik, jak gdyby w obawie, że ktoś mógłby je ukraść.

Spędziła u siostry tydzień, spacerując po okolicy. Uciekała od krów, które okazywały się agresywnymi bykami, rozmawiała z ludźmi, zbierała figi z Jeanne i słuchała nadawanych przez BBC audycji France Libre, dostępnych dzięki miejscowemu aptekarzowi, który jako jedyny w miasteczku miał radio, a w dodatku wiedział, kim jest Coco. Mówiono, że Otto Abetz, ambasador Trzeciej Rzeszy w marionetkowym rządzie

Vichy, zdecydował się na antysemickie posunięcia. Mówiono też, że Hitler odwiedził Paryż; Serge Lifar, choreograf i tancerz ukraińskiego pochodzenia, protegowany Diagilewa i dyrektora Opery, zaimprowizował na cześć führera galowy występ.

Najbardziej jednak lubiła włóczyć się z chłopakami po polach, ale nie po to, żeby zbierać ziemniaki, kapustę czy pomidory, lecz żeby szukać resztek nylonowych spadochronów, z których robiło się potem trochę szorstkie i szeleszczące pończochy oraz bieliznę.

W sobotę zjawił się mąż Antoinette, notariusz. Przywitali się z Coco raczej chłodno. Wieczorem Chudzina usłyszała, jak dyskutuje z jej siostrą. Podniesione głosy dobiegały aż na korytarz, aż do jej sypialni. A potem – cisza.

Zaczęła się nudzić, postanowiła więc wrócić do Paryża, do apartamentu w Ritzu, choćby w okupowanym mieście miały ją spotkać pewne niewygody. Wezwała szofera i pożegnała się z siostrą bez przesadnych czułości, pospiesznie, nie przyjmując ofiarowywanych zapasów.

W drodze powrotnej zatrzymali się w Bourbon-L'Archambault, miasteczku słynnym z ciepłych źródeł, wykorzystywanych już przez Rzymian. Minęli średniowieczną twierdzę i wynajęli pokoje w hotelu położonym blisko term.

Przed snem Coco wyszła na balkon odetchnąć świeżym powietrzem. Po tygodniu spędzonym w towarzystwie siostry i siostrzenicy musiała zebrać myśli. Żałowała tej kobiety, którą kiedyś chciała być, a którą nigdy nie została.

Dotknęła stanika: listy wciąż tam były. Najczystsza miłość – powtórzyła w myślach za siostrą. Czasem czuła, że ją parzą, wprowadzają niepokój, na ogół jednak pozostawała w swoim zwykłym stanie zwariowanej samotnicy. Miło się stało na tym balkonie. Powietrze było czyste i chłodne. Może to odpowiednia chwila na lekturę? Nie, nie dziś. Jutro.

Jakieś dwieście metrów dalej wznosiły się resztki murów starego kościoła. Gniew – pomyślała. Znowu usłyszała głos, słowa tego biedaka portiera: „Jak wszyscy nieszczęśliwi ludzie ma pani w sobie gniew". Kto wie, może miał rację? Może była wściekłą na cały świat egoistką? Zauważyła, że po murze idzie jakiś chłopiec. Przypatrywała mu się przez chwilę. Szedł z rozpostartymi ramionami, łapiąc równowagę i ostrożnie omijając gałęzie odcinające się od czerwonej cegły. Nagle potknął się o występ w ścianie i spadł: Coco usłyszała głuche uderzenie. Skądś pojawiła się matka dziecka i zaczęła płakać. Chudzina wybiegła z hotelu i popędziła na miejsce wypadku.

„Proszę go nie ruszać – rzuciła zdyszana. – Proszę go nie ruszać, na miłość boską! Mógł sobie coś złamać. Zaraz wezwę lekarza".

Odnalazła szofera i kazała mu jechać po pomoc, sama zaś, powodowana rzadkim u siebie współczuciem, zaczęła pocieszać zapłakaną kobietę. Powtarzała, że nie ma się czym martwić, zaraz przyjedzie lekarz, to nic takiego. Chłopiec leżał na ziemi i nie dawał znaku życia. Jego matka powiedziała, że nie ma pieniędzy na lekarza ani na jedzenie dla syna. Dlatego spadł, bo jest słaby. Dobrze odżywione dziecko utrzymałoby równowagę.

Nie namyślając się, Chudzina wyjęła z torebki stufrankowy banknot. „Proszę – powiedziała – na jedzenie i jakąś zabawkę".

Wręczając kobiecie pieniądze, poczuła się dobrze. Bardzo dobrze. Od jak dawna nie dała nikomu jałmużny? Od jak dawna nie zrobiła nic dla drugiego człowieka? Nagle chłopiec wstał. Wszystko trwało kilka sekund. Otrzepał spodnie z kurzu, roześmiał się drwiąco i uciekł. A matka za nim.

Coco powoli wróciła do hotelu. Położyła się na łóżku w ubraniu, nie zjadła kolacji. Przez całą noc leżała z szeroko otwartymi ze zdumienia oczami.

21

Silver ghost z niebieskimi oponami wjechał do Paryża od strony wschodniej. Minąwszy biedne dzielnice Belleville i Ménilmontant, Parc des Buttes Chaumont, Porte des Lilas i cmentarz Père-Lachaise, zagłębił się w brukowane uliczki centrum. Skulona z tyłu Coco obserwowała rosnące w szczelinach murów zielsko, stosiki drew na opał i romantyczne fasady z szarymi, uważnymi oczami żaluzji.

Świtało. We wnętrzach sklepików oparci o cynkową ladę mężczyźni w niebieskich kombinezonach i sukiennych czapkach zamawiali po szklaneczce *vin blanc* na dobry początek dnia, kobiety pytały o drewno, kawę lub węgiel, dzieci z blaszanymi kankami ustawiały się w kolejce po mleko. O tej właśnie porze zegarmistrze, kamieniarze, stolarze i wytwórcy koszyków zasiadali do pracy w ciasnych, dusznych warsztatach, pod wiszącą na kablu żarówką. O tej porze krawcy uruchamiali hałaśliwe maszyny, rzeźnicy odcinali najlepsze kawałki antrykotu dla najbogatszych klientów, wciąż zdolnych zapłacić *prix fort*[*].

Przeciąwszy Place de l'Étoile, dotarli na prawy brzeg i niespiesznie, ukołysani delikatnym szumem platanów i wciąż jeszcze gęstym mrokiem, pokonali Pola Elizejskie. Neony i latarnie były pogaszone ze względów bezpieczeństwa. Na Place de la Concorde panował dziwny spokój: tu i ówdzie snuli się pierwsi wąsaci urzędnicy o podrażnionych po goleniu policzkach, na tarasie pod obeliskiem siedziało kilku niemieckich cywili kokietujących młodziutkie Francuzeczki, z kuflami piwa we wzniesionych dłoniach.

---

[*] *Prix fort* (franc.) – dobrą cenę (przyp. tłum.).

Pod numerem piętnastym przy Place Vendôme, nad hotelem Ritz, powiewała swastyka. Przy wejściu zatrzymał Chudzinę administrator, by powiedzieć jej, że ponieważ nie ma *ausweisse*, będzie musiała stawić się w *Kommandantur*.

„Taka brudna po podróży?" – zdziwiła się.

Apartament był zajęty, ale pozwolono jej się przebrać i odświeżyć w innym, zanim udała się do komendanta. Bez trudu przekonała go o swych dobrych intencjach, zyskując tym samym prawo do pobytu w hotelu.

Większość domów mody była zamknięta. Schiaparelli i Mainbocher uciekli do Ameryki. W Paryżu pozostał jednak prezes Chambre Syndicale de la Couture Parisienne, Lucien Lelong. Dzięki niemu projektanci nie podlegali rozporządzeniu o racjonowaniu tkanin, a Paryż nie utracił na rzecz Berlina czy Wiednia palmy pierwszeństwa w dziedzinie mody. Słynna paryska kreatywność nie uległa stłumieniu.

Bez pracy Coco nudziła się śmiertelnie i, co gorsza, czuła się bardzo samotna. Za dnia tkwiła w niewoli rutyny: wstawała, szła do łazienki trochę się ogarnąć, jadła tosty z kabaczkiem i polędwicę w sosie bearnaise, układała w kolejności listy matki, wciąż przechowywane za stanikiem. Popołudniami zjeżdżała na dół, by rozbieganymi oczami obserwować popijających whisky Niemców. Okopana w swoim wnętrzu, przyglądała się wrogiemu światu, w którym nie potrafiła się odnaleźć. Tęskniła za dawną sławą, za wywiadami, za przyjaznym tłumkiem ciekawskich na ulicy Cambon, za tymi pięcioma czy dziesięcioma osobami, które zawsze na nią czekały, żeby ją zobaczyć albo tylko jej dotknąć. Teraz nie było nikogo.

Wtedy, przed dwudziestu laty, nie potrzebowała ludzkiej sympatii. Taka już jest natura człowieka – myślała. Najchętniej obdarzamy ciepłem tych, którzy o nie w najmniejszym stopniu nie zabiegają. Czy ktoś jeszcze pamięta, że była kiedyś słynną *madame de...*?

Któregoś dnia, jedząc obiad w hotelowej restauracji, zauważyła przez okno niemieckiego ministra spraw zagranicznych von Ribbentropa w grupie kilku oficerów, którzy gadali (a raczej szczekali) hałaśliwie przed Ritzem. Wśród nich wyróżniał się wysoki, ubrany po cywilnemu, arystokratycznie dystyngowany blondyn. Przyglądała mu się przez chwilę, a następnie odłożyła sztućce, wyjęła z torebki lusterko i szminkę. „Nie jesteś stara – szepnęła. – Nie jesteś jeszcze stara". Poprawiła linię ust, przesunęła dłonią po piersiach (listy wciąż tam były) i ruszyła ku wyjściu z zamiarem upolowania przystojnego Niemca.

Zanim dotarła do drzwi, zatrzymał ją kelner z kopertą na srebrnej tacy. „To dla pani, *mademoiselle*" – powiedział. „Dla mnie?" – zdziwiła się Coco. Ostatnią bowiem rzeczą, jakiej by się spodziewała, byłby list od kogokolwiek. Poczuła falę euforii. Ten kawałek papieru zmieni jej życie. O, tak – pomyślała – oto wybawienie od wojennej nudy. Schwyciła kopertę i otworzyła ją, niemal rozerwała drżącymi dłońmi: „Moja droga wampirzyco". Odruchowo poszukała wzrokiem nadawcy. Nie było, trudno, czytała dalej: „Moja droga wampirzyco. Zamknęła mi pani drzwi przed nosem, więc nie mogłam powiedzieć tego, co teraz piszę. Miłej lektury! Jest pani wampirzycą. Na wypadek, gdyby pani tego nie wiedziała, informuję, że jest pani wampirzycą, która przez całe życie wysysała z ludzi to, co w nich najlepsze, aby wykorzystywać to potem do swoich egoistycznych celów i zaspokajać swoją ambicję, nie ofiarując absolutnie nic w zamian. Ale ja panią rozumiem: nie umie pani kochać, ponieważ boi się pani, że ktoś, kogo pani pokocha, każe pani cierpieć, tak jak cierpiała pani w dzieciństwie. I jeszcze coś, ale krótko, żeby nie zanudzać pani kazaniami, tak jak pani zanudzała mnie. Chodzi o wolność, którą tak pani ceni i której usiłuje pani uczyć innych. Ciekawe, jak bardzo można być ślepym, jeśli się tego chce. Nie znam osoby mniej wolnej niż pani. Ja też jestem pewna, że jeszcze się kiedyś spotkamy.

Z poważaniem, pokojówka Marie".

Coco poczuła, jak krew zastyga jej w żyłach. Podarła list i wypadła z hotelu. Miała ochotę wybuchnąć płaczem, ale nie, nie zrobi tego, opanuje się („Dziwka, wstrętna dziwka! Po tym wszystkim, co dla niej zrobiłam!"). Teraz, gdy już nauczyła się płakać, uważała to za wulgarne. Podobnie jak racjonowanie żywności, depresję, biedę i strach, braki w zaopatrzeniu, odmrożenia i hemoroidy, rury kanalizacyjne, które zamarzają, pękają i kapią brudną, cuchnącą wodą, podobnie jak nienawiść. Tak, wojna była wulgarna. Coco mogła być taka czy inna, ale na pewno nie wulgarna. Stara, zła, samotna, podobna do wampira, ale nie wulgarna. Ujrzawszy Niemca o blond włosach, zawróciła na pięcie, nagle ogarnięta nieśmiałością. Po chwili opanowała się. Drobnymi kroczkami zbliżyła się do grupki Niemców i zapytała tego o arystokratycznym wyglądzie, czy nie wypiłby z nią drinka w jej apartamencie. Tak po prostu.

Hans Günther von Dincklage mówił poprawną francuszczyzną, ponieważ od dawna pracował jako attaché w niemieckiej ambasadzie przy ulicy Lille. Wszedł do pokoju Coco i stanął przy drzwiach. „Proszę usiąść" – powiedziała. Niemiec obrzucił pokój uważnym spojrzeniem. „Nie ma krzeseł – stwierdził i dodał: – Ani stołu, ani lampy, ani książek, ani łóżka". A Coco odparła: „I co z tego? Nie zauważył pan, że to nic nieznaczące drobiazgi?".

Ostatecznie postanowili zjechać na dół, choć Coco wolałaby zostać w swojej celi, albowiem w hotelowych salonach czuć było szparagami z kuchni, co wyprowadzało ją z równowagi. Przy ginie von Dincklage powiedział, że pochodzi z arystokratycznego rodu z Dolnej Saksonii. Jego matka była Angielką. Te informacje w zupełności wystarczyły Coco. Miłość wydawała się doskonałą rozrywką na czas wojny i choć Hans był od niej o dwanaście lat młodszy, spodobali się sobie na tyle, by zostać parą.

W 1941 roku Coco skończyła pięćdziesiąt osiem lat. Europejski konflikt rozszerzył się na cały świat. W grudniu przyszła wiadomość o japońskim ataku na Pearl Harbor. Coco była tego wieczoru w towarzystwie Hansa i innych władających francuskim Niemców, między innymi Ernsta Jungera z Wehrmachtu i szefa propagandy Gerharda Hellera, Misi, Serta oraz tancerza Lifara – którzy podobnie jak ona uważali, że lepiej utrzymywać z okupantem przyjazne stosunki i przeżyć niż dołączyć do niedouczonych młodzików i nawróconych kolaborantów działających w ruchu oporu – i raczyła się wyśmienitymi potrawami przygotowanymi ze składników zdobywanych na czarnym rynku. Kilka dni później z nudów wpadła na pewien pomysł, który miał jej zapewnić nieśmiertelność.

Nie przejdę do historii jako księżna, spróbuję więc zapisać się w annałach jako negocjatorka między aliantami i państwami Osi – pomyślała, leżąc na łóżku w swoim pokoju i obskubując płatki ze świeżych kwiatów, przynoszonych co dzień przez pokojówkę. Nigdy nie interesowała się polityką, ale cóż innego pozostało jej w tych niespokojnych czasach? Wezwała do siebie swego nowego kochanka, by przekonywać go z zapałem, że w niemieckim dowództwie muszą być ludzie, którzy atak na Związek Radziecki uważają za szaleństwo, a Pearl Harbor – za nieprzemyślaną prowokację wobec Stanów Zjednoczonych.

„Znałam – oświadczyła, obrzucając krytycznym spojrzeniem świeżo opiłowane przez manikiurzystkę paznokcie – Winstona Churchilla. Przyjaźniliśmy się – ciągnęła z emfazą – mieliśmy podobne upodobania: słońce i luksus, rejsy po Morzu Śródziemnym i wyścigi konne. Widywaliśmy się w czasie obiadów i kolacji na Riwierze i na Downing Street. Na pewno mnie przyjmie. Tym bardziej że wcale mu się nie podoba ta przeklęta wojna, która rujnuje jego rozmiłowaną w tradycji Wielką Brytanię".

Plan sprowadzał się do namówienia Churchilla na spotkanie i nakłonienia go, by porozmawiał o ewentualnym rozejmie z którymś z rozsądnych niemieckich dowódców. Von Dincklage obserwował z wyraźnym niepokojem, jak Coco spaceruje po pokoju i prowadzi wyimaginowaną rozmowę z brytyjskim premierem.

„Czy nie powinniśmy dążyć do zakończenia tego krwawego koszmaru? – spytała, naśladując gest, jakim Churchill strząsał popiół z cygara. – Ma pani absolutną rację" – odpowiedziała za niego. „Churchill obiecał Anglikom walkę, krew, pot i łzy – przerwał jej kochanek. Znał ją na tyle, by wiedzieć, że tak łatwo nie odstąpi od swego projektu. – Pamiętaj, co powiedział w Casablance. Poza tym... Cóż, choćbyście byli dobrymi przyjaciółmi, nie wydaje mi się, żeby premier Wielkiej Brytanii miał teraz czas na spotkanie z...".

Ostatecznie jednak Coco zdołała go namówić, aby przekonał wysokiego rangą funkcjonariusza SS Waltera Schellenberga, od 1941 roku stojącego na czele służb wywiadowczych, do wysłania jej z „misją pokojową". Na początku jesieni 1942 roku samochód SS zawiózł słynną *madame* do ambasady brytyjskiej w Madrycie, gdzie wedle zebranych informacji zatrzymał się Churchill. Coco wydawała się tak pewna siebie, że nikomu nie przyszło do głowy powiadomić go o jej zamiarach. Hans pojechał razem z nią. Gdy po niemal czterech dniach trudnej podróży dotarli do Madrytu, jałowego, pustego i płaskiego, Coco kazała zajechać bezpośrednio pod ambasadę, położoną w pobliżu Paseo de la Castellana. Brytyjscy urzędnicy nie powitali ich bynajmniej z otwartymi ramionami i nie kryli rozbawienia, gdy zażądała natychmiastowego widzenia z premierem, podając się za jego przyjaciółkę. Wobec nalegań upartej Francuzki obiecali jednak przekazać mu wiadomość w porze obiadu.

Chudzina wzięła z samochodu walizkę i w łazience przebrała się w czarną suknię ze sznurem sztucznych pereł na dużym dekolcie. Przed wyjściem przejrzała się w lustrze: wyglądała wspaniale i groźnie, jak prawdziwa kobieta. Przez trzy godziny czekała wraz z Hansem von Dincklagem w przegrzanej salce, tłumacząc mu zażarcie (rozkręcona jeszcze bardziej niż kaloryfery), że doskonale zna angielskie zwyczaje, mało bowiem brakowało, a zostałaby trzecią księżną Westminsteru. Tylko nie chciała. Gdyby chciała, byłaby teraz najbogatszą kobietą we Francji, bo książę często powtarzał: „Bierz te wszystkie rembrandty, halsy, to wszystko twoje".

W końcu pojawił się urzędnik z pytaniem, czego właściwie chcą od premiera. Von Dincklage wstał i zaczął wyjaśniać, że przyjechali z Paryża i że *mademoiselle*, a raczej *madame* pragnie złożyć panu Churchillowi propozycję pokoju. A mówiąc to, coraz bardziej tracił rezon, albowiem czuł, że wystawiają się na pośmiewisko. Coco uciszyła go ruchem dłoni.

„Po prostu proszę przekazać premierowi Churchillowi – powiedziała, bawiąc się naszyjnikiem z pereł i robiąc minę mówiącą: »Ja się tym zajmę« – że chce się z nim widzieć *madame de...*".

Urzędnik zniknął.

„Pan premier mówi, że nie zna nikogo o takim nazwisku" – oświadczył, stając w drzwiach po dwóch wypełnionych milczeniem minutach.

Von Dincklage i Coco popatrzyli po sobie. Na twarzy Niemca malowało się zmęczenie, odrętwienie i odrobina rozczarowania. Z jego ust wydobyło się chrapliwe „och!". Po chwili odezwała się Coco: „Niesłychane! Ciekawe, jak długo jeszcze będziemy się tak na siebie gapić?".

Misia, której opowiedziała o wszystkim po powrocie do Paryża, wybuchnęła niepohamowanym śmiechem. Chichocząc jak szalona, powtarzała raz po raz: „Misja pokojowa, misja pokojowa". Coco, poirytowana jej reakcją, poczuła walenie w skroniach. Nie spodziewała się, że wieloletnia przyjaciółka tak się zachowa. Przecież chodziło o bardzo ważne sprawy! Przypomniała sobie znanego w dzieciństwie sprzedawcę artykułów kolonialnych, który wybrał się do Paryża, by bronić Dreyfusa, a przy okazji zobaczyć wieżę Eiffla, i popatrzyła na Misię z pogardą. Miała dość. Śmiech przyjaciółki sprawiał, że wszystkie dawne urazy wypływały na powierzchnię jak zdechłe ryby. Szkoda, że tyle wybaczyła tej głupiej Polce, zdecydowanie szkoda! Nie miała nic więcej do stracenia. Uśmiechnęła się tylko. Po dwóch dniach od tamtej rozmowy po Misię, osobę żydowskiego pochodzenia, przyszło gestapo.

Dwudziestego szóstego sierpnia 1944 roku, kiedy cały Paryż wyległ na ulice owacyjnie witać generała de Gaulle'a, Coco i Lifar przyłączyli się do rozentuzjazmowanego tłumu. Von Dincklage zniknął.

Piętnaście dni później, wcześnie rano, w Ritzu pojawiło się dwóch młodych ludzi z Francuskich Sił Wewnętrznych. Mieli kajdanki i pistolety. Zapukali do apartamentu Coco i poprosili, by zechciała im towarzyszyć. Zapytała, dlaczego. „Jest pani oskarżona o kolaborację" – odpowiedzieli.

22

Komitet do spraw Kolaboracji, którego zadaniem było wyrównanie rachunków z rządem Vichy oraz innymi współpracownikami nazistów, zrodził się z oburzenia członków ruchu oporu. Pisarze, dziennikarze, aktorzy i artyści padali ofiarami ataków na ulicy albo w trybie doraźnym trafiali za kratki. Zdarzało się, niestety, że oskarżenie padało na ludzi zupełnie niewinnych, zadenuncjowanych przez nieprzychylnych sąsiadów. Kobiety podejrzane o sypianie z Niemcami golono do gołej skóry jak owce. Krążyła plotka, że niektórym obcięto piersi. W hotelu Drouot odbywały się aukcje skonfiskowanych klejnotów i futer, a wśród publiczności zasiadały głównie wyniosłe matrony, ubrane w najnowsze kreacje od Luciena Lelonga.

Coco znała historię księżnej Brissac, której romanse stanowiły tajemnicę poliszynela: podczas gdy jej mąż odbywał podróże, ona zażywała kąpieli w szampanie w towarzystwie niemieckich oficerów. Któregoś dnia oddział Francuskich Sił Wewnętrznych wtargnął do jej mieszkania i wyprowadził ją, rozczochraną, odzianą jedynie w zarzucone na bieliznę futro. Wraz z księżną aresztowano przerażonego lokaja. W ponurym budynku przy Quai de l'Horloge na oczach świadków wlano jej do gardła trzy butelki szampana i ogolono głowę. „Takie piękne włosy!" – rozpaczał lokaj. Ale najgorsze, zdaniem księżnej, miało dopiero nadejść: ona, księżna Brissac, musiała dzielić celę z czterema prostytutkami, które natychmiast zdarły z niej futro i przez całą noc obnażały się przed pilnującymi ich strażnikami. Następnego dnia księżnę wyrzucono na ulicę. Skacowana, owinięta w stary gabardynowy płaszcz, wróciła do domu w strugach deszczu.

Straszono, że jeśli podejrzana będzie stawiała opór, zostanie internowana na Vélodrome d'Hiver albo nawet w dawnym obozie w Drancy, gdzie kiedyś przetrzymywano Żydów przed wysłaniem ich w wagonach bydlęcych do Niemiec. W rzeczywistości kolaboranci trafiali jednak najczęściej do podparyskiego więzienia Fresnes. Tam właśnie znalazła się gwiazda kina Arletty oraz aktor i dramaturg Sacha Guitry –

bywalcy przyjęć u pewnego generała Luftwaffe – a także Albert Blaser, szef sali u Maxima.

Pokojówka, która akurat sprzątała apartament Coco, zaczęła płakać. Chudzina wszakże obrzuciła gości uważnym spojrzeniem, sięgnęła po rękawiczki i torebkę, po czym ruszyła przodem. Nie chciała, by *fifis*, zwani tak od skrótu FFI*, przeszukali jej mieszkanie, w szafie bowiem siedział ukrywający się Serge Lifar, który dzień po wkroczeniu de Gaulle'a do Paryża zjawił się w Ritzu z wiadomością o pierwszych aresztowaniach.

„Właź do szafy i nie wychodź" – przykazała mu Coco, zapominając (albo chcąc zapomnieć), że sama powinna pójść w jego ślady.

Dwa tygodnie później poinformowano ją z recepcji o wizycie dwóch młodych ludzi z pistoletami.

„Idą" powiadomiła szeptem Lifara, nie wstając z łóżka. „Którędy?" – spytał, nie wychodząc z szafy. „Po schodach" – odpowiedziała. „Skąd wiedzieli?" – dopytywał się. „Pewnie od Misi. Na pewno od niej. Dziwka!".

Spędziła we Fresnes jedną pamiętną noc. Ona, która przez dwadzieścia lat zajmowała najlepszy apartament w Ritzu, a na drzwiach swego gabinetu kazała zawiesić tabliczkę z dumnym napisem: *Mademoiselle*, spała teraz w wilgotnej, śmierdzącej uryną celi. Ona, twórczyni *petite robe noire***, smukła, androgyniczna i opalona, zawsze jak spod igły, miała na sobie watowany szlafrok. Ona, otaczana przez tłum pokojówek, manikiurzystek, fryzjerek, kucharzy i portierów, musiała uczesać się sama, zamiast pochlebstw przełknąć na dobranoc obrzydliwą zupę z kapusty, a z braku dyżurnego księcia multimilionera grzać się własnym ciepłem. Ona, niegdyś tak

---

* Forces Françaises de l'Intérieur – Francuskie Siły Wewnętrzne (przyp. tłum.).
** *Petite robe noire* (franc.) – mała czarna (przyp. tłum.).

piękna, wyglądała jak czupiradło i mimo sukcesów, pieniędzy i pozycji była tylko jedną z wielu więźniarek.

Mimo to zachowywała się jak królowa. (Jak prowadzona na szafot Maria Antonina – pomyśleli oficerowie, którzy przyszli ją aresztować). Kiedy następnego dnia w trakcie przesłuchania pokazano jej zdjęcie Hansa von Dincklagego, pytając, czy zna tego człowieka, odparła nonszalancko: „Oczywiście, od wielu lat". Na pytanie, czy wie coś o miejscu jego pobytu, odpowiedziała: „Jest Niemcem, więc przebywa zapewne w Niemczech. Kiedy przyszedł się pożegnać, jak wypada dżentelmenowi, mówił, że wraca do Niemiec". Zagadnięta, czy to prawda, że utrzymywała z nim stosunki intymne, rzuciła, bębniąc niecierpliwie w poręcze krzesła: „Niech pan posłucha, nie sądzi pan chyba, że kobieta w moim wieku będzie prosić mężczyznę o paszport, jeśli ma okazję się z nim przespać'?'".

Oskarżona o sypianie z okupantem, broniła się spokojnie, raz przebiegła, to znów stanowcza (kto ma prawo mnie sądzić?). Porównywała swoją postawę z poczynaniami innych projektantów. Ona przynajmniej z początkiem wojny zamknęła swój zakład, podczas gdy taki na przykład Lelong, pani Grès, Balenciaga zbijali majątek, ubierając szare jak myszki żony nazistowskich grubych ryb. Poza tym, ubarwiając nieco prawdę i dopasowując ją do doraźnych potrzeb, zdała relację ze swojej misji pokojowej w Madrycie i serdecznych a długotrwałych kontaktów z Churchillem. Wypuścili ją.

Kilka dni później, kiedy samoloty alianckie zrzucały bomby nad Niemcami, przed komisją stanął Serge Lifar. Wbrew temu, co szeptano, nie uciekł do Monte Carlo ani do Ameryki Południowej. Początkowo otrzymał dożywotni zakaz wstępu na francuskie sceny, ostatecznie skończyło się na rocznym wykluczeniu z zespołu Opery. Lifar zawsze potem powtarzał, że zamiast go karać powinni oddać mu hołd za ocalenie symbolu francuskiej sztuki przed Niemcami.

Wkrótce wojna się skończyła. Europa wyszła z niej podzielona na dwa obozy, odmieniona tak samo jak Coco, która w niczym nie przypominała samej siebie z lat dwudziestych. Była teraz starszą panią w kapeluszu, projektantką bez pracowni, pszczołą matką nieczynnego ula, zmęczoną, pomarszczoną damą bez perspektyw.

Przez jakiś czas pokazywała się w Les Deux Magots, modnej kawiarni w Saint-Germain-des-Près, śmierdzącej stęchlizną, winem i potem, chętnie odwiedzanej przez artystów, pisarzy i polityków. Prawie zawsze panował tam tłok i trudno było o wolne miejsce. Camus i Sartre dyskutowali o wolności (która przeraża) z Marguerite Duras, Simone de Beauvoir albo Picassem. Boris Vian grał na trąbce do świtu, by potem przenieść się do Café Tabou przy ulicy Dauphine, gdzie podawano świetne *croissanty*.

Nie pasowała tam. Wszystko ją nudziło. Nuda była esencją jej egzystencji. Czasem przejawiała się w pogardliwym spojrzeniu, gdy Sartre, śmieszny i brzydki, wraz z grupą innych pajaców gardłował o bezsensie życia. Kiedy indziej przybierała bardziej drastyczne formy. W takich razach Coco wyszukiwała sobie ofiarę, by zwyzywać ją i upokorzyć, drapała się do krwi albo, jak kiedyś, wyrywała sobie włosy garściami, aż prześwitywała spod nich goła skóra. I nie była to już ta zdrowa nuda, która kazała jej tworzyć i uczyniła ją jedną z najlepszych projektantek XX wieku, twórczynią oryginalnego stylu, kobietą potężną, magnetyczną, niepowtarzalną.

W końcu odnalazła Hansa von Dincklagego. Zamieszkali razem w Szwajcarii, z dala od prawdopodobnych i wielce uciążliwych oskarżeń.

Przez kilka lat przenosili się z miejsca na miejsce: Lozanna, Zurych, Nicea, Monte Carlo. („Paryż nie będzie Paryżem, a Europa Europą, dopóki klientki będą wolały parówkę od sukienki, a z ulic nie znikną Amerykanie" – powtarzała Coco). Świat się zmieniał, zmieniała się moda, a wszystko to bez jej udziału. W 1950 roku, po rozstaniu z niemieckim kochankiem, zaczęła rozważać powrót. Trzy lata wcześniej Christian Dior, pięćdziesięciolatek wywodzący się z francuskiego mieszczaństwa, tryumfalnie wkroczył w świat mody ze swoim *new look*.

Zwinięta na hotelowym leżaku w jakimś miasteczku w Szwajcarii, przeczytała w „Elle" notatkę o pokazie przy Avenue Montaigne, kończącym, jak pisano, pewną epokę, naznaczoną wojennymi brakami w zaopatrzeniu, oszczędnościami, przymusowo krótkimi spódnicami, ciężkimi butami i kapeluszami à la kalafior. Powrót do *belle époque* oznaczał, że w modzie znów były falbaniaste, drapowane sukienki, halki, wstążki i przekrzywione kapelusiki. Spódnice, wedle „Elle", szeleściły półtorej piędzi na ziemią, ukazując nogi w pończochach z przezroczystego nylonu i pantoflach o spiczastych czubkach i bardzo wysokich obcasach. „Dior i jego ludzie pracowali po osiemnaście godzin na dobę, by dostarczyć zamówione ubrania księżnej Windsoru i Evie Perón" – donosiła gazeta.

Zaciekawiona i zarazem oburzona (Eva Perón w stylu *belle époque* – skandal!), Coco pojechała do Paryża, gdzie oskarżyła redaktora naczelnego „Elle" o upadek francuskiej *haute couture*. „Proszę się nie łudzić, że to pani ją reprezentuje" – odpowiedział.

Nie przypuszczała, że zostanie w Paryżu do śmierci Misi. Ostatnimi czasy dużo myślała. Przeżuwała myśli jak krowa trawę. Myślała o krojach, kostkach, piersiach, ruchu i powietrzu. Myślała o łagodnych okrągłościach i cienkich taliach. O irytującym powrocie kobiecości. I o jeszcze bardziej irytującym Diorze.

Sert umarł, jak wielu jej znajomych i kochanków: Liébard zginął w wypadku samochodowym, Julian Jurié – na hipodromie, kopnięty przez konia, książę Dymitr przegrał w starciu z gruźlicą, Westminster wyzionął ducha nagle, powalony atakiem serca, nie zostawiając męskiego potomka. Misia, po uwolnieniu, mieszkała sama w Paryżu. W chwili zgonu miała siedemdziesiąt osiem lat i była prawie całkiem zdziecinniała.

Coco, powiadomiona o jej śmierci, poszła na zbiorowe czuwanie przy jej trumnie. Nie płakała, nie biła się w piersi, słysząc, jak ktoś (te niepewne byty) mówi, że Misia nawet na marach zachowała miły uśmiech. Ale zrobiła dla niej coś, czego nie uczyniłaby dla nikogo innego.

23

„Misi udało się zachować tylko to, co zniszczyła, czyli nic" – powiedziała, zawlokła ją za nogi na piękne, wysokie łóżko Serta i kazała się wszystkim wynosić.

Związała przyjaciółce włosy, rozebrała ją i ułożyła na kilku ogromnych, mocno zużytych ręcznikach. Myjąc ją szorstką gąbką zmoczoną w wodzie z mydłem – stopy, łydki, uda, pomarszczony brzuch – mówiła: „Tak, już dobrze, leż spokojnie, Misiu, i o niczym nie myśl, w takich chwilach lepiej nie myśleć". Włożyła jej stopy do miski z ciepłą wodą i zeskrobała pumeksem starcze odciski i zrogowacenia.

Zauważyła, że nogi zmarłej połyskują bladością. Nie miała dla niej pończoch, które by to ukryły, więc kredką do oczu namalowała na skórze wzór. „Tak się robi – powiedziała – a raczej robiło w salonach piękności podczas wojny". Nie przestawała mówić, wycinając Misi skórki, opiłowując paznokcie i malując je czerwonym lakierem. „Zachowałaś się po świńsku, śpiąc z Ernym, ale wybaczam ci. Wiesz, że myślę o powrocie do pracy?". Szarpiąc, rozczesała włosy przyjaciółki twardą szczotką, a następnie dokładnie umyła jej twarz.

Z wiekiem powieki Misi opadły, skóra policzków zwiotczała. Zmęczenie zdewastowało jej twarz bezlitośnie, jak wielki ból. Coco jednak zręcznie ukryła zmarszczki pod grubą warstwą makijażu. „Wszystko przez tego głupka Diora – oświadczyła. – On się chyba uważa za Napoleona albo Aleksandra Wielkiego mody, a tymczasem, zamiast ubierać kobiety, tylko je... watuje! No, sama powiedz! Wszyscy powtarzają *new look*, *new look*, ale co jest nowego w tych sylwetkach w kształcie ósemki albo liter H, A czy Y, z pięćdziesięciotrzycentymetrową talią? Kobiety nie są już w stanie same wsiąść do taksówki ani wbić się w suknię wieczorową, która na dodatek zwykle waży koło trzydziestu kilo! Do czego ten człowiek dąży? Żeby jego modnisie odkurzały dom ściśnięte jak serdelki? Żeby zawsze, nawet rozmawiając z listonoszem, pokazywały się odpicowane?". Zmoczyła Misi włosy roztrzepanym białkiem jajka i zawinęła na papiloty. „Widać, że przed wyjściem na bal pani Dior przychodziła wystrojona jak lalka – złościła się – żeby pocałować synusia na dobranoc". Układając zmarłej wspaniałą fryzurę à la Veronica Lake, ciągnęła: „Nie musisz mi dziękować, bo dzisiaj pierwsza lepsza oprócz pralki, samochodu, wakacji nad morzem i basenu w kształcie nerki ma też fryzurę à la Veronica Lake". Kiedy godzinę później drzwi do sypialni stanęły otworem, żałobnicy po raz ostatni ujrzeli Misię elegancką.

To prawda, że odkąd Dior „odświeżył" modę za sprawą *new look*, Coco zaczęła przygotowywać się do powrotu na arenę. Żyła bezczynnie od piętnastu lat, wystarczająco długo, by nacieszyć się nieróbstwem. Świat mody bardzo się w tym czasie zmienił. Przed wojną prym wiodły w nim kobiety:

Vionnet, Coco czy Schiaparelli, teraz nastała era mężczyzn. Chłopczyce wyszły z mody, oszczędność kojarzyła się z wojennym niedostatkiem, a prostota – z brakami w zaopatrzeniu. Panie chciały pokazywać się w kobiecych i strojnych sukniach.

Miejsce lnu, jedwabiu, wełny czy bawełny – popularnych przed pierwszą wojną – zajęły tkaniny łatwiejsze w praniu, niegniotące się, odporne na tłuszcz, impregnowane. Popularność zdobyła wiskoza, pochodna celulozy, po obróbce chemicznej zmieniająca się w delikatny, lśniący materiał, oraz nylon, anilana, sztuczny jedwab, orlon i inne szybkoschnące włókna syntetyczne. W połączeniu z coraz powszechniejszym we Francji *prêt-à-porter* – stworzonym na wzór amerykańskiego *ready to wear* – pozwalało to masom naśladować styl najbogatszych.

Coco powróciła do gry na początku 1954 roku, w wieku siedemdziesięciu dwóch lat. Wyglądała na zmęczoną, włosy miała szare, twarz porytą długotrwałym niepokojem. Z wiekiem stała się okręconym sztucznymi perłami kłębkiem nerwów, elegancką, zgorzkniałą staruszką, zawsze w okularach w grubej szylkretowej oprawie. Nie oszczędzała nikogo. Już za młodu zmienna i humorzasta, teraz była kapryśną i ekscentryczną złośnicą, łączącą w sobie okrucieństwo, ironię i pychę.

Obmyślając najnowszą kolekcję, kazała odnowić pracownię przy ulicy Cambon. Wiadomość, że poszukuje swoich dawnych pracownic, poszła w miasto i już wkrótce, ku przyjemnemu zaskoczeniu Chudziny, okazało się, że większość szwaczek, pomocnic i panien sklepowych – z wyjątkiem tych, które nie mogły już pracować – bardzo chce wrócić, szczerze wdzięczna za możliwość nawiązania do najlepszych, jak mówiły, czasów. Co więcej, do współpracy zgłaszali się też ludzie ze stajni innych projektantów, żądni kontaktu ze słynną *madame de...*

Odbudowawszy zaplecze, Coco zaczęła rozglądać się za modelkami do najnowszego pokazu. Potrzebowała dziewcząt z dobrych domów, nie nazbyt wychudzonych, eleganckich, takich jak hrabina Mimi d'Arcangues, księżniczka Odile de Croy, Marie-Hélène Arnaud i Nicole Franchomme. Odkurzyła stare roczniki magazynów o modzie i kupiła wszystkie dostępne na rynku (także amerykańskim) czasopisma branżowe. Odnowiła stare znajomości. Wiedziała, że w kolejce do Diora ustawiają się sławy, między innymi Rita Hayworth, Ava Gardner, Marlena Dietrich, księżna Windsoru i cesarzowa Soraya. Nie mogła być gorsza. Obdzwoniła niegdysiejsze klientki, przekonując się ze zdumieniem, że większość z nich od dawna leży w grobie.

Zaopatrzyła się w nowe tkaniny, jedwabne nici, taśmy najrozmaitszej szerokości i faktury, galony od krawców szyjących mundury dla generałów, lamówki sprowadzone specjalnie z Normandii i ekstrawaganckie guziki. Pracownia przy ulicy Cambon kipiała życiem.

Coco zamknęła się w swoim gabinecie na piętnaście dni, zapominając o prześladującej ją depresji, początkach reumatyzmu i manii prześladowczej (żyła bowiem w przekonaniu, że ktoś zakrada się na siódme piętro Ritza, by ją szpiegować, i wszędzie czuła znienawidzony zapach szparagów, którego nawet wojna nie mogła jej zdaniem pokonać). Wpuszczała do siebie tylko niektóre krawcowe, by zlecić im to i owo, nie pozwalając jednak odgadnąć ostatecznego zamysłu. Szesnastego dnia otworzyła drzwi na oścież i wezwała wszystkie pracownice. Projekt kolekcji był gotowy: luźne żakiety, pastelowe jedwabne bluzki, złote łańcuszki zamiast pasków, plisowane spódnice, przewieszane przez ramię pikowane torebki, zostawiające swobodę rękom, zapinane wokół kostki pantofle z czarnymi czubkami skracającymi stopę, ozdobne guziki.

Któregoś dnia w pracowni zjawiła się naczelna „Harper's Bazaar". Coco leżała właśnie na podłodze, w swoich nieśmiertelnych ciemnych okularach na nosie. Poprawiając, dopasowując, skracając i wydłużając, musztrowała modelki – panienki z dobrych rodzin – pokrzykiwała na nie i wystawiała je na pośmiewisko. Wstawała i kładła się znowu, wydawała rozkazy, krzywiąc się z bólu wywołanego reumatyzmem.

„*Mademoiselle* – powiedziała szefowa słynnego magazynu – w pani wieku to chyba niezdrowo, jeszcze nam tu pani umrze na tej podłodze". Coco, spoglądając na nią sponad przyciemnionych szkieł i ssąc skaleczony szpilką palec, odparła: „Niech pani posłucha, ja w ogóle nie zamierzam umierać, ale jeśli umrę, to cóż, po prostu umrę".

Kolekcja została przedstawiona publiczności 5 lutego. Zaplanowany na drugą po południu pokaz był najbardziej oczekiwanym wydarzeniem sezonu. Salon na piętrze pękał w szwach od znamienitych gości, dziennikarzy, fotografów, wśród których kręciły się niedobitki przyjaciół. Coco, wyprostowana jak litera I („Nigdy – oświadczyła – żadnych kształtów typu ósemka, litera H, A czy Y"), mało się udzielała. Ze swego miejsca obserwowała miny gości, wypatrując zachwyconych uśmiechów, podsłuchując komentarze i szepty, sprawdzając, czy pojawiła się Ava Gardner albo Marlena Dietrich, a może nawet Ingrid Bergman. Szukała wzrokiem Antoinette i jej notariusza, pokojówki Marie i Lucienne Rebaté, ale gdy na cichą nagle salę wkroczyła powoli pierwsza modelka, żadnej z nich jeszcze nie było.

Komentarze następnego dnia okazały się druzgocące. O ósmej rano Coco otworzyła jedno oko i powiedziała: „Nazwali mnie dinozaurem, wiem, nie czytałam jeszcze gazet, ale wiem".

Narzuciła coś na siebie i wybiegła, a raczej wypadła z hotelu, żeby kupić „Vogue'a", „Le Combat" i „Elle". Płacąc, przyjrzała się kioskarzowi: wyglądał, jakby też chciał ją zwyzywać od dinozaurów. Wróciła do siebie i nie zamykając drzwi, z sercem w gardle, zaczęła czytać: „Już po pierwszej sukience poznaliśmy, że *mademoiselle* wraca do stylu z przeszłości". Pisano o „kolekcji dla mamusiek" i „duchach lat trzydziestych". Coco zamknęła magazyn i wyszła na korytarz.

Wsparta na poręczy zeszła z siódmego piętra po schodach, powtarzając: „Pokonana przez wrogów, pokonana przez wrogów, wszystko na nic. To przez tę wojnę".

Do recepcji dotarła niemal bez tchu. Zażądała spotkania z dyrektorem hotelu, którym był syn znanego jej od czterdziestu lat pana Ritza. Gdy uczyniono zadość jej prośbie, oświadczyła: „Wszędzie śmierdzi szparagami. W restauracji, w recepcji, na schodach, na siódmym piętrze, w salonach i w moim apartamencie. Nie zamierzam płacić za cuchnące pokoje, więc proszę coś z tym zrobić. I to już!".

Powiedziała też, że ktoś zakrada się na siódme piętro, żeby ją podglądać i tłamsić jej twórczą osobowość. Dlatego chciała, by na końcu korytarza ustawiono lustro – takie samo, jakie miała w pracowni – żeby szpiegować swoich szpiegów.

To było wszystko, na co zdobyła się w obliczu klęski. Owszem, liczyła na sukces, ale porażka nie stanowiła już takiego zagrożenia dla jej równowagi wewnętrznej jak kiedyś, w młodości. Nie zamierzała rozpaczać ani iść w ślady tej dewotki pani Desboutin, która ubierała swoją frustrację w religijny kostium i frazesy na temat ludzkiego przeznaczenia i tym podobnych głupot. O, nie. Nie, nie i jeszcze raz nie! Trzeba mieć trochę godności. Każdy dostaje to, na co sobie zasłużył, i jeśli nazwali ją dinozaurem, pewnie były ku temu powody. W szufladzie komódki, która stanowiła właściwie jedyne wyposażenie jej surowego pokoju, odszukała listy pisane przez matkę. Były na swoim miejscu. Policzyła je. Jeden, dwa, dwanaście. Ułożyła według dat. Parsknęła starczym, złośliwym śmieszkiem.

Nazajutrz dwóch tragarzy ustawiło na siódmym piętrze zamówione lustro. Co do szparagów – więcej ich w Ritzu nie podawano.

24

Tym razem też nie potrafiła się zdobyć na przeczytanie listów matki. Nawet teraz, tuż przed śmiercią. Rozmyślając o swojej potencjalnej zabójczyni, wykluczyła kilka osób: Długa Meg nie żyła, podobnie jak Misia. Pani Desboutin, jeśli jeszcze nie poszła w ich ślady, była zbyt stara, co najmniej o piętnaście lat starsza od niej, Coco. Kto został? Lucienne. Czy to Lucienne Rebaté, awansowana z ekspedientki na *première d'atelier**, szykowała się, by ją zabić? A może Marie? Gdzie się podziewała przez te wszystkie lata? Nie wiadomo dlaczego, Chudzina pomyślała nagle o zabójstwie Kennedy'ego i o zakrwawionej różowej sukience, którą osobiście uszyła dla Jacqueline, jego ukochanej żony. O sukience, której Jacqueline nie chciała zdjąć, żeby wszyscy widzieli, co zrobiono jej Johnowi. Zdaniem Coco Jacqueline miała okropny gust i w dodatku narzuciła go całej Ameryce.

Chudzina pogodziła się ze swoją porażką, jak człowiek godzi się z brzydką pogodą. Dość się już w życiu nazłościła, teraz powinna po prostu żyć. Ale jak? W samotności? W samotności pić szampana, otwierać prezenty, śmiać się, rozkoszować potrawami, dziękować za nie Bogu, witać Nowy

---

* *Première d'atelier* (franc.) – kierowniczka warsztatu (przyp. tłum.).

Rok i umierać? Na tym polegała jej prawdziwa, wewnętrzna porażka.

Któregoś świetlistego październikowego ranka w 1963 roku, kiedy Coco wyglądała przez okno, obserwując przepołowione blaskiem niebo, zadzwonił telefon. Odebrała pospiesznie: jakiś głos poinformował ją, że umarł jej przyjaciel, Jean Cocteau. Jeszcze jeden – pomyślała. Gdy widziała go ostatnim razem, nie był akurat pod wpływem opium i przypominał kłębek nerwów, tak samo jak ona: nie potrafił usiedzieć spokojnie, wstawał i zaraz znowu opadał na krzesło, chodził w kółko, opuszczał żaluzję i otwierał drzwi.

Odłożyła słuchawkę i natychmiast ją podniosła. Wykręciła numer Serge'a Lifara, który akurat bawił w Paryżu. Poprosiła go, by poszedł z nią na pogrzeb, a potem dał się zaprosić na wystawną kolację na cześć Jeana. Gdy siedzieli już przy stoliku w hotelowej restauracji, drżącymi ze starości dłońmi próbując poradzić sobie ze sztućcami, prychnęła: „Jaki tam z niego poeta, nie rozśmieszaj mnie! Poetą był Supervielle albo Reverdy. Cocteau niczego w życiu nie dokonał. Wymień mi jakikolwiek tytuł jego zbioru poezji, a pokażę ci, skąd zerżnął kolejne wersy. No, ale tak czy owak, wypijmy za zmarłych!".

Przy deserze, skręcając się ze śmiechu, wspominali ten dzień, gdy on siedział w szafie, a po nią przyszli uzbrojeni *fifis*. Potem Lifar zapytał, co z jej kochankami, bo po mieście krąży plotka, że została lesbijką i romansuje z Marie-Hélène Arnaud. „Powariowali! – wykrzyknęła. – W moim wieku?! Skąd ludziom przychodzą do głowy takie rzeczy?".

Lifar upierał się jednak, że jej modelki są zbyt ładne, żeby można się im było oprzeć, i że taka kobieta jak Coco nie może być sama. „Owszem – odparła, próbując opanować drżenie rąk i nie uderzać łyżką o talerz – moje dziewczyny są ładne, bardzo ładne, dlatego wykonują ten zawód. Gdyby oprócz tego miały trochę rozumu, zajęłyby się czymś poważniejszym. – I pstrykając palcami na kelnera (schudła i spadają jej pierścionki – pomyślał Lifar), zakończyła: – *Finita la commedia*, mój drogi, dla mnie nie istnieją już ani mężczyźni, ani kobiety. Nie potrzebuję ani jednych, ani drugich".

Kłamała. Przez ostatnie lata życia marzyła o towarzystwie. W tygodniu wciąż pracowała – praca była lekarstwem na samotność – ale weekendy dłużyły się niemiłosiernie. Aby wypełnić pustkę niedziel, oglądała telewizję (światło w oczach, jak w chwilach zakochania, i dystans) albo jeździła do Longchamp, Auteuil czy Vincennes oglądać wyścigi, czuć w nozdrzach zapach świeżej trawy i wspominać młodość. Kupiła nawet młodą klacz, którą nazwała Romantique. Zwierzęta, powtarzała często, są milsze niż ludzie. Ale kupowała nie tylko konie. Kupowała też przyjaźń, wszystko jedno czyją.

Za odpowiednio wysoką opłatą hotel oddał jej do dyspozycji osobistą pokojówkę, Céline, która podawała *mademoiselle* lekarstwa, ubierała ją i dbała o jej higienę zarówno fizyczną, jak i duchową, cierpliwie wysłuchując skarg i złorzeczeń.

Kobiety – mawiała – bez względu na wiek i sytuację życiową, potrzebują miłości, Céline, inaczej są bezużyteczne, umierają i nic to nie znaczy dla świata.

Z wiekiem stała się somnambuliczką, opłacała więc lokaja i boya, aby nocami czuwali przy niej. Zasypiała przy dźwięku ich głosów, podczas gdy oni zabijali nudę grą w karty, uważając, by *mademoiselle* nie opuszczała sypialni. (Ulgę sprawiała jej już sama wizja ich rąk przekładających karty).

„Czy któryś z was coś mówił?" – pytała czasem drżącymi wargami, siadając gwałtownie na pościeli. „Ja nie" – odpowiadał lokaj. „Ani ja" – dorzucał boy. „A właśnie że ty" – mruczała Chudzina, nie zwracając się do żadnego z nich w szczególności, po czym opadała na poduszkę.

Dyrekcja Ritza pochwalała te dyżury od czasu, gdy pewnej nocy Coco wypadła w koszuli na korytarz i dobijając się do wszystkich drzwi, krzyczała przeraźliwie: „Szparagi, tu znowu cuchnie szparagami!".

Lokaj, który grywał u niej po nocach w karty, z czasem stał się kimś więcej. Był prawie czterdzieści lat od niej młodszy, w dodatku żonaty, ale Chudzinie podobały się jego po chłopsku okrągłe i rumiane policzki, niezachwiana pogoda ducha, przenikający przez ubranie zapach obory oraz to, że zawsze tytułował ją *madame de...* Wieczorami, kiedy zostawali sami, Coco prosiła, by zdjął liberię i usiadł na łóżku. Mówiła: „Nalej mi wina, na starość chce się człowiekowi pić". Opowiadała mu o swoim życiu, kazała otwierać sejf i liczyć pieniądze, zabierała go ze sobą na wyścigi, kupowała prezenty dla jego żony. Czasem też przy nim płakała.

Tych, którym nie zależało na jej pieniądzach, przyciągała jej historia. Lilou, sekretarka, zawoziła ją w południe do restauracji i odstawiała z powrotem do hotelu, niekiedy zostawała z nią aż do późnego wieczora. Gdy jednak próbowała zwierzać się *mademoiselle* ze swoich prywatnych spraw, ta natychmiast ją gasiła: „Proszę przestać, nudzi mnie pani, Lilou, śmiertelnie mnie pani nudzi tymi opowieściami z życia szczęśliwej mężatki". Kiedy indziej sama prosiła: „Mów coś, na miłość boską!". Bardzo szybko miała dość. Nienawidziła ludzi, nienawidziła życia i nienawidziła samej siebie. Nienawidziła niedziel, bo w niedziele nie mogła przejść na drugą stronę ulicy Cambon i pogrążyć się w pracy. A kiedy nie pracowała, była staruszką.

Któregoś dnia odwiedził ją pewien producent z Broadwayu. Powiedział, że planuje przenieść jej biografię na wielki ekran. Chodziło o finansowany przez Paramount Pictures musical pod tytułem *Coco*. Chudzina, spragniona uwagi, uznała pomysł za znakomity. „Zawsze o tym marzyłam" – powiedziała, by zaraz potem spytać, kto zagra jej postać. „Hepburn" – odparł producent.

Coco, zadowolona, stwierdziła, że Audrey doskonale nadaje się do tej roli. „Nie Audrey, tylko Katherine" – sprostował gość. Wpadła w furię.

„Katherine Hepburn jest starsza niż sam Matuzalem!" – krzyczała. Zażyczyła sobie obejrzeć sceny dotyczące jej młodych lat i pierwszej miłości, w przeciwnym razie odmawia zgody. Producent niby ustąpił, ale i tak zrobił, co chciał. Ostatecznie, jak podano w prasie, film opowiadał historię kobiety, która całe swoje życie złożyła na ołtarzu niezależności, płacąc za to osamotnieniem.

Premierę zaplanowano na koniec grudnia. W Nowym Jorku wszystko było gotowe. Coco miała wziąć udział w pokazie na Broadwayu i nawet uszyła sobie na tę okazję pokrytą cekinami suknię, ale w miarę jak zbliżał się wielki dzień, czuła się coraz gorzej, miała wręcz kłopoty z oddychaniem.

Krótko przed Wigilią udzieliła wywiadu francuskiej telewizji, która przygotowała cały cykl rozmów ze słynnymi kobietami, między innymi z Marią Callas, księżną Monaco Grace Kelly, Marleną Dietrich i Françoise Sagan. Myśl o udziale w tym programie napełniła Coco takim szczęściem i dumą, że przez cały dzień chodziła nadęta jak paw.

Podczas gdy dziennikarze i cała ekipa pili szampana z okazji Bożego Narodzenia, ona siedziała w zamszowym fotelu twarzą w twarz z wyłączonymi jeszcze kamerami. Potem, zanim prowadzący zdążył zadać jej pierwsze pytanie, oświadczyła, że zamierza dużo mówić, jak na starą kobietę przystało. A na pytanie, dlaczego, odparła, mierząc rozmówcę ostrym spojrzeniem: „Bo nie znoszę słuchać, co mówią inni. Nie zamierzam również słuchać pana. Jeśli kiedyś umrę, to bez wątpienia z nudów".

Rzeczywiście, mówiła dużo, ale pod koniec dwuipółgodzinnego wywiadu jej odpowiedzi zaczęły się robić dobitniejsze i bardziej zwięzłe: czuła się coraz gorzej. Była zmęczona – dziwnym, niemal bolesnym zmęczeniem – i zła na tego głupka dziennikarza oraz jego ludzi, którzy zdawali się cieszyć ze świąt. Ogarnął ją strach. Przed czym? Nie wiedziała. Po prostu czuła lęk, tak jak czuje się ból w kościach. Dlatego od długich dywagacji przeszła do ostrych, błyskotliwych ripost.

O modzie:

„Teraz jedynym dylematem projektantów wydaje się długość sukienki. *Haute couture* skończyła się z chwilą, gdy zabrali się do niej mężczyźni, którzy nie lubią kobiet".

O krytykach:

„Najpierw powinni pójść do szkoły krawieckiej i nauczyć się podstaw kroju".

O Pierze Cardinie:

„Naprawdę bardzo sympatyczny chłopak, mówię serio, tyle że najprawdopodobniej zarżnie modę do reszty".

O Pacu Rabanne, znanym z wykorzystywania do swoich projektów nietypowych materiałów, takich jak aluminium i plastik:

„Widzę go raczej w przemyśle metalurgicznym".

O Cristobalu Balenciadze:

„On jeden do czegoś się nadaje".

O wolnym czasie:

„Nienawidzę go, tak samo jak domków na wsi i jeziorek z łabędziami srającymi do wody".

O przyjaciołach:

„Tylko by pożyczali pieniądze".

O podwładnych:

„Kradną".

O modelkach:

„Myśli pan, że to zabawne – tak ciągle klękać przed młodymi dziewczynami? Gdyby jeszcze ładnie pachniały...".

O samotności:

„Czasem mam ochotę zadzwonić po policję tylko po to, żeby ktoś dotrzymał mi towarzystwa".

O życiu:

„Bieg na tysiąc metrów do grobu".

O śmierci:

„Nie boję się śmierci, boję się być nikim".

Po skończonym wywiadzie poprosiła o odwiezienie jej do hotelu. Na miejscu wsiadła sama do windy, bez tchu przebiegła przez korytarz i wpadła do apartamentu. Céline już czekała z lekarstwami, gotowa na pierwsze polecenie pakować walizki. Coco wyjrzała przez szparę w drzwiach: na końcu korytarza stało lustro. Poza tym nikogo. Chociaż tyle dobrego.

Postanowiła, że podróż odbędzie statkiem, nie samolotem. Jednakże na tydzień przed przewidzianą datą dostała ataku apopleksji, który unieruchomił jej prawe ramię. Nie wyobrażała sobie większego upokorzenia. Choć zreumatyzowane, ręce pozostawały jej narzędziem pracy.

Dziennikarze zwietrzyli sensację i w chwili, gdy na wpół przytomna odjeżdżała do szpitala w Neuilly, otoczyli hotel zwartym tłumem. Leżąc na noszach, osłaniała się przed nimi, jak mogła. Czasem jęczała. A potem rzuciła wyraźnie: „Jeszcze nie teraz, proszę się stąd zabierać".

Ocknąwszy się w szpitalu, rozejrzała się dookoła. Przy jej wezgłowiu siedział ksiądz. Chwyciła go mocno za rękę i wymamrotała: „Nie jestem zła, tylko mam w sobie sprzeczność".

Wigilię spędziła sama, oglądając telewizję i jedząc ostrygi, z dłonią na piersi, gdzie trzymała listy swojej matki. Céline ubłagała ją, by chociaż tego dnia wolno jej było spędzić czas z rodziną.

Przez kolejne dni, do sylwestra, czuła się trochę lepiej. Razem z lokajem i boyem wzniosła toast noworoczny najlepszym szampanem z hotelowych piwnic. Nie czekała z tym jednak do północy, ponieważ była zmęczona i znudzona.

Następnego dnia o szóstej rano poczuła koło ucha zimną pieszczotę kuli. Otworzyła nagle oczy.

Pół godziny później umarła.

Ktoś widział, jak przygładzała włosy i poprawiała ubranie przed lustrem, które sama kazała ustawić w korytarzu, by strzec się przed wrogami. W ręku trzymała pistolet.